" 다양한 **유형**의 **사고력** 문제를 통해
사고력을 향상시킬 수 있는 GO! 매쓰 "

각 단원별 **사고력** 문제를 **유형**에 따라 학습할 수 있는 **사고력 확장**
GO! 매쓰 Jump로 수학 능력치를 한단계 점프해 보세요.

Jump

5-1

차례

구성과 특징

1 핵심 개념 정리

단원별 핵심 개념을 간결하게 정리하여 한눈에 이해할 수 있습니다.

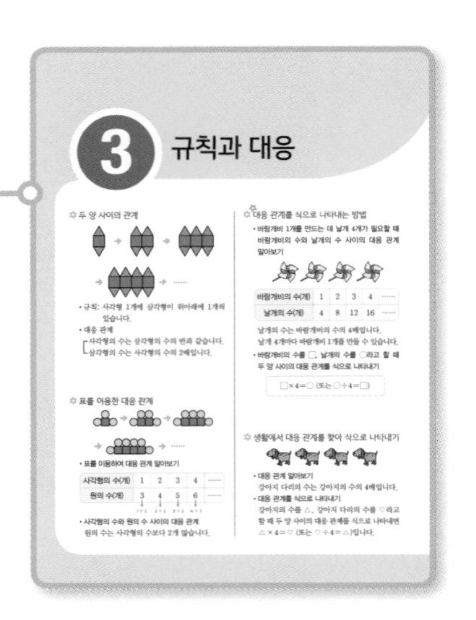

2 대표 유형 익히기

단원별 사고력 문제의 대표 유형을 뽑아 수록하였습니다. 단계에 따라 문제를 해결하면 사고력 문제도 스스로 해결할 수 있습니다.

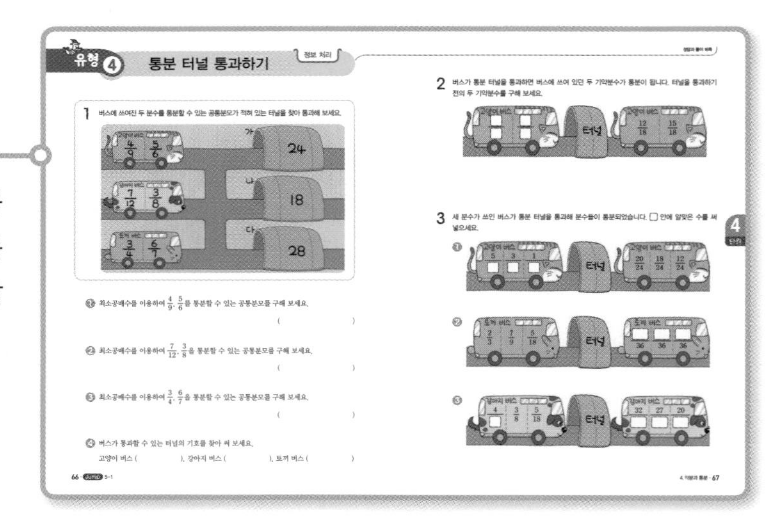

3 사고력 종합평가

한 단원을 학습한 후 종합평가를 통하여 단원에 해당하는 사고력 문제를 잘 이해하였는지 평가할 수 있습니다.

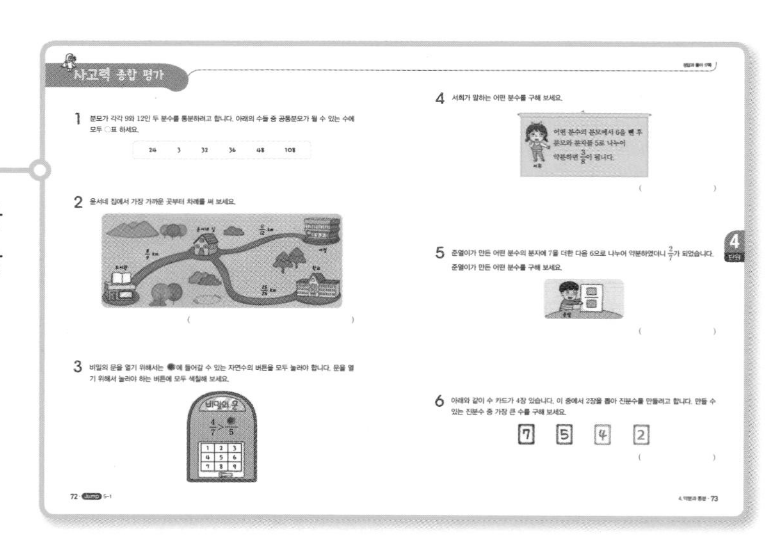

1 자연수의 혼합 계산

✲ 덧셈과 뺄셈이 섞여 있는 식

- 덧셈과 뺄셈이 섞여 있는 식에서는 앞에서부터 차례로 계산합니다.
- 덧셈과 뺄셈이 섞여 있고 (　)가 있는 식에서는 (　) 안을 먼저 계산합니다.

$27-5+8=30$ (22 → 30)

$27-(5+8)=14$ (13 → 14)

✲ 곱셈과 나눗셈이 섞여 있는 식

- 곱셈과 나눗셈이 섞여 있는 식에서는 앞에서부터 차례로 계산합니다.
- 곱셈과 나눗셈이 섞여 있고 (　)가 있는 식에서는 (　) 안을 먼저 계산합니다.

$40\div5\times2=16$ (8 → 16)

$40\div(5\times2)=4$ (10 → 4)

✲ 덧셈, 뺄셈, 곱셈이 섞여 있는 식

- 덧셈, 뺄셈, 곱셈이 섞여 있는 식에서는 곱셈을 먼저 계산하고, (　)가 있으면 (　) 안을 가장 먼저 계산합니다.

$42-9\times4+17=23$ (36 → 6 → 23)

✲ 덧셈, 뺄셈, 나눗셈이 섞여 있는 식

- 덧셈, 뺄셈, 나눗셈이 섞여 있는 식에서는 나눗셈을 먼저 계산하고, (　)가 있으면 (　) 안을 가장 먼저 계산합니다.

$42-9+72\div9=41$ (33, 8 → 41)

$42-(9+72)\div9=33$ (81 → 9 → 33)

✲ 덧셈, 뺄셈, 곱셈, 나눗셈이 섞여 있는 식

- 덧셈, 뺄셈, 곱셈, 나눗셈이 섞여 있는 식에서는 곱셈과 나눗셈을 먼저 계산하고, (　)가 있으면 (　) 안을 가장 먼저 계산합니다.

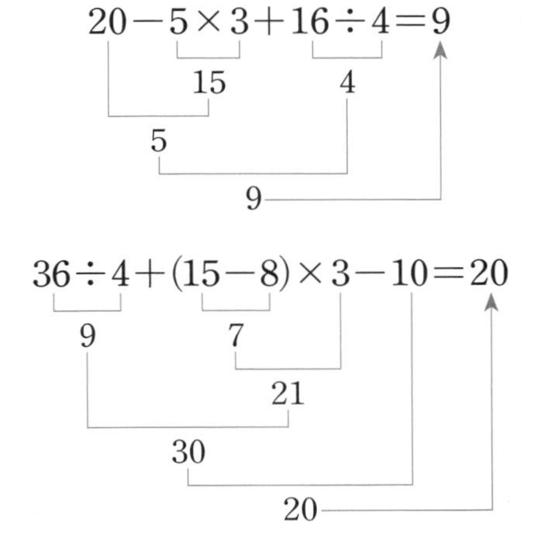

유형 1 카프리카 수

창의・융합

1 어떤 수를 두 부분으로 나누어 더한 다음, 그 값끼리 곱한 계산 결과가 원래 수와 같을 때 그 수를 카프리카 수라고 합니다. 3025와 같은 방법으로 2025, 9801이 카프리카 수임을 확인해 보세요.
→ 인도의 수학자 카프리카가 발견한 수

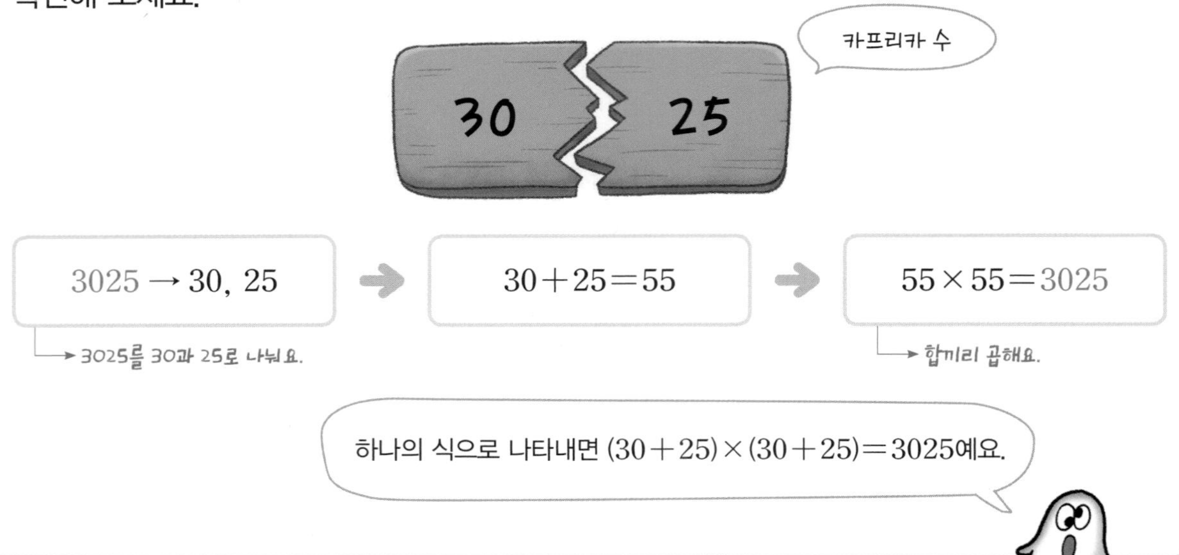

❶ 3025와 같은 방법으로 2025가 카프리카 수임을 확인해 보세요.

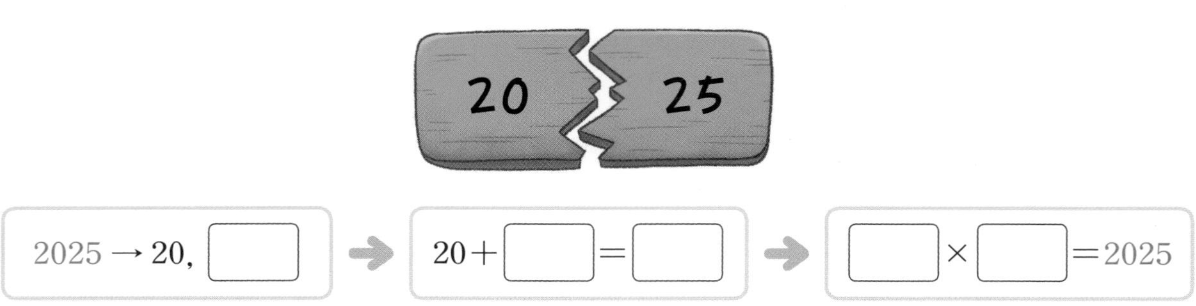

❷ 3025와 같은 방법으로 9801이 카프리카 수임을 확인해 보세요.

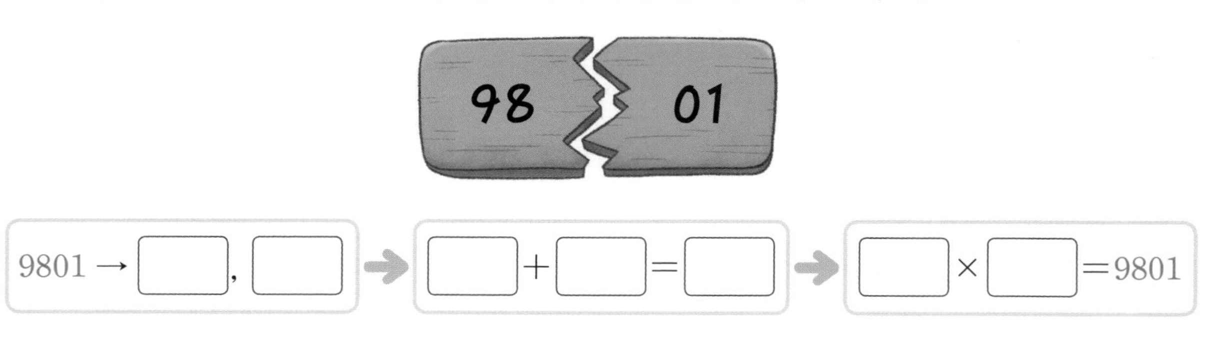

2 친구들이 가지고 있는 수 중에서 카프리카 수를 가지고 있는 사람의 이름을 써 보세요.

(　　　　　　　　　)

3 다음 수가 카프리카 수인지 계산하여 확인해 보고 카프리카 수이면 ○표, 아니면 ×표 하세요.

(　　　　　　　　　)

(　　　　　　　　　)

유형 2 (　)에 따라 달라지는 계산 결과 알아보기

추론

1 (　)가 없는 식과 있는 식의 계산 결과를 비교하려고 합니다. 물음에 답하세요.

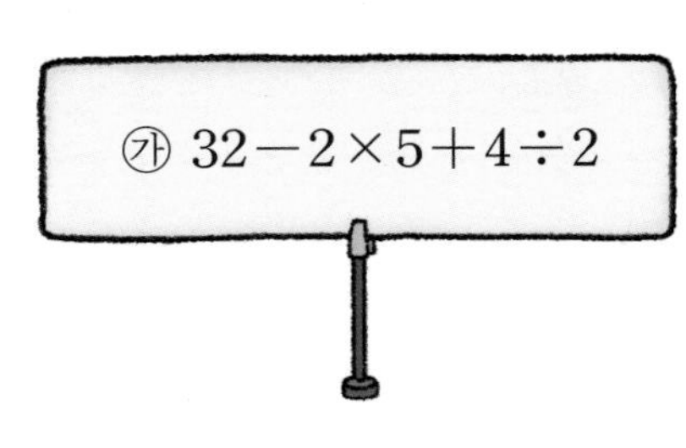

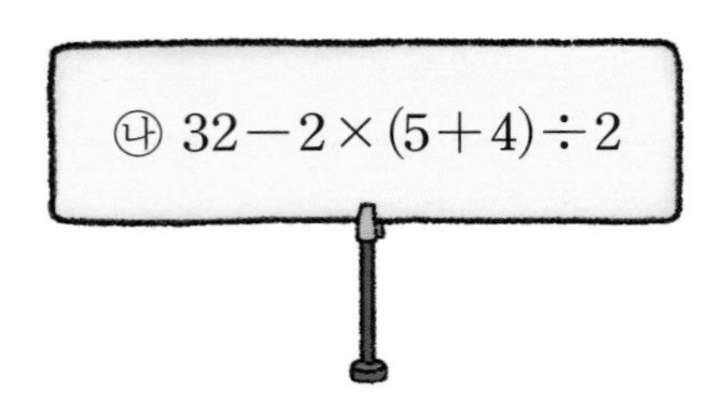

❶ ㉮ 식을 계산 순서에 맞게 □ 안에 1부터 4까지 써넣고 계산 결과를 구해 보세요.

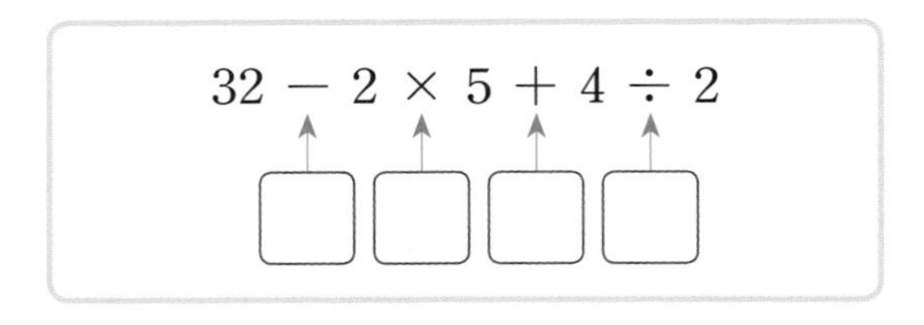

(　　　　　　　　)

내가 없을 때와 있을 때는 계산 순서가 달라질 수 있어요.

❷ ㉯ 식을 계산 순서에 맞게 □ 안에 1부터 4까지 써넣고 계산 결과를 구해 보세요.

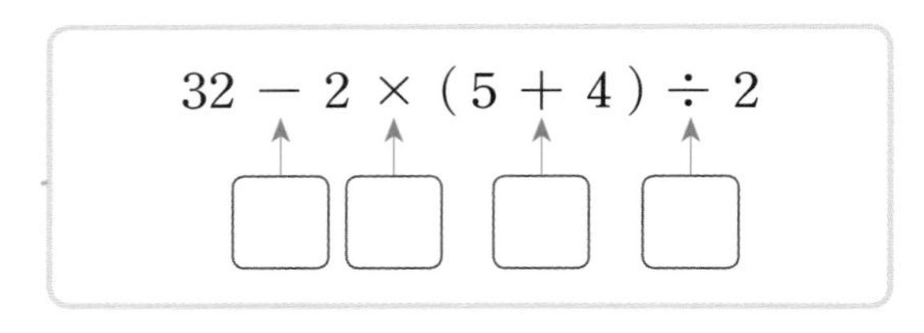

(　　　　　　　　)

❸ ㉮ 식과 ㉯ 식의 계산 결과는 서로 같을까요, 다를까요?

(　　　　　　　　)

2 (　)가 있으면 계산 순서가 바뀌는 부분에 (　)를 넣었습니다. 각각 계산해 보세요.

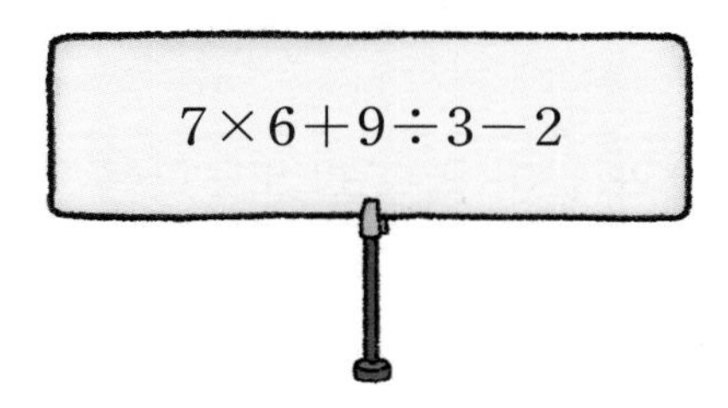

❶ $7 \times (6+9) \div 3 - 2 = \square$

❷ $7 \times 6 + 9 \div (3-2) = \square$

❸ $(7 \times 6 + 9) \div 3 - 2 = \square$

❹ $7 \times (6 + 9 \div 3 - 2) = \square$

3 다음 식이 성립하도록 두 수를 (　)로 묶어 보세요.

❶ $38 - 15 + 27 \div 3 \times 2 = 10$

❷ $24 \div 3 + 9 \times 4 - 6 = 2$

❸ $42 - 3 \times 5 + 3 \div 8 = 39$

유형 ③ 기호를 약속하여 계산하기

의사소통

1 가◎나=가×2−나÷2와 같이 약속합니다. 다음 연산 규칙 기계에 가와 나를 넣어 출력한 값을 다시 가에 입력하고 나는 계속 같은 값을 입력한다면 처음에 가=12, 나=8을 입력하여 2회에 출력한 값을 구해 보세요.

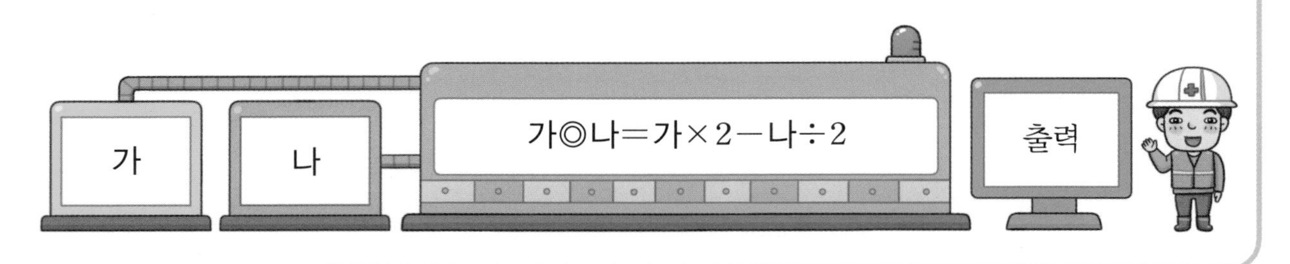

❶ 가=12, 나=8을 입력하여 1회에 출력한 값을 구해 보세요.

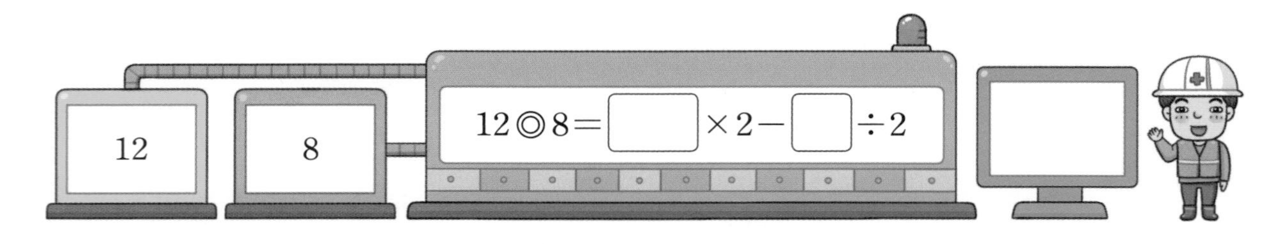

❷ 위 ❶에서 출력한 값을 다시 가에 입력하고 나는 8을 입력하여 2회에 출력한 값을 구해 보세요.

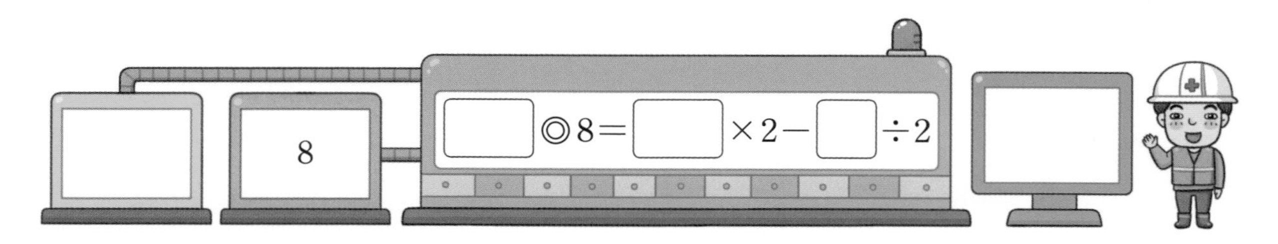

2 다음과 같이 약속할 때 바르게 계산한 사람은 누구인지 써 보세요.

가♥나=가÷나+나

(16♥4)♥2=6

❶ (16♥4)♥2의 값은 얼마일까요?

(　　　　　　　　)

❷ 35♥(10♥2)의 값은 얼마일까요?

(　　　　　　　　)

❸ 바르게 계산한 사람은 누구일까요?

(　　　　　　　　)

3 다음과 같이 약속할 때 20●(14◆7)의 계산 결과를 구해 보세요.

가◆나=가÷나+3
가●나=가÷나−3

(　　　　　　　　)

유형 4 식으로 해결하기

문제 해결

1 준수네 어머니께서는 10000원으로 복숭아 2개, 참외 3개, 사과 2개를 샀습니다. 남은 돈은 얼마인지 하나의 식으로 나타내어 구해 보세요.

❶ 복숭아 2개, 참외 3개, 사과 2개의 값을 구하는 식을 하나의 식으로 나타내어 보세요.

$$6000 \div \square \times 2 + 1200 \times \square + 7000 \div \square \times \square$$

❷ 10000원으로 복숭아 2개, 참외 3개, 사과 2개를 사고 남은 돈을 구하는 식을 하나의 식으로 나타내어 보세요.

$$\square - (6000 \div \square \times 2 + 1200 \times \square + 7000 \div \square \times \square)$$

❸ 남은 돈은 얼마인지 구해 보세요.

(　　　　　　　　)

2 준수는 5000원으로 가지 1개, 호박 2개, 대파 1단을 샀습니다. 남은 돈은 얼마인지 하나의 식으로 나타내어 구해 보세요.

식 ______________________

답 ______________

3 기연이네 귤 농장에서는 귤 1200개를 6일 동안 농장 방문객에게 매일 똑같은 수만큼 나누어 주려고 합니다. 첫째 날 오후에 나누어 줄 수 있는 귤은 몇 개인지 하나의 식으로 나타내어 구해 보세요.

첫째 날인 오늘 오전에 남자 18명, 여자 34명이 방문했어.
귤 따기 체험장
귤을 2개씩 나누어 주었지.

식 ______________________

답 ______________

유형 5 규칙으로 해결하기

추론

1 성냥개비로 삼각형을 만들고 있습니다. 삼각형을 15개 만들려면 성냥개비는 몇 개 필요한지 하나의 식으로 나타내어 구해 보세요.

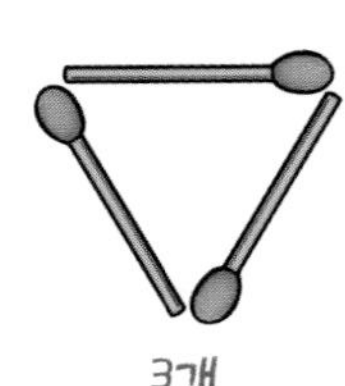
3개

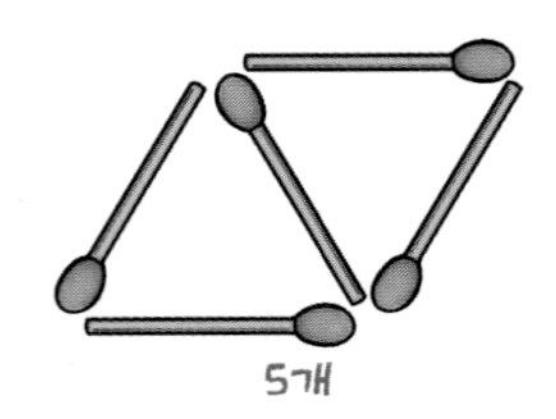
5개

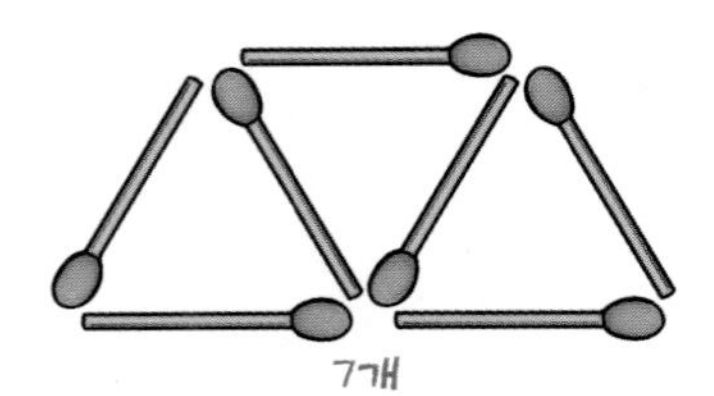
7개

......

❶ 규칙을 찾아 빈칸에 알맞은 식을 써넣으세요.

삼각형의 수(개)	성냥개비의 수를 구하는 식
1	3
2	3+□
3	3+□×□
4	3+□×□
5	3+□×□

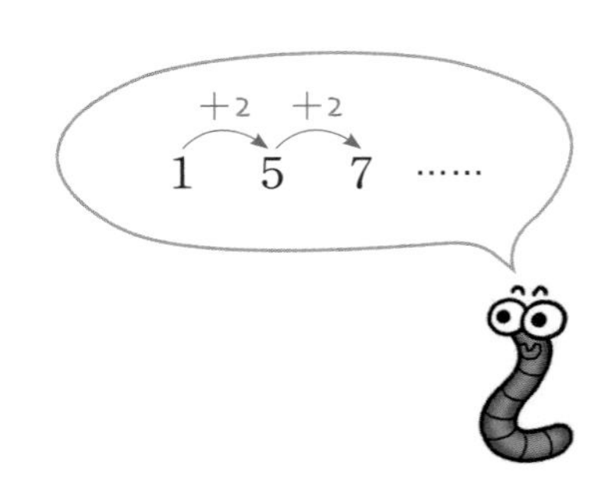

❷ 삼각형을 15개 만들려면 성냥개비는 몇 개 필요한지 하나의 식으로 나타내어 구해 보세요.

식 ____________________

답 ____________

2 성냥개비로 사각형을 만들고 있습니다. 사각형을 13개 만들려면 성냥개비는 몇 개 필요한지 구해 보세요.

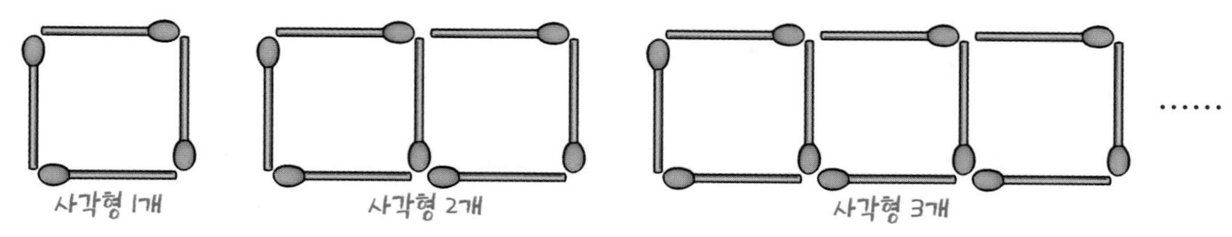

❶ 규칙을 찾아 빈칸에 알맞은 식을 써넣으세요.

사각형의 수(개)	성냥개비의 수를 구하는 식
1	4
2	4+□
3	4+□×□
4	4+□×□
5	4+□×□

❷ 사각형을 13개 만들려면 성냥개비는 몇 개 필요할까요?

(　　　　　　　　)

3 그림과 같이 규칙에 따라 바둑돌을 놓고 있습니다. 21번째에는 바둑돌은 몇 개 놓아야 하는지 구해 보세요.

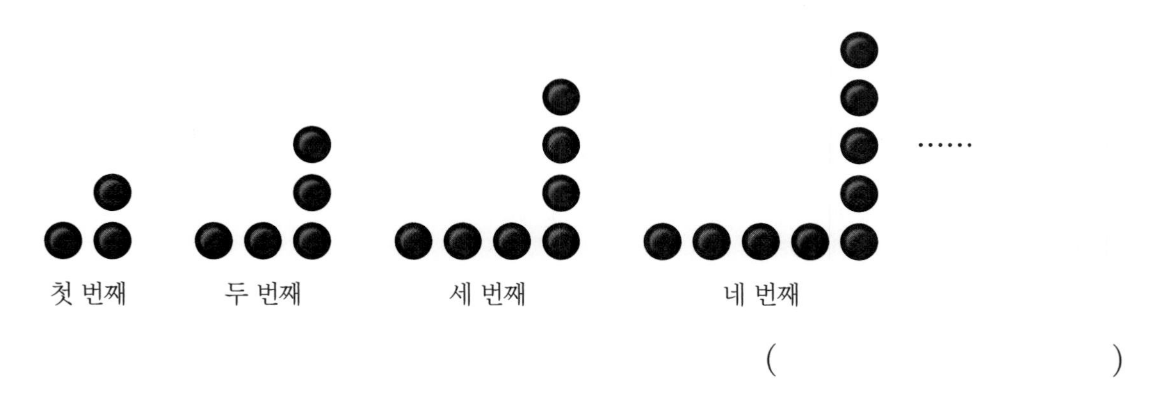

(　　　　　　　　)

유형 6 가장 크게, 가장 작게

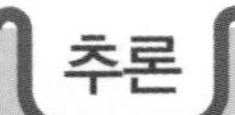
추론

1 수 카드 [2], [3], [5]를 한 번씩만 사용하여 다음과 같은 식을 만들려고 합니다. 계산 결과가 가장 큰 식과 가장 작은 식을 만들고, 계산 결과를 구해 보세요.

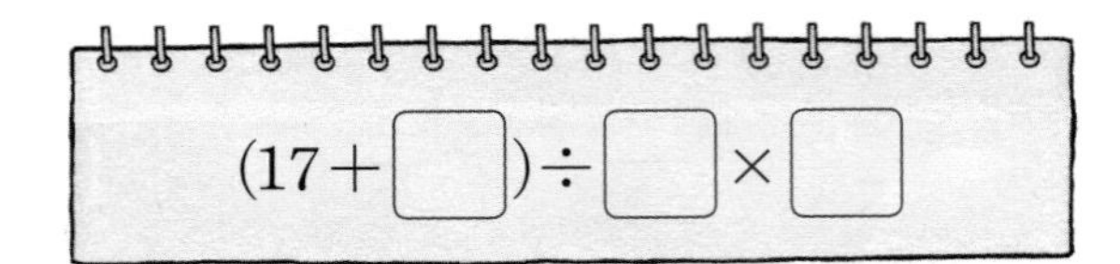
(17+□)÷□×□

❶ 계산 결과가 가장 큰 식을 만들려고 합니다. □ 안에 알맞은 수를 써넣으세요.

계산 결과가 가장 크려면
가장 큰 수를 곱하는 수에,
가장 작은 수를 나누는 수에
넣어야 해요.

(17+□)÷□×□=□

❷ 계산 결과가 가장 작은 식을 만들려고 합니다. □ 안에 알맞은 수를 써넣으세요.

계산 결과가 가장 작으려면
가장 큰 수를 나누는 수에,
가장 작은 수를 곱하는 수에
넣어야 해요.

(17+□)÷□×□=□

2

수 카드 2, 5, 8을 한 번씩만 사용하여 다음과 같은 식을 만들려고 합니다. 계산 결과가 가장 큰 식과 가장 작은 식을 만들고, 계산 결과를 구해 보세요.

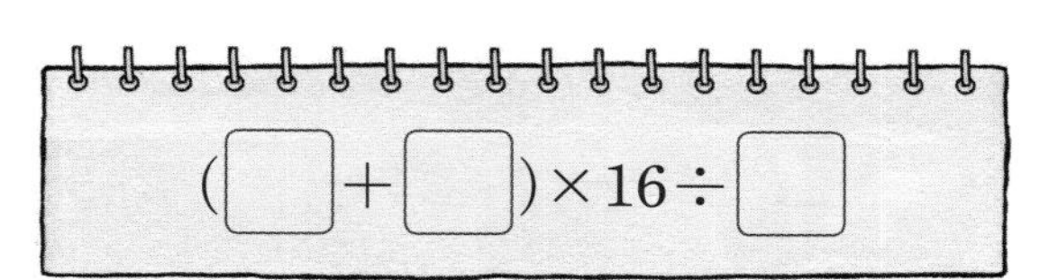

① 계산 결과가 가장 큰 식을 만들려고 합니다. □ 안에 알맞은 수를 써넣으세요.

(□+□)×16÷□=□

② 계산 결과가 가장 작은 식을 만들려고 합니다. □ 안에 알맞은 수를 써넣으세요.

(□+□)×16÷□=□

3

수 카드 2, 4, 8을 한 번씩만 사용하여 다음과 같은 식을 만들려고 합니다. 계산 결과가 가장 큰 식을 만들고, 계산 결과를 구해 보세요.

(　　　　　　　　)

사고력 종합 평가

1 ㉠과 ㉡의 계산 결과를 각각 구해 보세요.

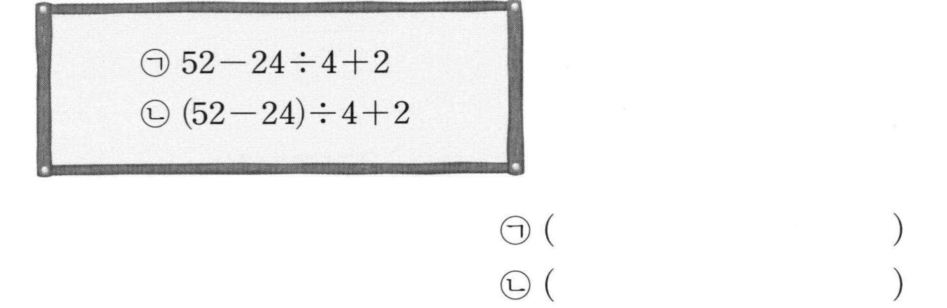

2 (　　)를 사용하여 두 식을 하나의 식으로 나타내어 보세요.

17＋15＝32

32÷4＝8

3 두 식의 계산 결과를 비교하여 ○ 안에 ＞, ＝, ＜를 알맞게 써넣으세요.

4 길이가 3 m인 색 테이프가 있습니다. 이 색 테이프 5장을 25 cm씩 겹쳐지게 이어 붙였습니다. 이어 붙인 색 테이프 전체의 길이는 몇 cm인지 하나의 식으로 나타내어 구해 보세요.

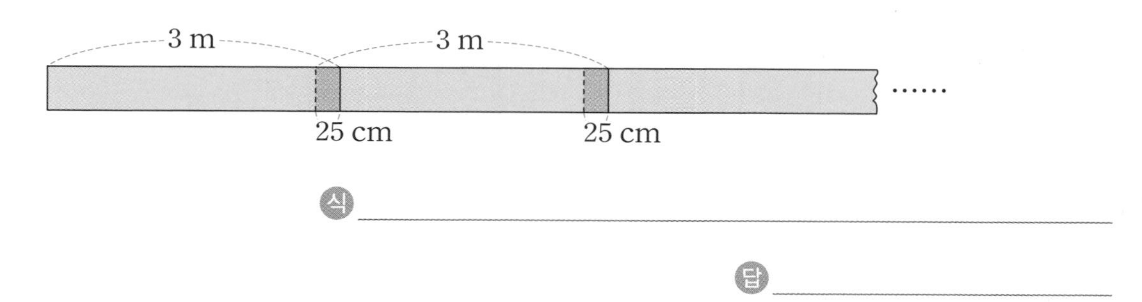

식 ______________________

답 ______________________

5 은주는 문구점에서 지우개 2개와 연필 3자루를 사고 5000원을 냈습니다. 은주가 받아야 하는 거스름돈은 얼마인지 하나의 식으로 나타내어 구해 보세요.

지우개(1개) ………… 400원
연필(12자루) ………… 6000원

식 ______________________

답 ______________________

6 그림과 같이 규칙에 따라 바둑돌을 놓고 있습니다. 아홉 번째에는 바둑돌을 몇 개 놓아야 하는지 구해 보세요.

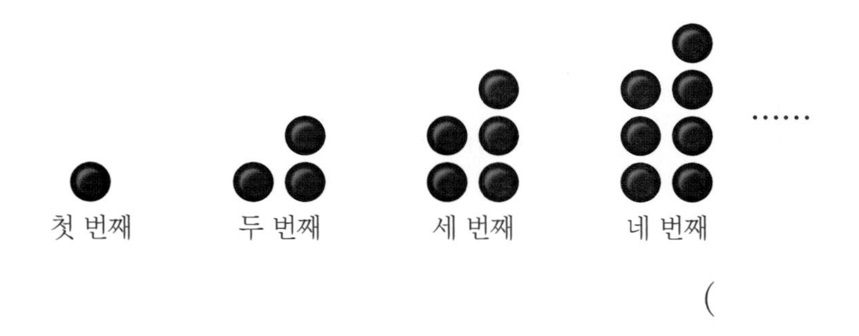

(　　　　　　　　)

7 □ 안에 +, − 중에서 알맞은 기호를 써넣어 혼합 계산식을 완성해 보세요.

24 □ 42÷7 □ 5=23

8 다음과 같은 규칙으로 야구공을 놓고 있습니다. 14번째에 놓이는 야구공은 몇 개인지 구해 보세요.

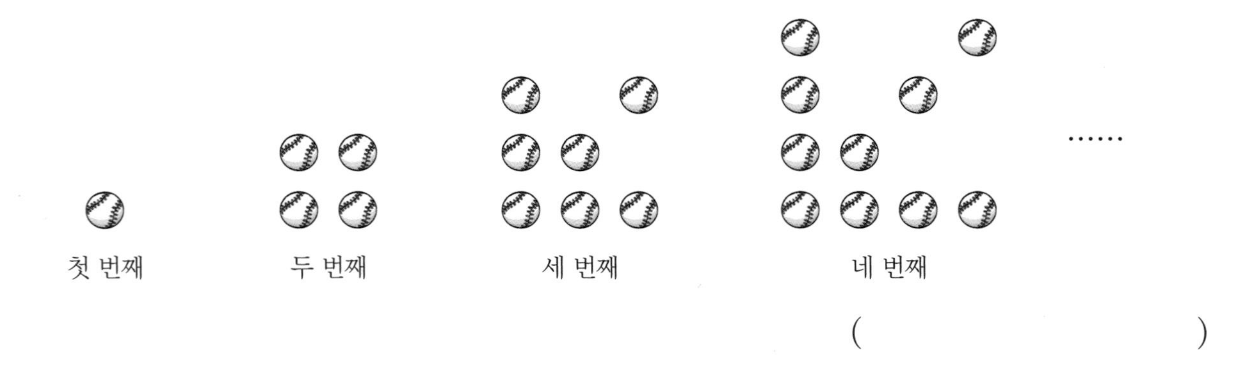

(　　　　　　　　)

9 가☆나=(가−나)×(가+나)와 같이 약속했습니다. 강호와 예지 중 바르게 구한 사람은 누구인지 써 보세요.

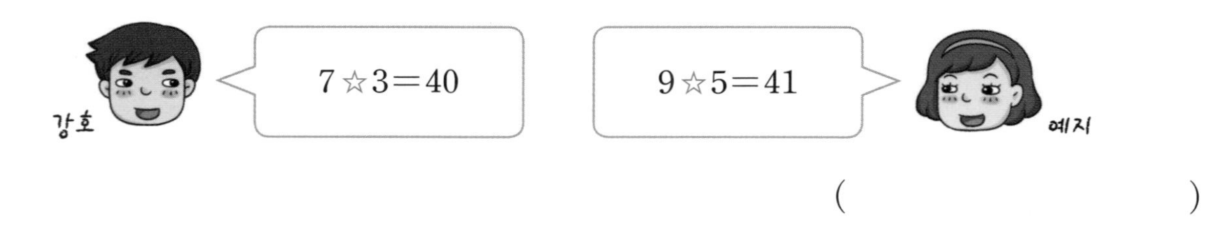

(　　　　　　　　)

10 식이 성립하도록 두 수를 (　　)로 묶어 보세요.

$$80 - 12 + 8 \div 4 \times 6 = 50$$

11 지구에서 잰 무게는 달에서 잰 무게의 약 6배라고 합니다. 세 사람이 모두 달에서 몸무게를 잰다면 소영이와 진우의 몸무게의 합은 선생님의 몸무게보다 몇 kg 더 무거운지 하나의 식으로 나타내어 구해 보세요.

	선생님	소영	진우
지구에서 잰 몸무게(kg)	84	48	42

식 ______________________

답 ______________________

12 다음과 같이 약속할 때 $\begin{pmatrix} 4 & 3 \\ 5 & 7 \end{pmatrix} + \begin{pmatrix} 10 & 9 \\ 2 & 3 \end{pmatrix}$의 값을 구해 보세요.

$$\begin{pmatrix} ㉮ & ㉯ \\ ㉰ & ㉱ \end{pmatrix} = ㉮ \times ㉱ - ㉯ \times ㉰$$

(　　　　　　　　)

13 수 카드 [2], [6], [8]을 한 번씩만 사용하여 다음과 같은 식을 만들려고 합니다. 계산 결과가 가장 작을 때의 값은 얼마인지 구해 보세요.

$280 \div (\square + \square) - \square$

( )

14 사다리 타는 방법을 이용하여 빈 곳에 알맞은 수를 써넣으세요.

<사다리 타는 방법>

- 출발점에서 아래로 내려가다가 만나는 다리는 반드시 건너야 합니다.
- 아래와 옆으로만 이동할 수 있습니다.
- 지나가는 길 위에 쓰여 있는 식은 차례로 모두 계산합니다.

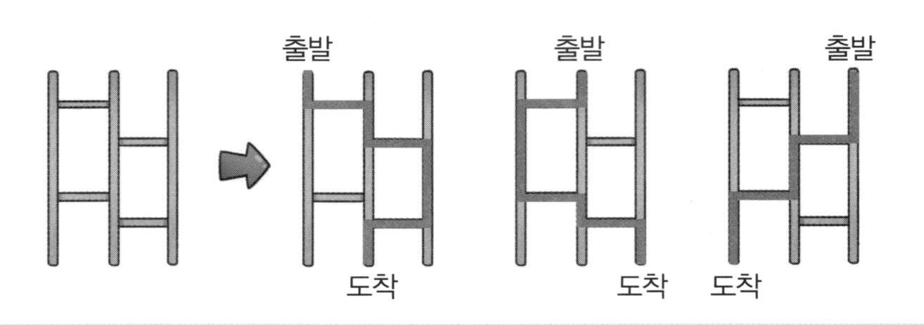

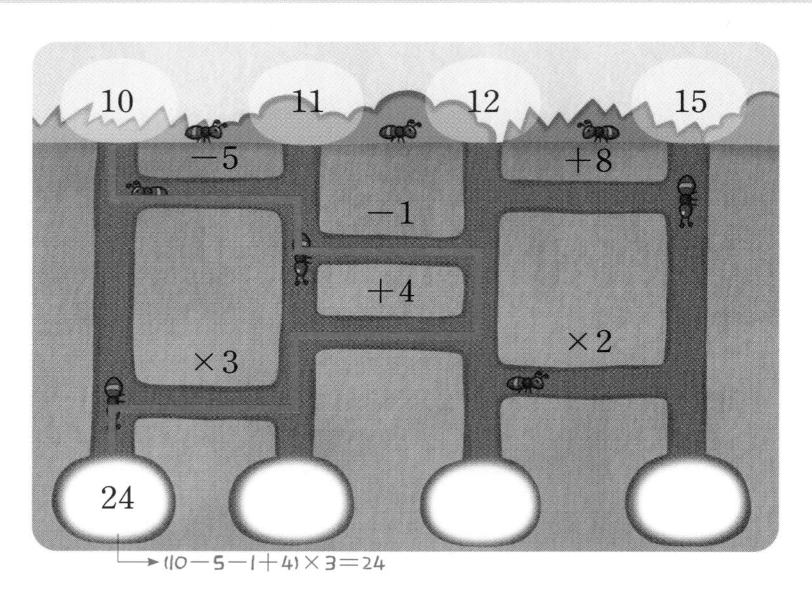

$(10-5-1+4)\times 3=24$

2 약수와 배수

약수 알아보기

어떤 수를 나누어떨어지게 하는 수를 그 수의 약수라고 합니다.

예 8의 약수 구하기

$8\div1=8$　$8\div2=4$

$8\div4=2$　$8\div8=1$

→ 8을 나누어떨어지게 하는 수는 1, 2, 4, 8 입니다.

1, 2, 4, 8은 8의 약수입니다.

배수 알아보기

어떤 수를 1배, 2배, 3배……한 수를 그 수의 배수라고 합니다.

예 4의 배수 구하기

$4\times1=4$　$4\times2=8$

$4\times3=12$　$4\times4=16$

→ 4를 1배, 2배, 3배, 4배…… 한 수는 4, 8, 12, 16……입니다.

4, 8, 12, 16……은 4의 배수입니다.

약수와 배수의 관계

$15=1\times15$　$15=3\times5$

- 1, 3, 5, 15는 15의 약수입니다.
- 15는 1, 3, 5, 15의 배수입니다.

공약수와 최대공약수 구하기

- 공약수: 공통인 약수
- 최대공약수: 공약수 중에서 가장 큰 수

예 8과 12의 공약수와 최대공약수

8의 약수: 1, 2, 4, 8

12의 약수: 1, 2, 3, 4, 6, 12

→ 8과 12의 공약수: 1, 2, 4

8과 12의 최대공약수: 4

$$\begin{array}{r|rr} 2 & 8 & 12 \\ \hline 2 & 4 & 6 \\ \hline & 2 & 3 \end{array}$$

8과 12의 최대공약수

→ $2\times2=4$

공배수와 최소공배수 구하기

- 공배수: 공통인 배수
- 최소공배수: 공배수 중에서 가장 작은 수

예 12와 18의 공배수와 최소공배수

12의 배수: 12, 24, 36, 48, 60, 72……

18의 배수: 18, 36, 54, 72, 90……

→ 12와 18의 공배수: 36, 72……

12와 18의 최소공배수: 36

$$\begin{array}{r|rr} 2 & 12 & 18 \\ \hline 3 & 6 & 9 \\ \hline & 2 & 3 \end{array}$$

12와 18의 최소공배수

→ $2\times3\times2\times3=36$

유형 1 두 수 사이의 관계

창의 · 융합

1 보기 의 7, 28과 같이 폭탄에 쓰인 두 수는 약수와 배수의 관계입니다. ㉠과 ㉡은 모두 두 자리 수일 때 ㉠과 ㉡의 차가 가장 큰 경우의 두 수의 차를 구해 보세요.
(단, ㉠ > ㉡입니다.)

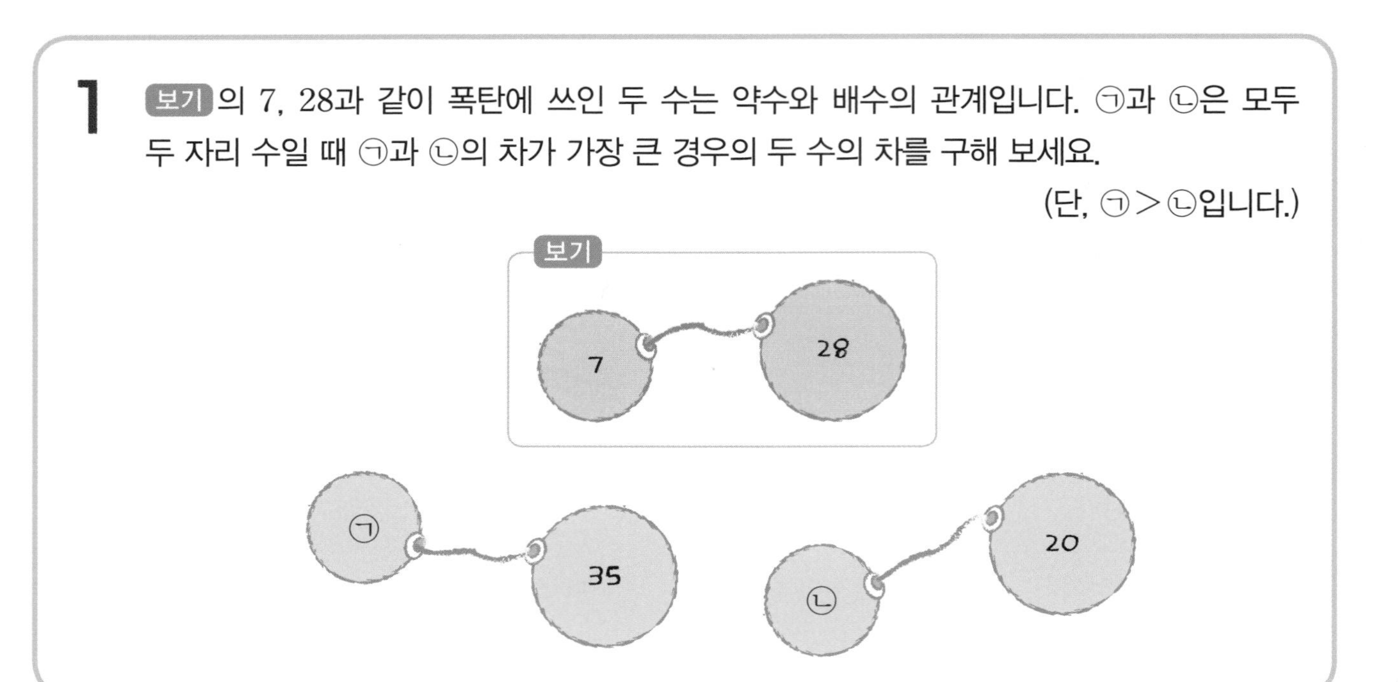

1 ㉠과 ㉡의 차가 가장 큰 경우를 구하려면 가장 먼저 무엇을 구해야 하는지 □ 안에 알맞은 말을 써넣으세요.

㉠은 35의 배수 중 가장 큰 두 자리 수이고,
㉡은 20의 □ 중 가장 작은 두 자리 수입니다.

2 ㉠에 알맞은 수를 구해 보세요.

( )

3 ㉡에 알맞은 수를 구해 보세요.

( )

4 ㉠과 ㉡의 차가 가장 큰 경우의 두 수의 차를 구해 보세요.

( )

2 약수와 배수의 관계가 되도록 빈칸에 1을 제외한 알맞은 수를 써넣으세요.

3 보기 의 8, 24와 같이 폭탄에 쓰인 두 수는 약수와 배수의 관계입니다. ㉠과 ㉡은 모두 두 자리 수일 때 ㉠과 ㉡의 합이 가장 큰 경우의 두 수의 합을 구해 보세요.

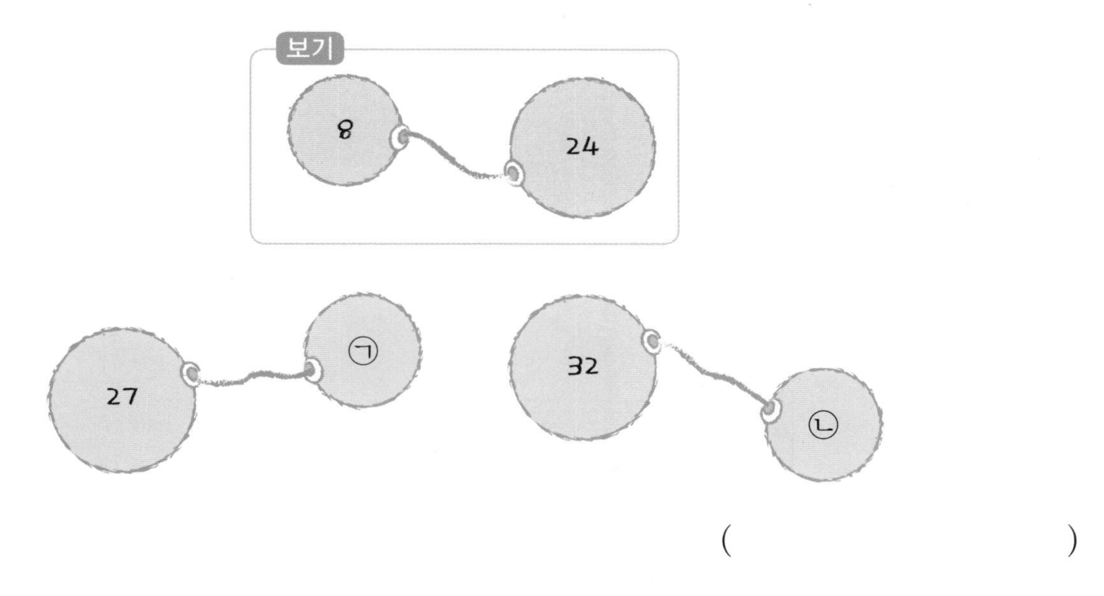

(　　　　　　　　　　)

수의 마법 상자

추론

1 두 수를 넣으면 새로운 하나의 수가 나오는 마법 규칙을 가진 두 종류의 상자가 있습니다. 마법 규칙을 찾아 (28)과 (42)를 넣었을 때 나오는 수를 구해 보세요.

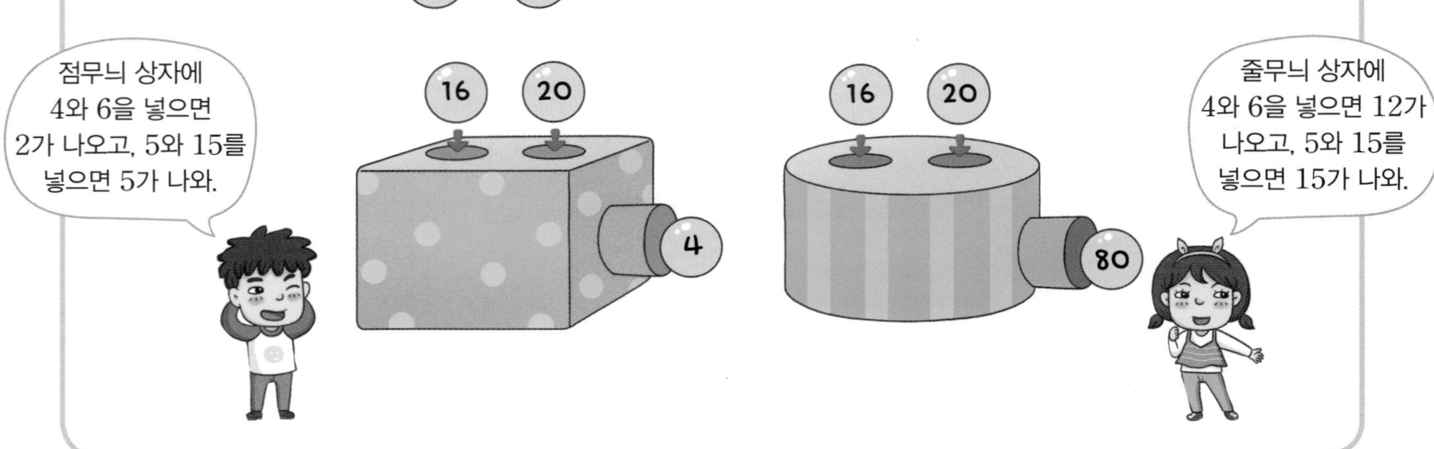

점무늬 상자에 4와 6을 넣으면 2가 나오고, 5와 15를 넣으면 5가 나와.
16
20
4
16
20
80
줄무늬 상자에 4와 6을 넣으면 12가 나오고, 5와 15를 넣으면 15가 나와.

❶ 규칙을 찾아 □ 안에 알맞은 말을 써넣으세요.

점무늬 상자의 마법 규칙은 넣은 두 수의 □가 나오는 것입니다.

줄무늬 상자의 마법 규칙은 넣은 두 수의 □가 나오는 것입니다.

❷ (28)과 (42)를 넣었을 때 나오는 수를 각각 구해 보세요.

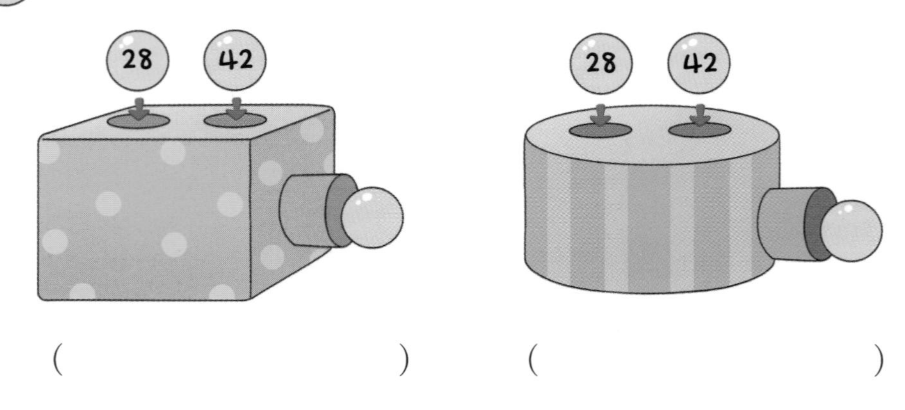

( ) ( )

2 1번 마법 상자의 규칙에 따라 ◯ 안에 알맞은 수를 써넣으세요.

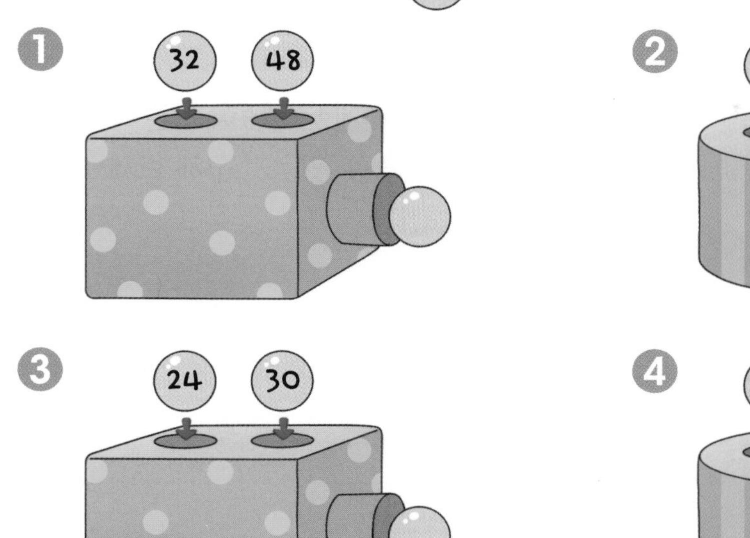

3 1번 마법 상자의 규칙에 따라 ㉢ 안에 알맞은 수를 구해 보세요.

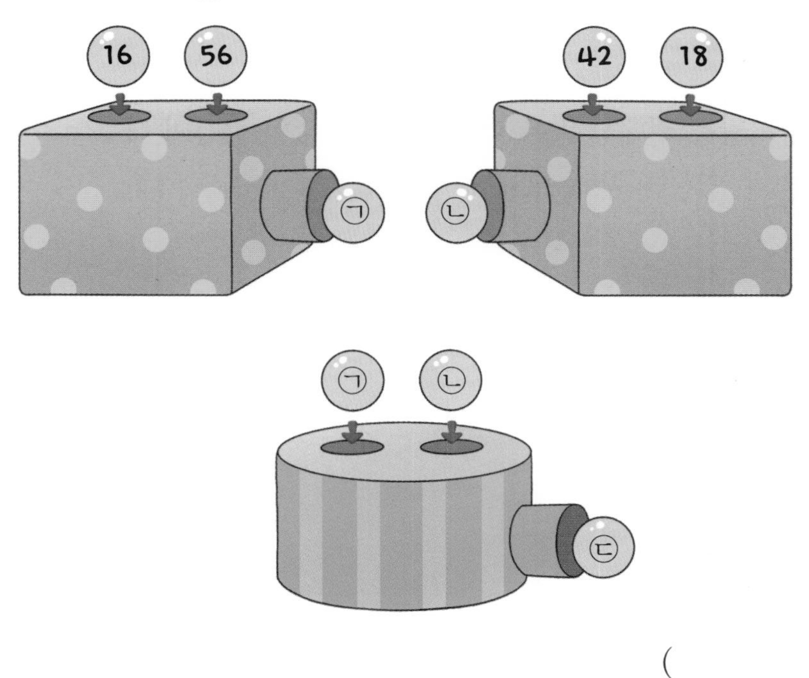

( )

유형 ③ 남김없이 똑같이 나누는 방법

문제 해결

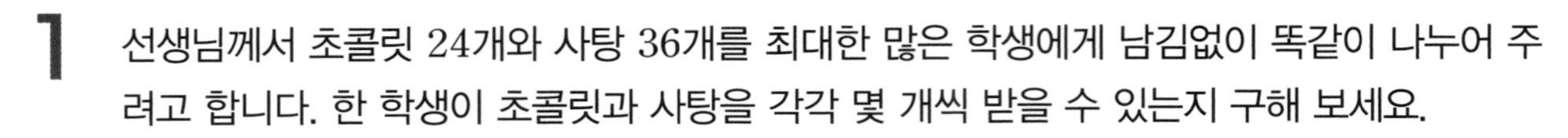

1 선생님께서 초콜릿 24개와 사탕 36개를 최대한 많은 학생에게 남김없이 똑같이 나누어 주려고 합니다. 한 학생이 초콜릿과 사탕을 각각 몇 개씩 받을 수 있는지 구해 보세요.

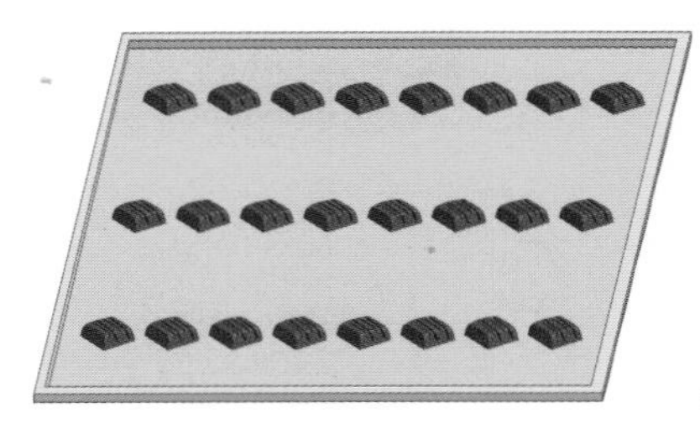

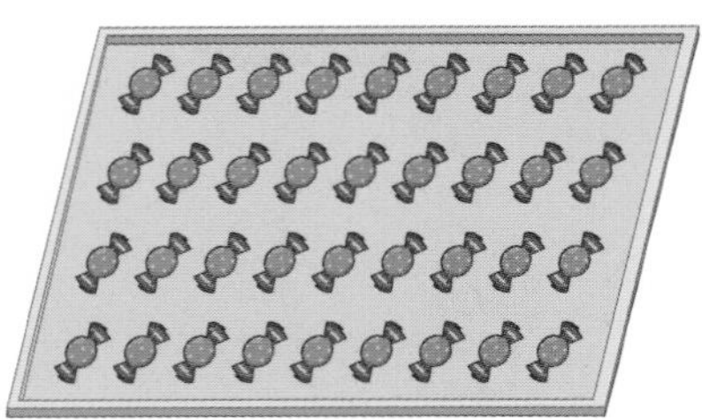

❶ 초콜릿 24개를 남김없이 몇 명에게 똑같이 나누어 줄 수 있는지 모두 써 보세요.

( )

❷ 사탕 36개를 남김없이 몇 명에게 똑같이 나누어 줄 수 있는지 모두 써 보세요.

( )

❸ 초콜릿과 사탕을 최대한 많은 학생에게 남김없이 똑같이 나누어 주려고 합니다. 몇 명에게 나누어 줄 수 있는지 구해 보세요.

( )

❹ 학생 한 명이 초콜릿을 몇 개씩 받을 수 있는지 구해 보세요.

( )

❺ 학생 한 명이 사탕을 몇 개씩 받을 수 있는지 구해 보세요.

( )

2 가로가 18 m, 세로가 12 m인 직사각형 모양의 땅을 똑같은 크기의 정사각형 모양으로 남김없이 잘라 여러 개의 꽃밭을 만들려고 합니다. 꽃밭을 가능한 한 크게 만들 때 정사각형 모양 꽃밭의 한 변의 길이는 몇 m일까요?

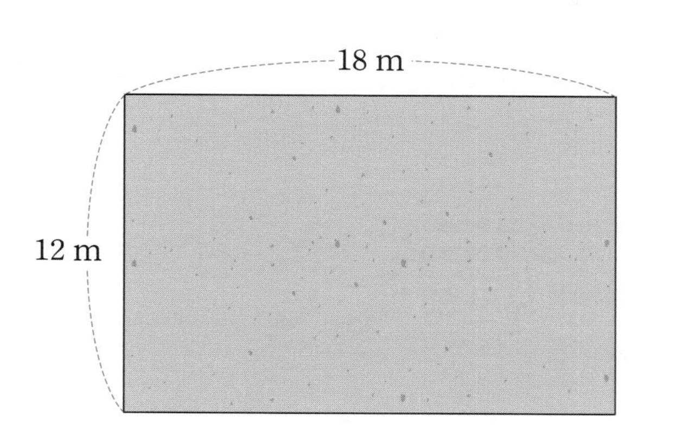

꽃밭의 한 변의 길이를 몇 m로 하면 될까요?

(　　　　　　　　　　)

3 노란색 탁구공 28개와 흰색 탁구공 49개가 있습니다. 두 색깔의 탁구공을 최대한 많은 봉지에 남김없이 똑같이 나누어 담으려고 합니다. 봉지 한 개에 노란색 탁구공은 몇 개씩 담아야 하는지 구해 보세요.

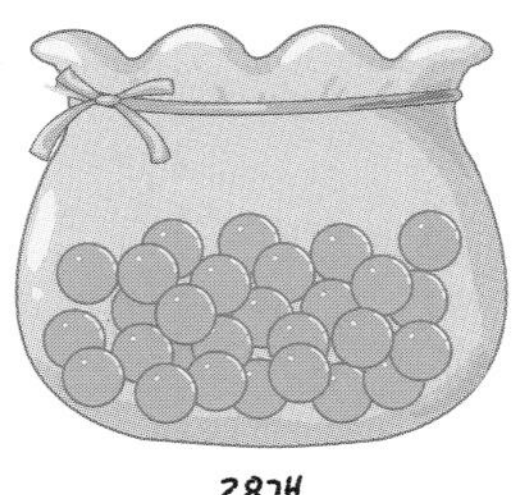

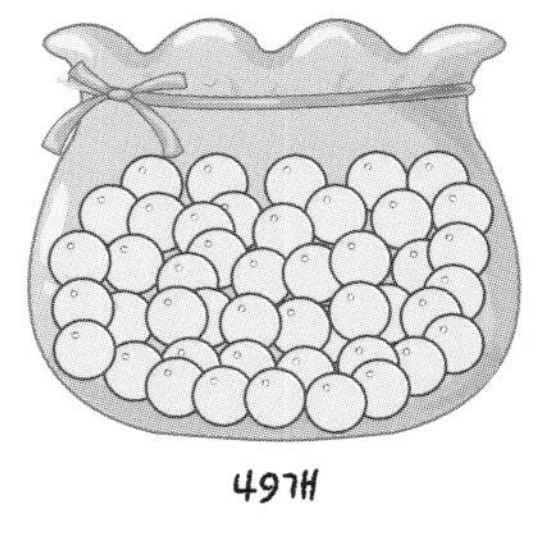

(　　　　　　　　　　)

유형 4 생활 속 최소공배수 문제

창의·융합

1 부산행 기차는 60분마다 한 대씩 출발하고, 대전행 기차는 24분마다 한 대씩 출발합니다. 오전 8시에 두 기차가 처음으로 동시에 출발한다면 두 기차가 4번째로 동시에 출발하는 시각을 구해 보세요.

❶ 두 기차는 몇 분마다 동시에 출발하는지 구해 보세요.

(　　　　　　　　　　)

❷ 위 ❶에서 구한 분을 시간으로 나타내어 보세요.

□분 ➔ □시간

❸ 두 기차가 4번째로 동시에 출발하는 시각을 구해 보세요.

(　　　　　　　　　　)

2 가 톱니바퀴의 톱니 수는 20개이고 나 톱니바퀴의 톱니 수는 28개입니다. 톱니바퀴 가와 나가 서로 맞물려 돌아가고 있을 때 두 톱니바퀴의 톱니가 한 번 맞물렸던 자리에서 처음으로 다시 맞물릴 때까지 가와 나는 적어도 각각 몇 바퀴씩 돌아야 할까요?

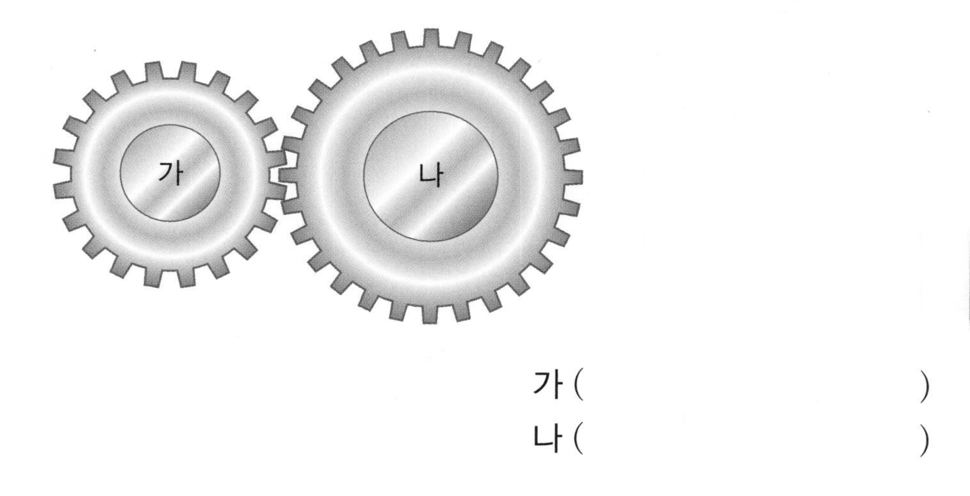

가 (   )
나 (   )

2 단원

3 주원이와 영지는 운동장을 일정한 빠르기로 달리고 있습니다. 주원이는 4분마다, 영지는 6분마다 운동장 한 바퀴를 돕니다. 두 사람이 출발점에서 같은 방향으로 동시에 출발할 때, 출발 후 30분 동안 출발점에서 몇 번 다시 만나는지 구해 보세요.

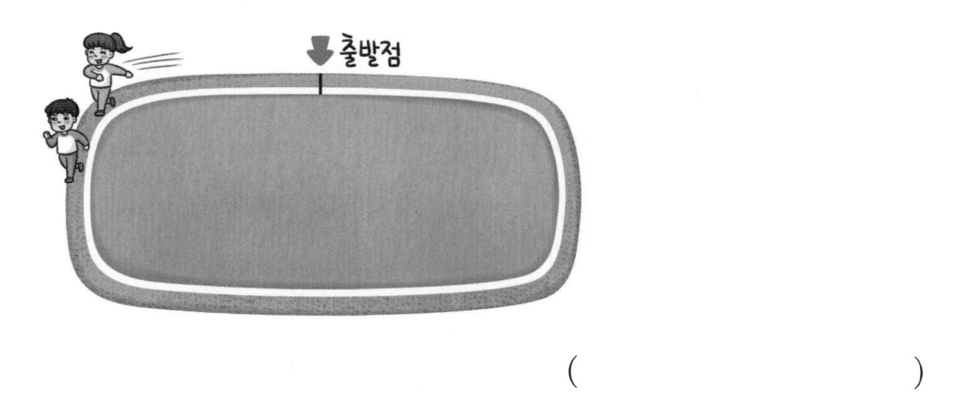

(   )

유형 5 조건에 알맞은 수

1 어떤 두 수의 최대공약수를 구하는 과정이 적힌 종이에 잉크가 떨어져 일부분이 보이지 않습니다. 어떤 두 수의 최대공약수가 15일 때 어떤 두 수를 구해 보세요.

➜ 최대공약수: 15

❶ ㉠에 알맞은 수를 구해 보세요.

( )

❷ ㉡에 알맞은 수를 구해 보세요.

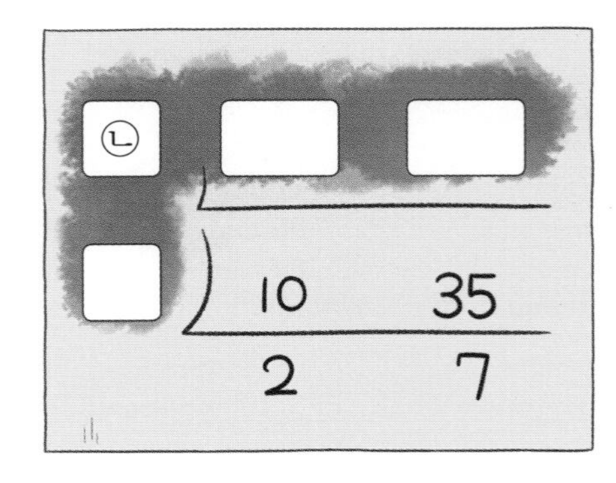

( )

❸ 어떤 두 수를 구해 보세요.

(,)

2 20과 어떤 수의 최대공약수와 최소공배수를 구하는 과정이 적힌 종이에 잉크가 떨어져 일부분이 보이지 않습니다. 20과 어떤 수의 최대공약수는 5이고, 최소공배수는 60일 때 어떤 수를 구하려고 합니다. 물음에 답하세요.

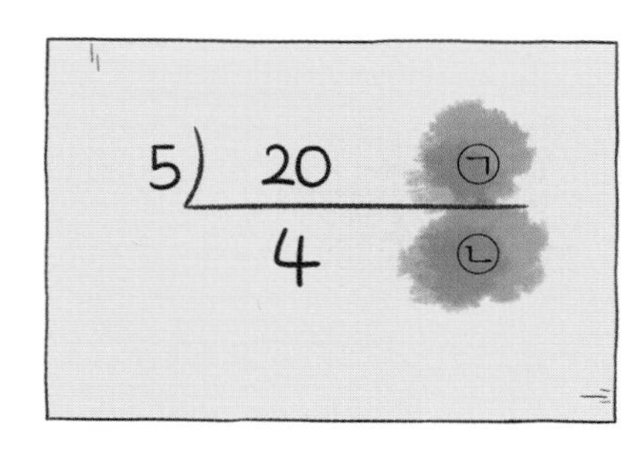

❶ ㉡에 알맞은 수를 구해 보세요.

( )

❷ ㉠에 알맞은 수를 구해 보세요.

( )

3 어떤 두 수의 최대공약수와 최소공배수를 구하는 과정이 적힌 종이에 잉크가 떨어져 일부분이 보이지 않습니다. 어떤 두 수의 최대공약수는 4이고, 최소공배수는 40일 때 어떤 두 수의 곱을 구해 보세요.

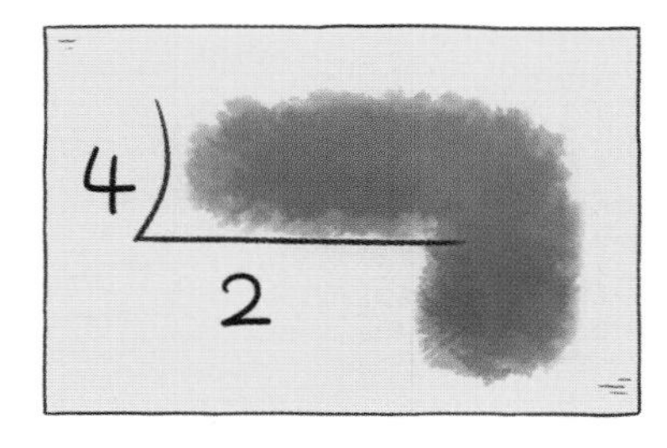

( )

유형 6 배수에서의 규칙

정보 처리

1 몇의 배수인지 알아보는 방법은 다음과 같습니다.

2의 배수	짝수인 수
3의 배수	각 자리 숫자의 합이 3의 배수인 수
4의 배수	끝의 두 자리 수가 00이거나 4의 배수인 수
5의 배수	일의 자리 숫자가 0이거나 5인 수
6의 배수	각 자리 숫자의 합이 3의 배수이면서 짝수인 수
9의 배수	각 자리 숫자의 합이 9의 배수인 수

다음 네 자리 수는 3의 배수입니다. ★에 알맞은 숫자를 모두 구해 보세요.

4 7 2 ★

❶ □ 안에 알맞은 수를 써넣으세요.

472★이 3의 배수이면 각 자리 숫자의 합이 3의 배수여야 하므로
□+□+□+★은 3의 배수여야 합니다.

❷ ★에 알맞은 숫자를 모두 구해 보세요.

(　　　　　　　　)

2 다음 네 자리 수는 5의 배수입니다. 얼룩으로 가려진 자리에 들어갈 수 있는 숫자를 모두 구해 보세요.

( )

3 다음 세 자리 수는 6의 배수입니다. 얼룩으로 가려진 자리에 들어갈 수 있는 숫자를 구해 보세요.

( )

4 다음 아홉 자리 수는 4의 배수입니다. 아홉 자리 수가 가장 큰 수가 되도록 ㉠과 ㉡에 알맞은 수를 구해 보세요.

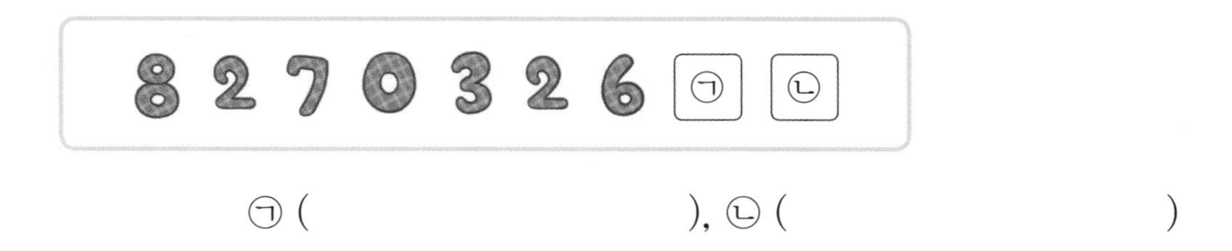

㉠ ( ), ㉡ ( )

사고력 종합 평가

1 50과 약수와 배수의 관계가 아닌 수를 모두 찾아 써 보세요.

( )

2 보기 의 13, 26과 같이 폭탄에 쓰인 두 수는 약수와 배수의 관계입니다. ㉠과 ㉡이 두 자리 수일 때 ㉠과 ㉡의 차가 가장 큰 경우의 두 수의 차를 구해 보세요. (단, ㉠>㉡입니다.)

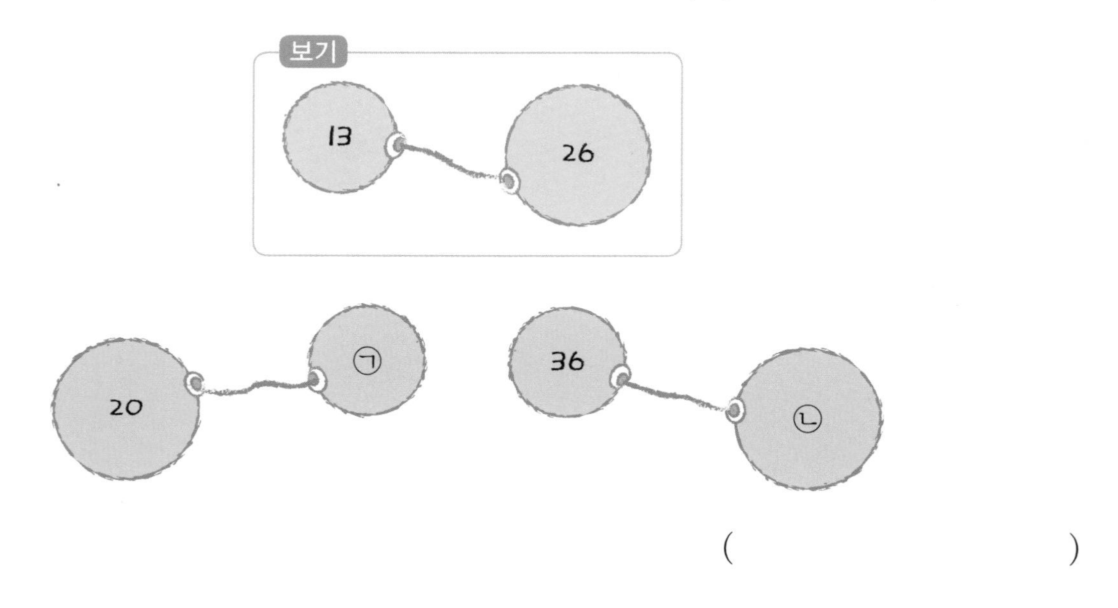

( )

3 어떤 두 수를 넣으면 넣은 두 수의 최대공약수가 나오는 마법 상자와 최소공배수가 나오는 마법 상자가 있습니다. 두 마법 상자에 28과 70을 넣었을 때 나오는 수를 각각 써 보세요.

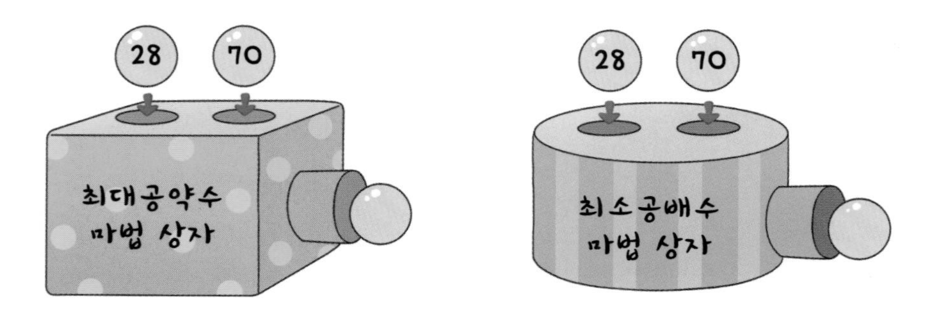

4 가와 나의 최대공약수가 10이고 □ 안에 들어갈 수가 가장 작을 때 가와 나의 최소공배수를 구해 보세요.

가$=2\times5\times7$　　나$=2\times3\times$□

(　　　　　　　　)

5 최대공약수가 16인 두 수 X와 Y가 있습니다. X와 Y의 공약수들의 합을 구해 보세요.

(　　　　　　　　)

6 어떤 두 수의 최대공약수와 최소공배수를 구하는 과정이 적힌 종이에 잉크가 떨어져 일부분이 보이지 않습니다. 어떤 두 수의 최대공약수는 8이고, 최소공배수는 112일 때 어떤 두 수를 구해 보세요.

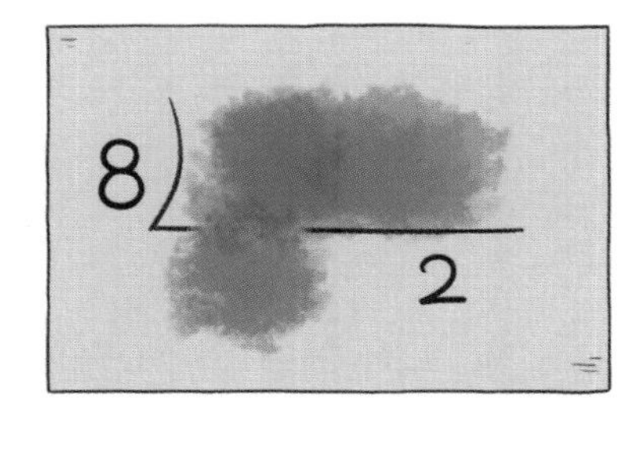

(　　　　　,　　　　　)

7 다음 네 자리 수는 4의 배수입니다. 얼룩으로 가려진 자리에 들어갈 수 있는 숫자를 모두 찾아 ○표 하세요.

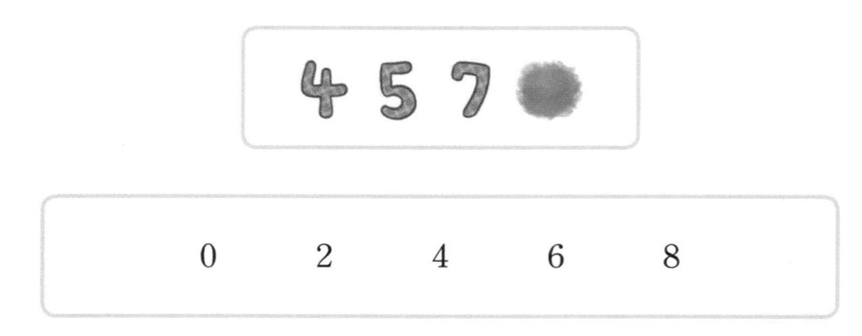

0　　2　　4　　6　　8

8 봉순이가 들고 있는 두 수를 어떤 수로 나누면 나머지가 모두 4가 됩니다. 어떤 수가 될 수 있는 수를 모두 구해 보세요.

(　　　　　　　　)

9 9로 나누어도 나누어떨어지고 12로 나누어도 나누어떨어지는 수 중에서 100에 가장 가까운 수를 구해 보세요.

(　　　　　　　　)

10 다음 세 자리 수가 3의 배수일 때 □ 안에 들어갈 수 있는 숫자를 모두 구해 보세요.

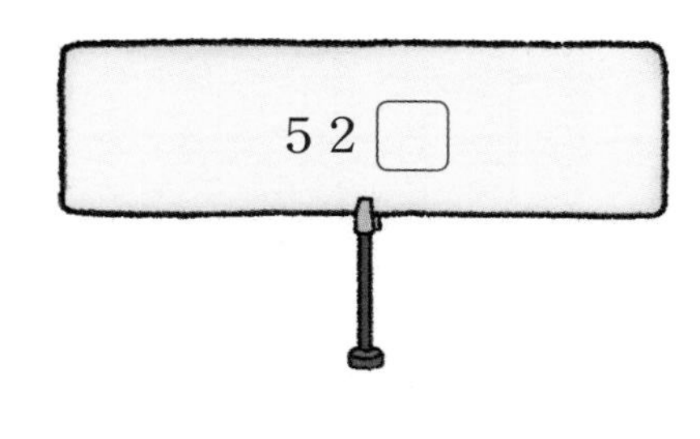

( )

→ 공전 주기: 지구나 목성 등의 행성이 태양 주위를 한 바퀴 도는 데 걸리는 시간

11 지구의 공전 주기를 1년이라고 할 때, 목성의 공전 주기는 약 12년이고 토성의 공전 주기는 약 30년입니다. 태양, 목성, 토성이 일직선으로 놓인 후 바로 다음 번의 일직선에 놓이게 될 때까지는 최소 약 몇 년이 걸릴까요?

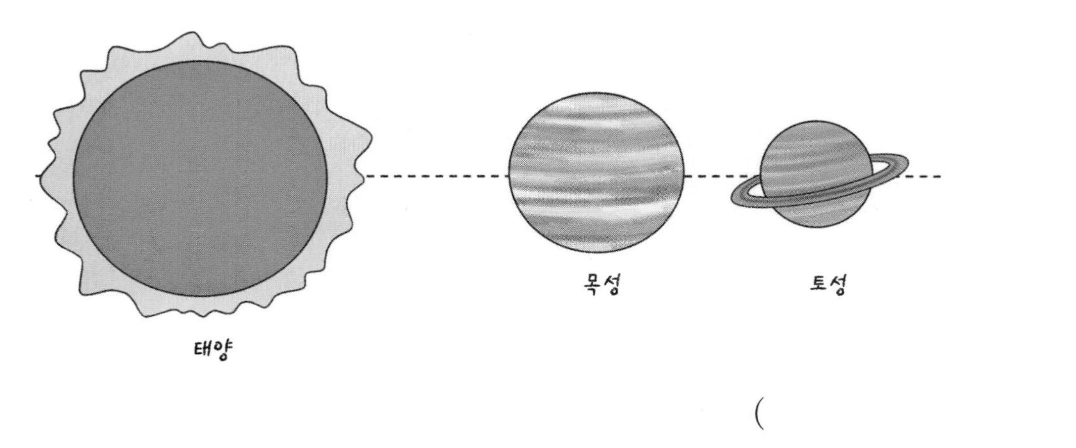

( )

12 톱니 수가 12개인 톱니바퀴 A와 톱니 수가 21인 톱니바퀴 B가 서로 맞물려 돌아가고 있습니다. 두 톱니바퀴의 톱니가 처음 맞물렸던 곳에서 다시 맞물릴 때까지 A와 B는 적어도 각각 몇 바퀴씩 돌아야 할까요?

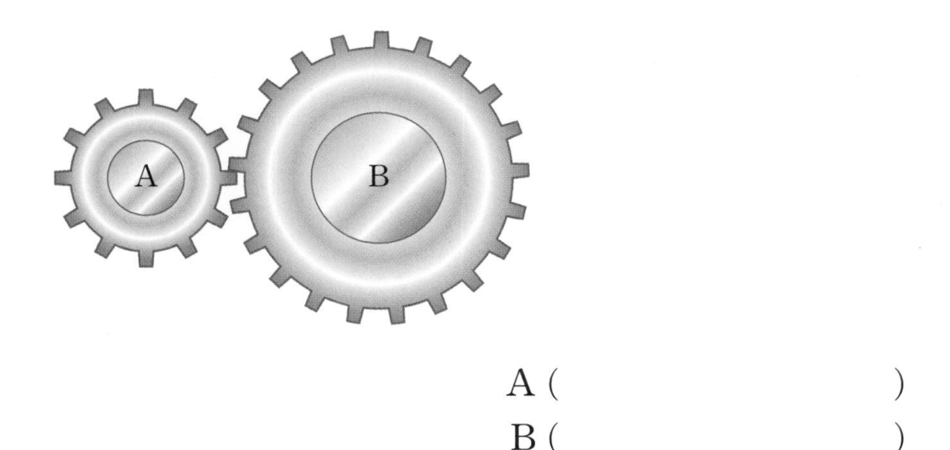

A ( )
B ( )

13 7의 약수는 1과 자기 자신뿐입니다. 이와 같이 10에서 30까지의 수 중에서 1과 자기 자신만을 약수로 가지는 수를 모두 써 보세요.

( )

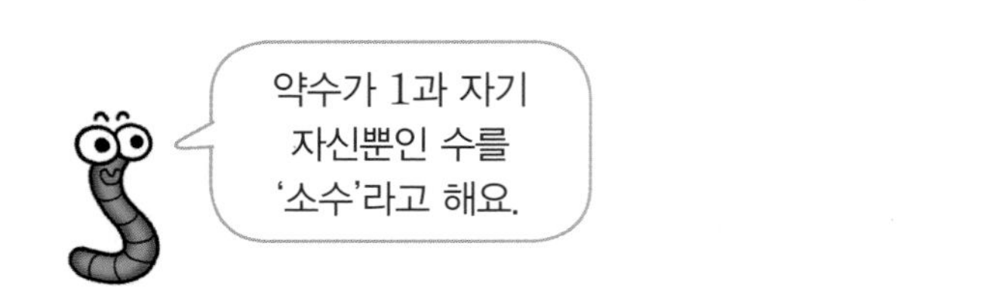

약수가 1과 자기
자신뿐인 수를
'소수'라고 해요.

14 가로가 20 cm, 세로가 12 cm인 직사각형 모양의 노란색 색종이와 하늘색 색종이가 각각 한 장씩 있습니다. 이 색종이를 똑같은 크기의 정사각형 모양으로 남김없이 잘라 여러 장의 메모지를 만들려고 합니다. 메모지를 가능한 한 크게 만들 때 정사각형 모양의 메모지는 모두 몇 장 만들 수 있을까요?

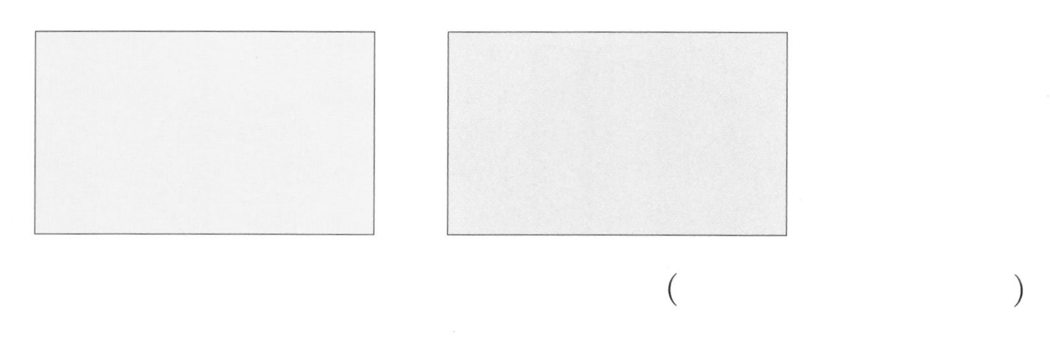

( )

15 석찬이와 유림이는 공원 둘레를 일정한 빠르기로 걷고 있습니다. 석찬이는 6분마다, 유림이는 8분마다 공원을 한 바퀴 돕니다. 두 사람이 출발점에서 같은 방향으로 동시에 출발할 때, 출발 후 90분 동안 출발점에서 몇 번 다시 만나는지 구해 보세요.

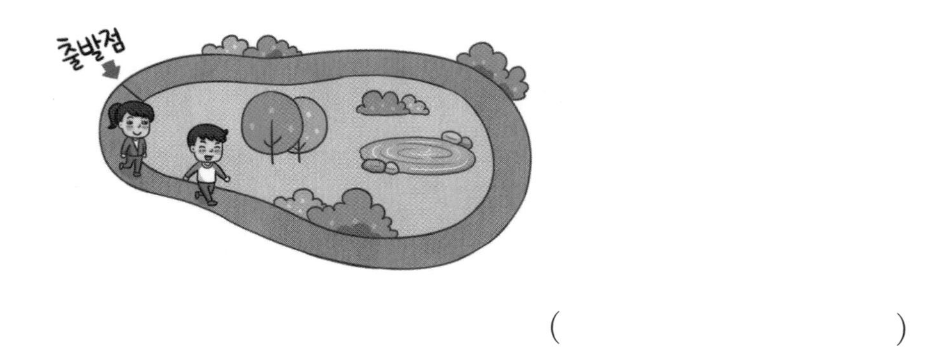

( )

3 규칙과 대응

두 양 사이의 관계

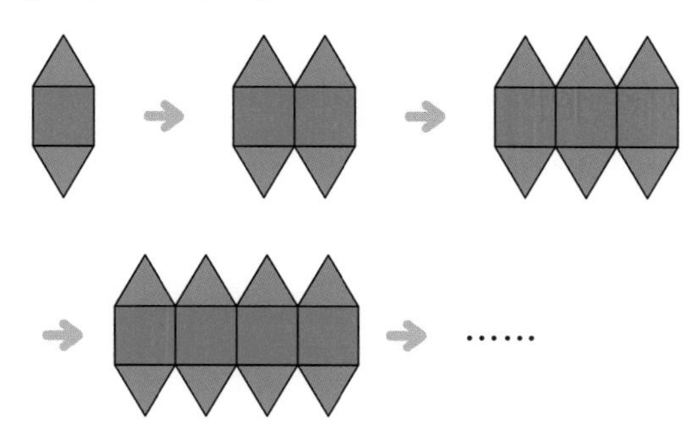

- 규칙: 사각형 1개에 삼각형이 위아래에 1개씩 있습니다.
- 대응 관계
  - 사각형의 수는 삼각형의 수의 반과 같습니다.
  - 삼각형의 수는 사각형의 수의 2배입니다.

표를 이용한 대응 관계

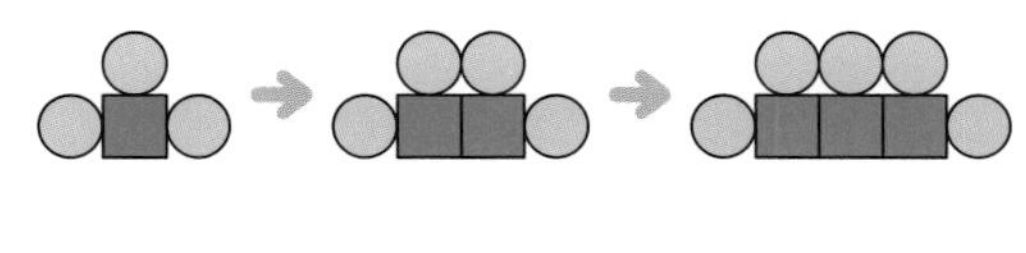

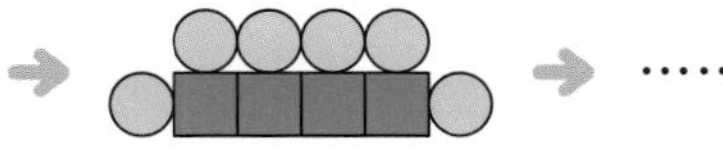

- 표를 이용하여 대응 관계 알아보기

사각형의 수(개)	1	2	3	4	……
원의 수(개)	3	4	5	6	……
	1+2	2+2	3+2	4+2	

- 사각형의 수와 원의 수 사이의 대응 관계

  원의 수는 사각형의 수보다 2개 많습니다.

대응 관계를 식으로 나타내는 방법

- 바람개비 1개를 만드는 데 날개 4개가 필요할 때 바람개비의 수와 날개의 수 사이의 대응 관계 알아보기

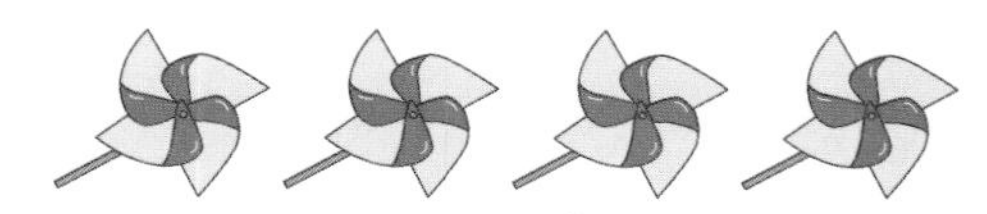

바람개비의 수(개)	1	2	3	4	……
날개의 수(개)	4	8	12	16	……

날개의 수는 바람개비의 수의 4배입니다.
날개 4개마다 바람개비 1개를 만들 수 있습니다.

- 바람개비의 수를 □, 날개의 수를 ○라고 할 때 두 양 사이의 대응 관계를 식으로 나타내기

$\square \times 4 = \bigcirc$ (또는 $\bigcirc \div 4 = \square$)

생활에서 대응 관계를 찾아 식으로 나타내기

- 대응 관계 알아보기

  강아지 다리의 수는 강아지의 수의 4배입니다.
- 대응 관계를 식으로 나타내기

  강아지의 수를 △, 강아지 다리의 수를 ♡라고 할 때 두 양 사이의 대응 관계를 식으로 나타내면 $\triangle \times 4 = \heartsuit$ 또는 $\heartsuit \div 4 = \triangle$입니다.

유형 1 마법 상자의 규칙

창의・융합

1 마법 상자에 금화를 넣었더니 다음과 같은 규칙에 따라 금화가 나왔습니다. 물음에 답하세요.

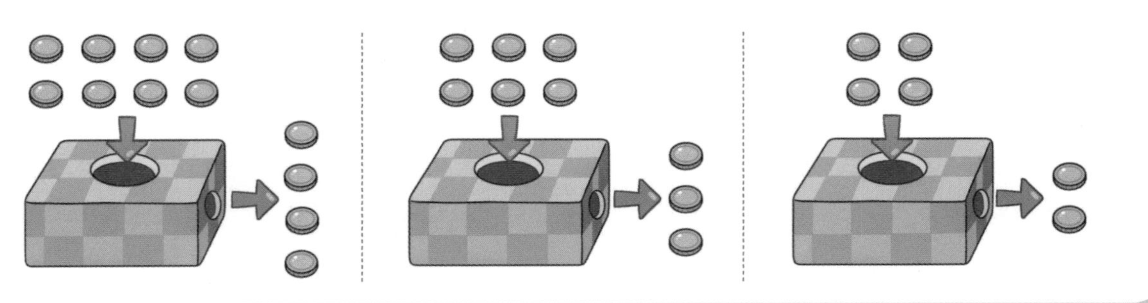

❶ 규칙을 찾아 □ 안에 알맞은 수를 써넣으세요.

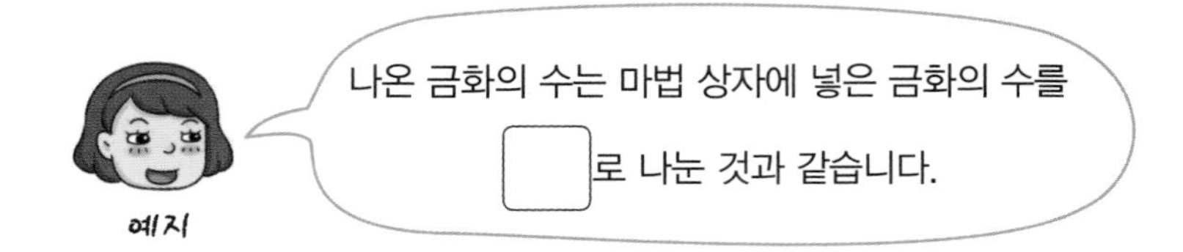

나온 금화의 수는 마법 상자에 넣은 금화의 수를
□로 나눈 것과 같습니다.
예지

❷ 마법 상자에 넣은 금화의 수를 ○, 나온 금화의 수를 △라고 할 때, ○와 △ 사이의 대응 관계를 식으로 나타내어 보세요.

❸ 위의 규칙을 이용하여 나오는 금화의 수를 ○ 안에 써넣으세요.

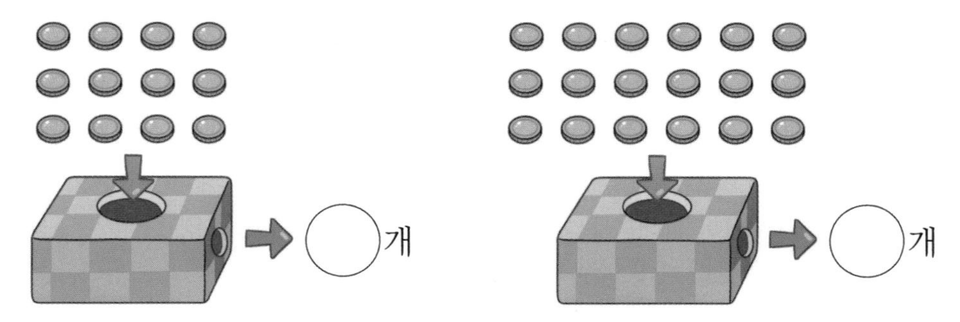

2 마법 항아리에 수가 들어갔다가 나오는 규칙을 보고 ◯ 안에 알맞은 수를 써넣으세요.

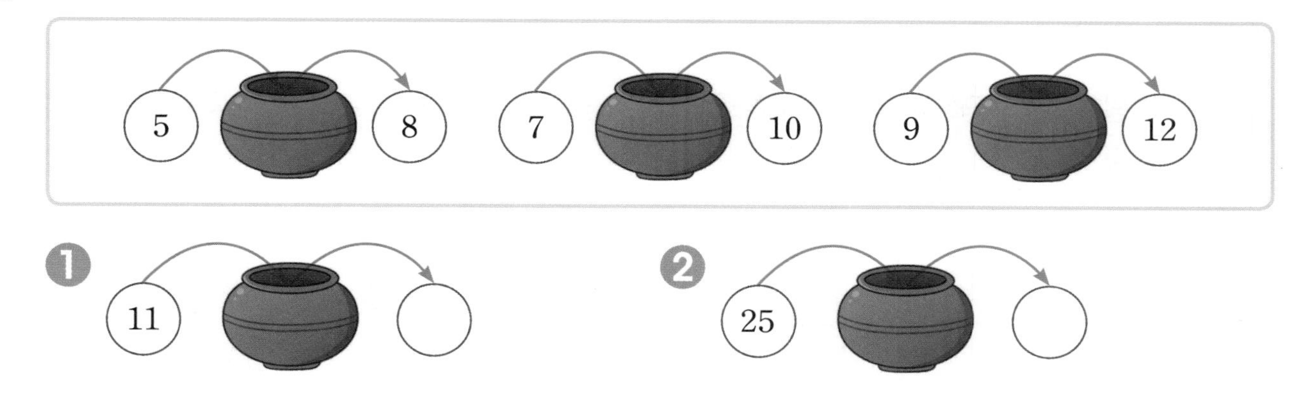

3 마법 상자에 도형을 넣으면 다음과 같은 수가 나옵니다. 규칙을 보고 ◯ 안에 알맞은 수를 써넣으세요.

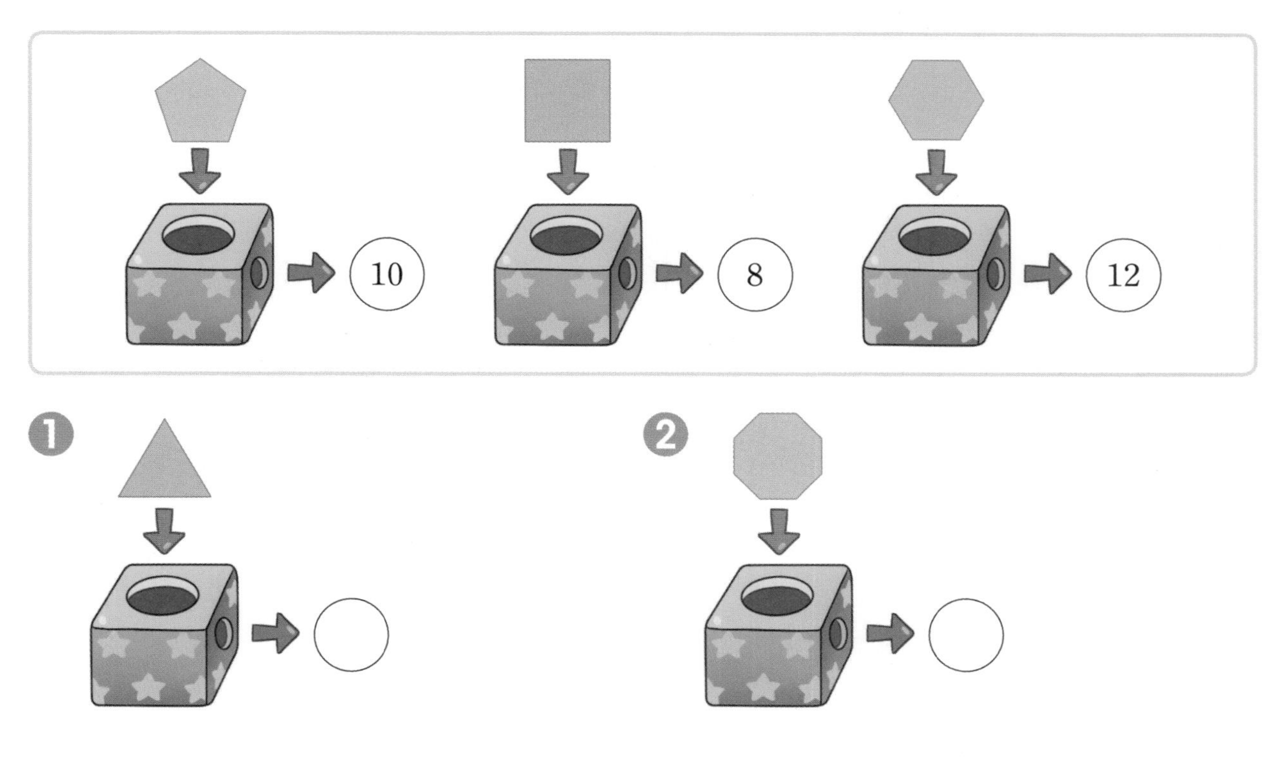

유형 2 규칙적인 배열에서의 대응 관계

추론

1 그림과 같이 규칙에 따라 바둑돌을 놓고 있습니다. 바둑돌이 81개 놓일 때는 몇 번째인지 알아보세요.

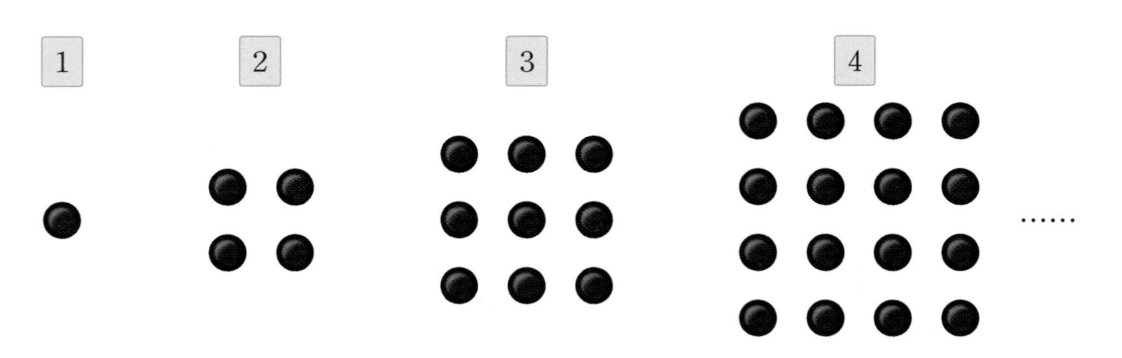

① 배열 순서에 따라 바둑돌의 수가 어떻게 변하는지 표를 완성해 보세요.

배열 순서	1	2	3	4	5	......
바둑돌의 수(개)	1	4				......

② 바둑돌이 놓인 순서를 □, 놓인 바둑돌의 수를 △라고 할 때, □와 △ 사이의 대응 관계를 식으로 나타내어 보세요.

③ 바둑돌이 81개 놓일 때는 몇 번째일까요?

( )

2 그림과 같이 규칙에 따라 구슬을 놓고 있습니다. 구슬이 45개 놓일 때는 몇 번째인지 구해 보세요.

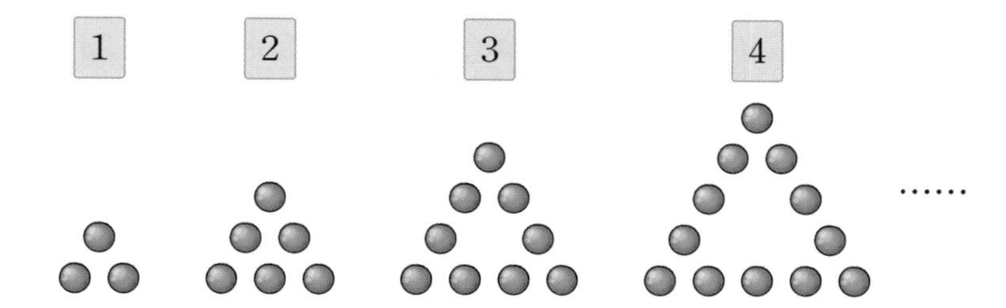

❶ 배열 순서에 따라 구슬의 수가 어떻게 변하는지 표를 완성해 보세요.

배열 순서	1	2	3	4	5	……
구슬의 수(개)						……

❷ 구슬이 45개 놓일 때는 몇 번째일까요?

( )

3 그림과 같이 규칙에 따라 육각형 조각을 배열했습니다. 육각형 조각을 100개 배열할 때는 몇 번째인지 구해 보세요.

1 → 2 → 3 → 4 → ……

( )

유형 3 성냥개비와 도형의 대응 관계

추론

1 다음 그림과 같이 성냥개비로 정오각형을 만들었습니다. 정오각형 8개를 만들 때 필요한 성냥개비는 몇 개인지 알아보세요.

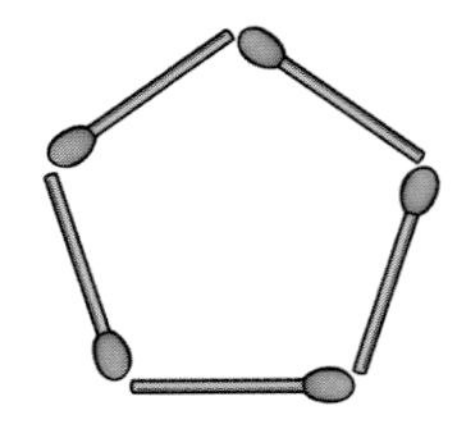 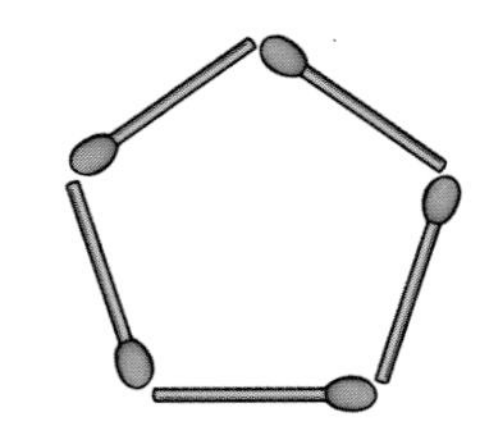 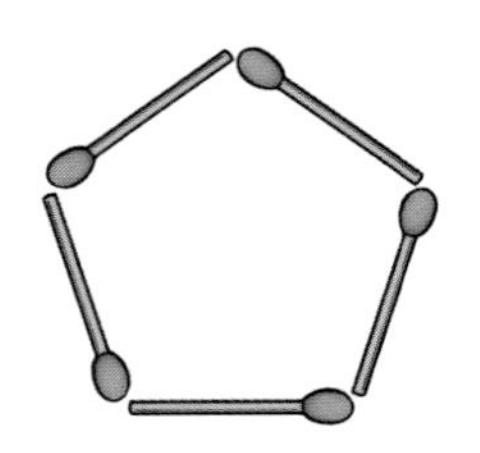 ……

❶ 정오각형의 수와 성냥개비의 수 사이의 대응 관계를 표를 이용하여 알아보세요.

정오각형의 수(개)	1	2	3	4	5	……
성냥개비의 수(개)	5	10				……

❷ 정오각형의 수를 ○, 성냥개비의 수를 ♡라고 할 때, 두 양 사이의 대응 관계를 식으로 나타내어 보세요.

❸ 정오각형 8개를 만들 때 필요한 성냥개비는 몇 개일까요?

( )

2 다음 그림과 같이 성냥개비로 정육각형을 만들었습니다. 정육각형 12개를 만들 때 필요한 성냥개비는 몇 개인지 구해 보세요.

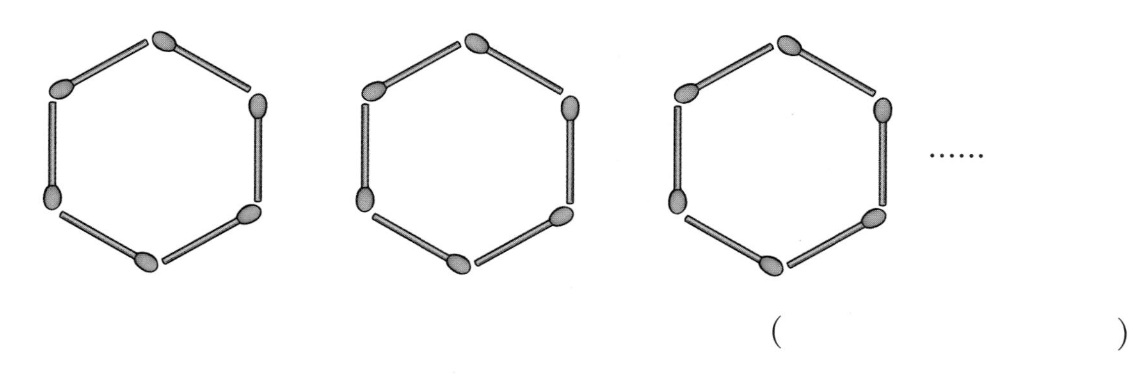

( )

3 성냥개비로 그림과 같이 탑을 쌓고 있습니다. 한 층을 쌓는 데 필요한 성냥개비는 2개입니다. 14층까지 쌓을 때 필요한 성냥개비는 몇 개인지 구해 보세요.

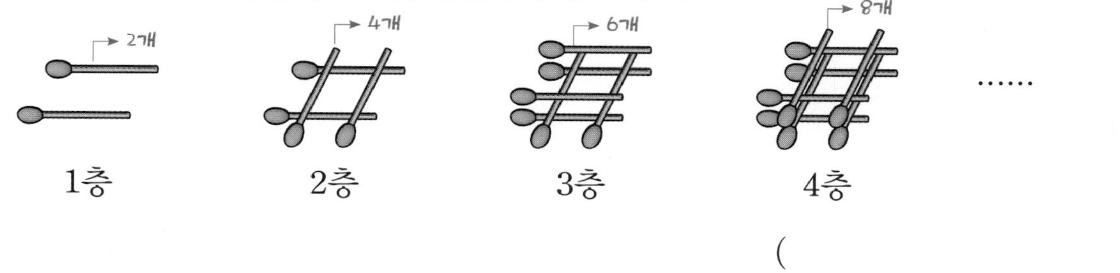

( )

4 성냥개비로 그림과 같이 탑을 쌓고 있습니다. 한 층을 쌓는 데 필요한 성냥개비는 3개입니다. 13층까지 쌓을 때 필요한 성냥개비는 몇 개인지 구해 보세요.

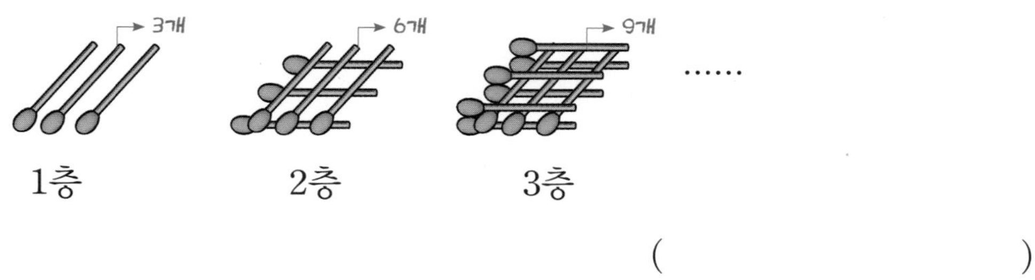

( )

유형 4 실생활에서의 대응 관계

창의・융합

1 아무것도 매달지 않았을 때의 길이가 8 cm인 용수철이 있습니다. 이 용수철에 1 kg의 추를 한 개씩 매달 때마다 길이가 2 cm씩 늘어납니다. 1 kg인 추를 6개 매달 때 용수철의 길이는 몇 cm인지 구해 보세요.

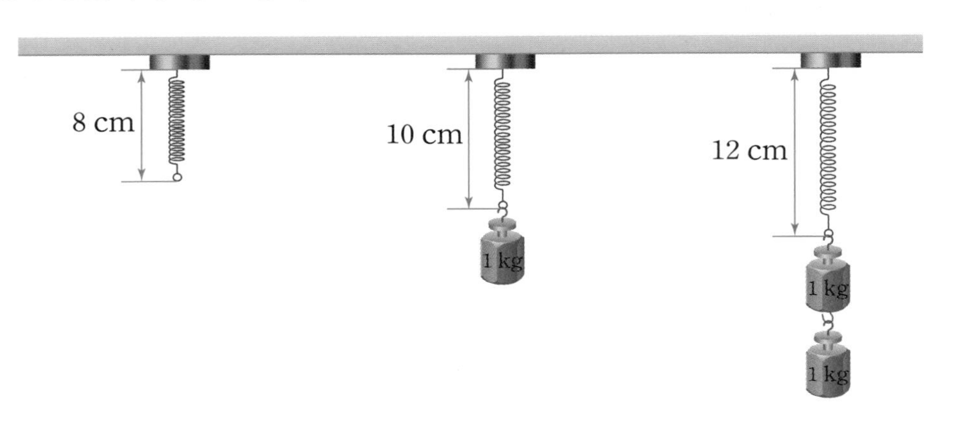

❶ 추의 무게와 용수철의 길이 사이의 대응 관계를 표를 이용하여 알아보세요.

추의 무게(kg)	1	2	3	4	5	……
용수철의 길이(cm)	10	12				……

❷ 추의 무게를 ♡(kg), 용수철의 길이를 ☆(cm)이라고 할 때, 두 양 사이의 대응 관계를 식으로 나타내어 보세요.

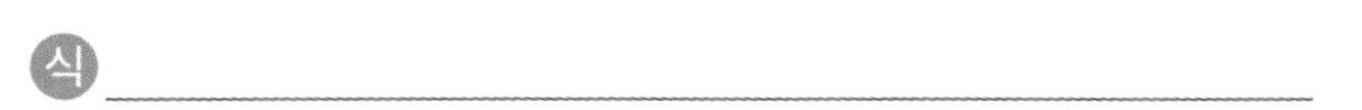

❸ 1 kg인 추를 6개 매달 때 용수철의 길이는 몇 cm가 될까요?

(　　　　　　　　)

2 수도꼭지에서 1분에 5 L의 물이 나옵니다. 수도꼭지를 튼 시간을 △(분), 나온 물의 양을 ○(L)라고 할 때, 두 양 사이의 대응 관계를 식으로 나타내고, 이 수도꼭지로 20분 동안 받을 수 있는 물의 양은 몇 L인지 구해 보세요.

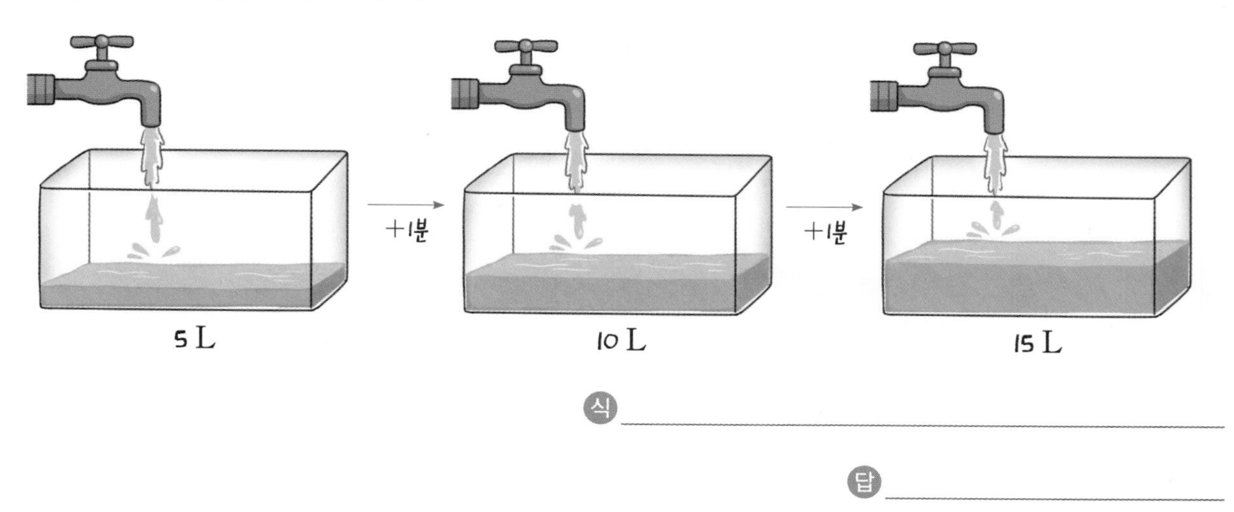

식 ____________________

답 ____________________

3 길이가 30 cm인 어떤 양초에 불을 붙이면 3분에 2 cm씩 길이가 짧아집니다. 불을 붙인 지 15분 후에 남은 양초의 길이는 몇 cm인지 구해 보세요.

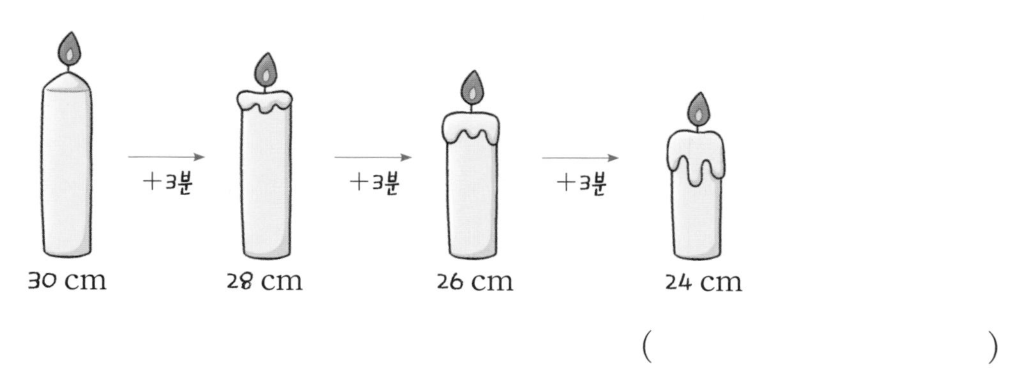

(   )

유형 5 연결한 경우의 대응 관계

문제 해결

1 그림과 같이 사진을 집게로 연결했습니다. 사진을 15장 연결하려면 집게는 몇 개 필요한지 알아보세요.

❶ 사진의 수와 집게의 수 사이에는 어떤 대응 관계가 있는지 표를 이용하여 알아보세요.

사진의 수(장)	1	2	3	4	5	……
집게의 수(개)	2	3				……

❷ 사진의 수와 집게의 수 사이의 대응 관계를 바르게 설명한 사람은 누구일까요?

집게의 수는 사진의 수보다 1 작습니다.

사진의 수에 1을 더하면 집게의 수와 같습니다.

(　　　　　　　　　　)

❸ 사진 15장을 연결하려면 집게가 몇 개 필요할까요?

(　　　　　　　　　　)

2 다음과 같이 의자를 놓을 수 있는 식탁이 있습니다. 식탁 20개를 한 줄로 붙이면 모두 몇 명이 앉을 수 있는지 구해 보세요. (단, 의자 1개에 1명씩 앉습니다.)

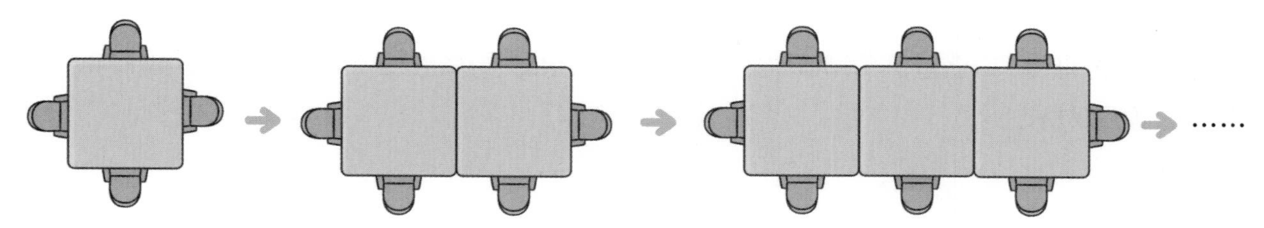

❶ 식탁의 수와 의자의 수 사이에는 어떤 대응 관계가 있는지 표를 이용하여 알아보세요.

식탁의 수(개)	1	2	3	4	5	……
의자의 수(개)						……

❷ 식탁 20개를 한 줄로 붙이면 모두 몇 명이 앉을 수 있을까요?

( )

3 그림과 같이 종이에 누름 못을 꽂아서 벽에 붙이고 있습니다. 종이를 17장 붙이려면 누름 못은 몇 개 필요한지 구해 보세요.

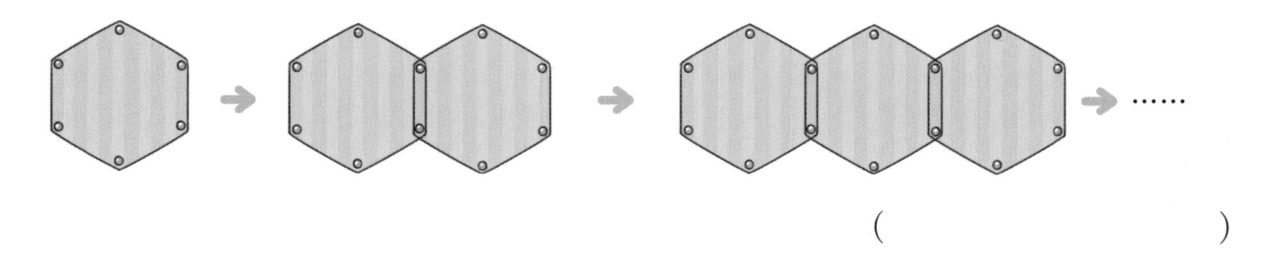

( )

3 단원

유형 6 자른 횟수와 도막 수의 대응 관계

추론

1 다음과 같이 끈을 자르려고 합니다. 13도막으로 자르려면 끈을 몇 번 잘라야 하는지 알아보세요.

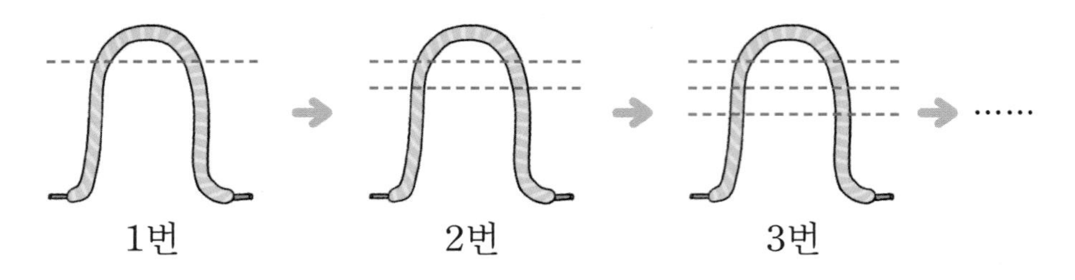

❶ 자른 횟수에 따라 자른 도막의 수가 어떻게 변하는지 표를 이용하여 알아보세요.

자른 횟수(번)	1	2	3	4	5	……
도막의 수(도막)	3					……

❷ 자른 횟수를 □, 도막 수를 △라고 할 때, □와 △ 사이의 대응 관계를 식으로 나타내어 보세요.

식 ____________________

❸ 13도막으로 자르려면 끈을 몇 번 잘라야 할까요?

( )

2 밧줄을 자르려고 합니다. 밧줄을 한 번 자르는 데 2분이 걸린다면 쉬지 않고 11도막을 자르는 데에는 몇 분이 걸리는지 구해 보세요. (단, 밧줄을 겹쳐서 자르지 않습니다.)

❶ 밧줄을 11도막으로 자르려면 몇 번 잘라야 할까요?

(　　　　　　　　)

❷ 밧줄을 쉬지 않고 11도막으로 자르는 데에는 몇 분이 걸릴까요?

(　　　　　　　　)

3 그림과 같이 끈을 자르려고 합니다. 16도막으로 자르려면 몇 번 잘라야 하는지 구해 보세요.

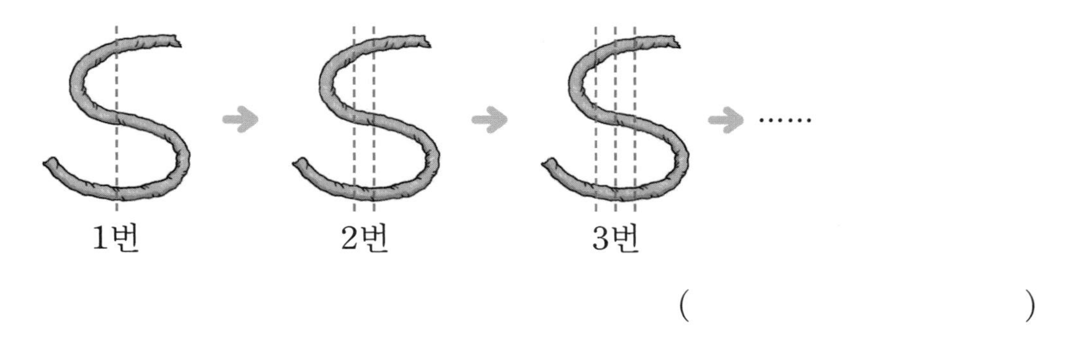

(　　　　　　　　)

4 그림과 같이 원 모양의 종이띠를 자르려고 합니다. 줄을 한 번 자르는 데 3초가 걸린다면 쉬지 않고 20도막으로 자르는 데에는 몇 초가 걸리는지 구해 보세요.

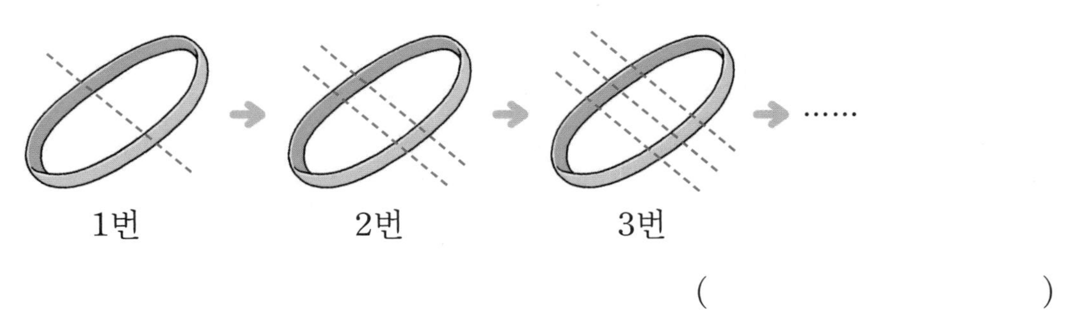

(　　　　　　　　)

사고력 종합 평가

1 마름모와 삼각형으로 규칙적인 배열을 만들고 있습니다. 삼각형이 18개일 때 마름모는 몇 개인지 구해 보세요.

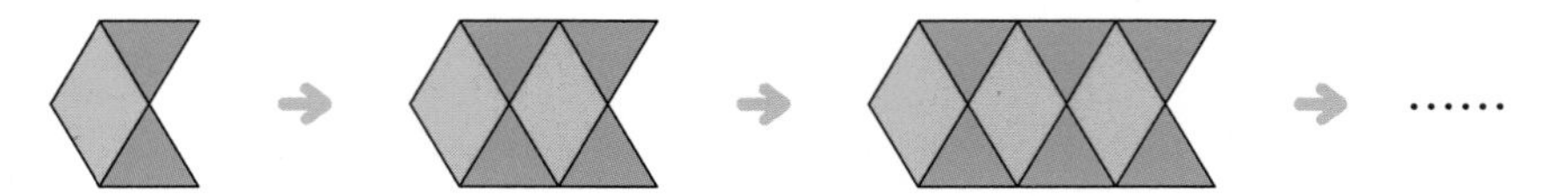

❶ 마름모의 수와 삼각형의 수 사이의 대응 관계를 표를 이용하여 알아보세요.

마름모의 수(개)	1	2	3	4	5	……
삼각형의 수(개)						……

❷ 삼각형이 18개일 때 마름모는 몇 개일까요?

( )

2 도형 안의 수가 다음과 같이 규칙에 따라 바뀔 때, 빈 곳에 알맞은 수를 써넣으세요.

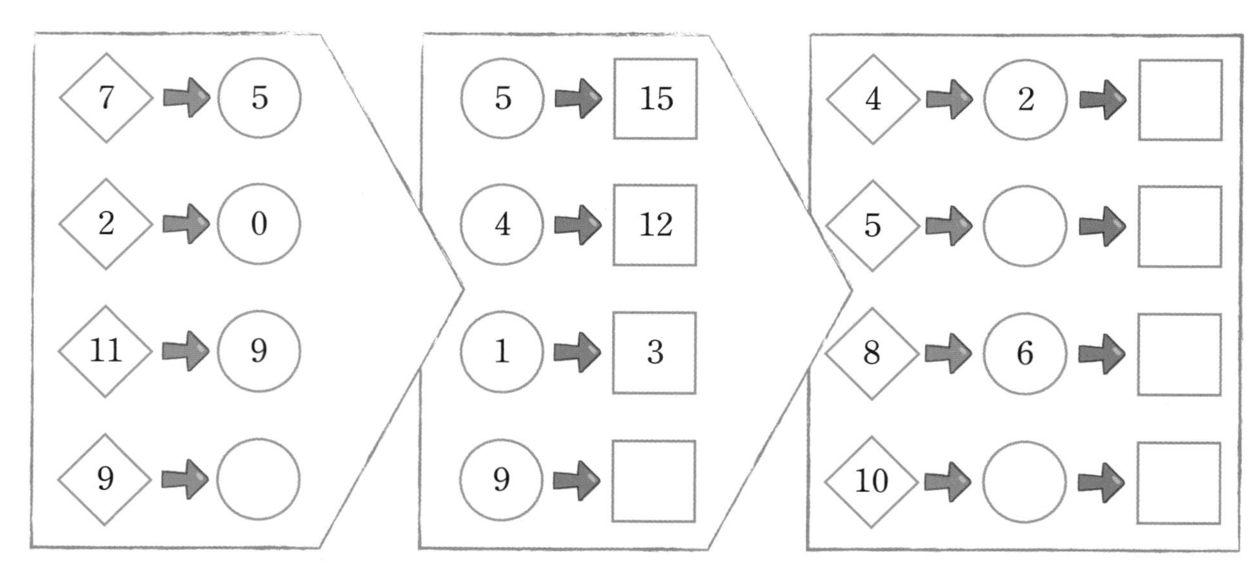

3

1시간에 120 km를 이동하는 기차가 있습니다. 같은 빠르기로 이 기차가 이동하는 시간을 ♡(시간), 이동하는 거리를 ○(km)라고 할 때, 두 양 사이의 대응 관계를 식으로 나타내고, 4시간 동안 가면 몇 km를 갈 수 있는지 구해 보세요.

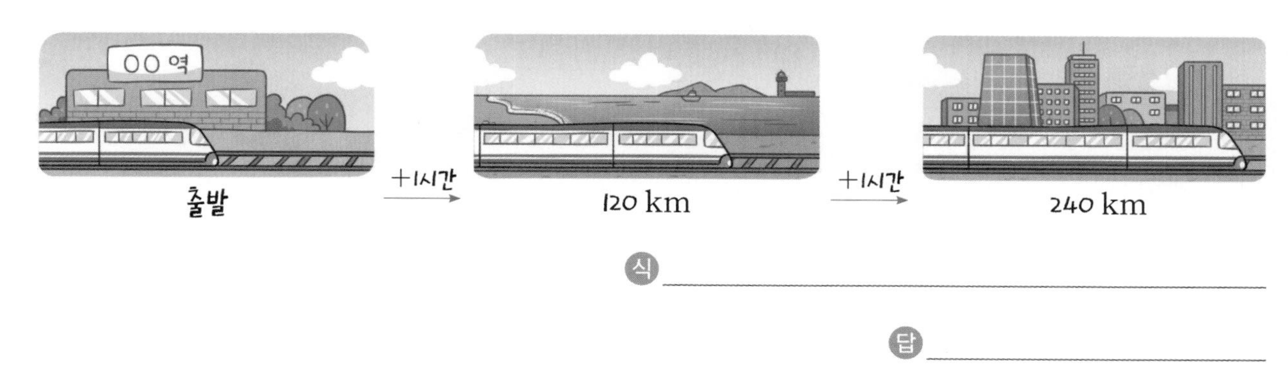

식 ____________________

답 ____________________

4

마법 상자에 수를 넣으면 다음과 같이 수가 나옵니다. 마법 상자의 규칙을 찾아 ◯ 안에 알맞은 수를 써넣으세요.

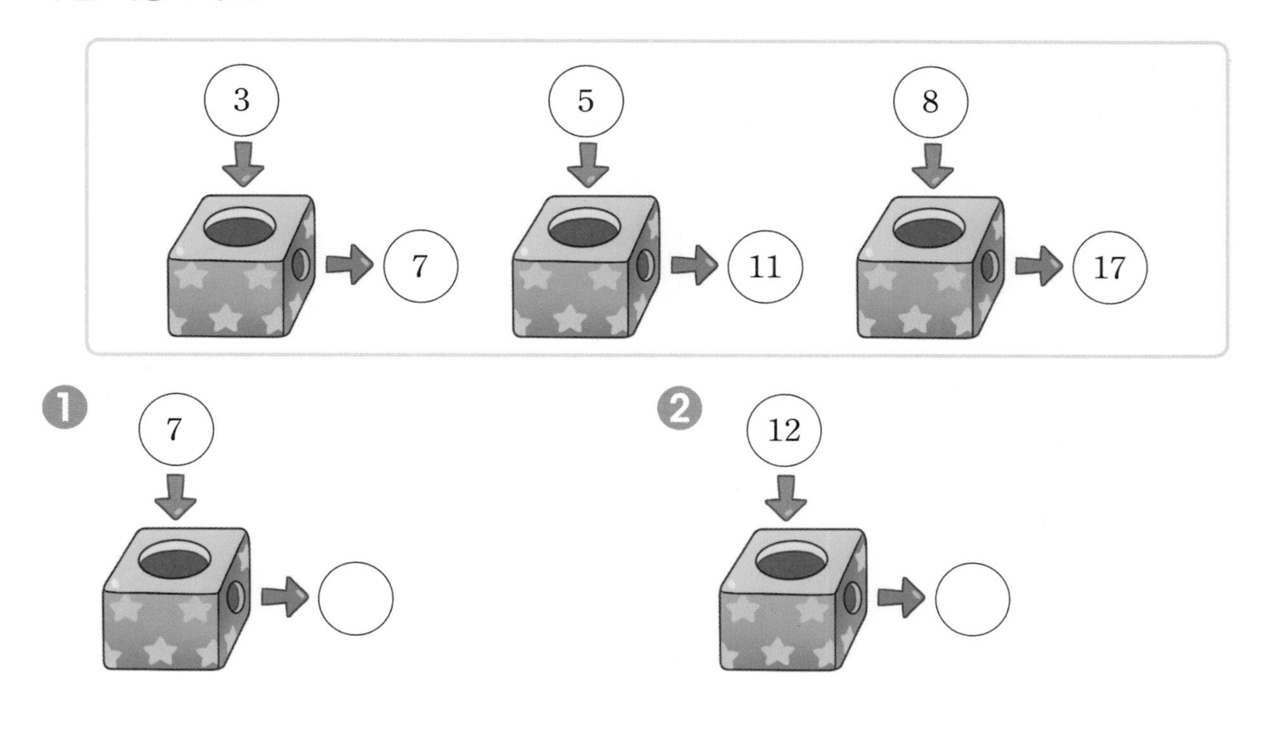

5 윤하와 민기가 대응 관계 알아맞히기 놀이를 하고 있습니다. 물음에 답하세요.

❶ 윤하가 말한 수와 민기가 답한 수 사이의 대응 관계를 표를 이용하여 알아보세요.

윤하가 말한 수	2	4	5	9	11	……
민기가 답한 수	9		12		18	……

❷ 윤하가 24를 말하면 민기는 어떤 수를 답할까요?

( )

6 종이테이프를 다음과 같은 방법으로 7번을 자르면 몇 도막이 되는지 구하려고 합니다. 물음에 답하세요.

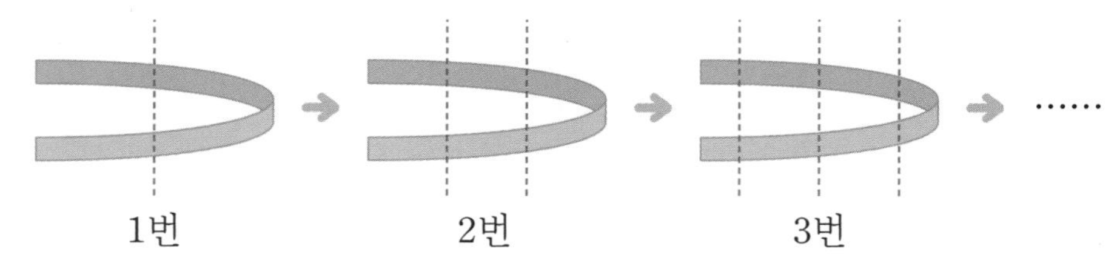

❶ 종이테이프를 자른 횟수를 ♡, 도막 수를 ☆이라고 할 때, ♡와 ☆ 사이의 대응 관계를 식으로 나타내어 보세요.

식 ______________________

❷ 종이테이프를 7번 자르면 몇 도막이 되는지 구해 보세요.

( )

7 정사각형 모양의 종이를 다음과 같은 규칙으로 자르고 있습니다. 12번째에는 사각형 조각이 몇 개가 되는지 구해 보세요.

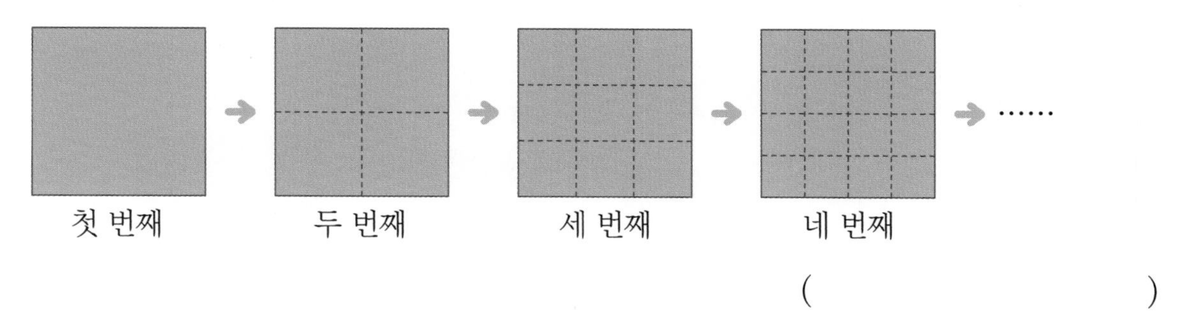

( )

3 단원

8 연호네 반 아이들이 그린 그림을 누름 못을 사용하여 게시판에 붙이고 있습니다. 물음에 답하세요.

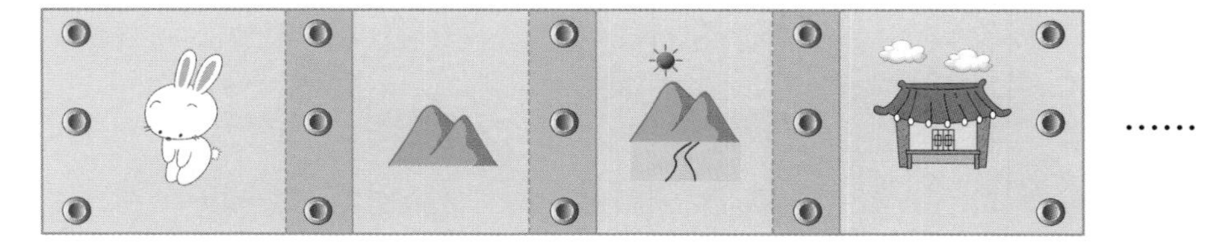

❶ 그림의 수를 □, 누름 못의 수를 ♡라고 할 때, 두 양 사이의 대응 관계를 식으로 나타내어 보세요.

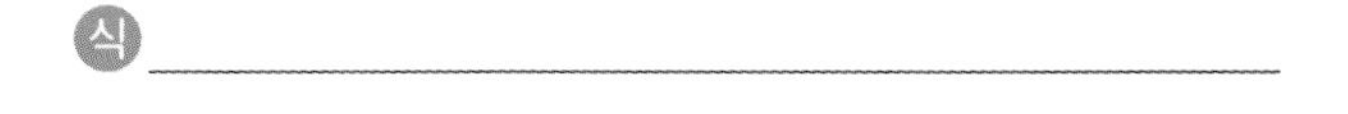

❷ 그림 15장을 붙이려면 누름 못은 몇 개 필요할까요?

( )

9 사각형 조각으로 규칙적인 배열을 만들고 있습니다. 배열 순서를 ●, 사각형 조각의 수를 ▲라고 할 때, 두 양 사이의 대응 관계를 식으로 나타내어 보세요.

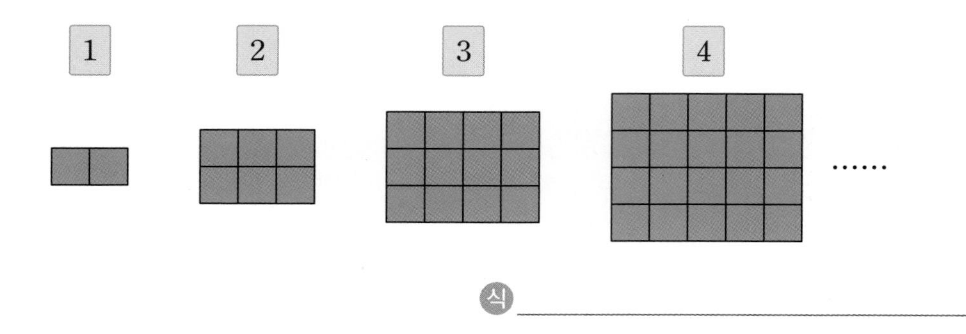

식 ____________________

10 정육각형 모양으로 다음과 같은 규칙에 따라 벌집을 만들고 있습니다. 10번째 벌집의 정육각형의 수를 알아보려고 합니다. 물음에 답하세요.

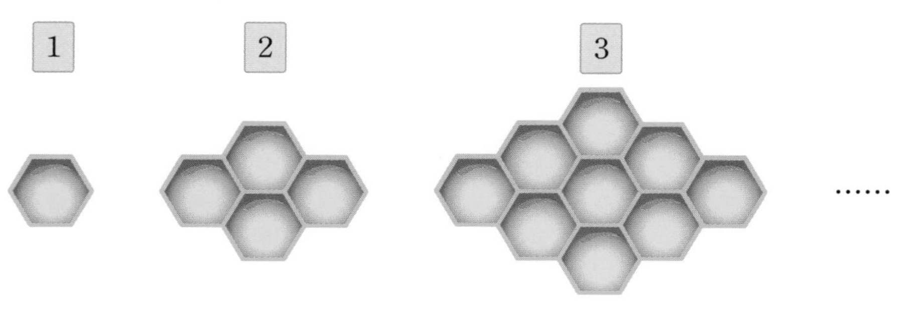

❶ 배열 순서와 정육각형의 수 사이의 대응 관계를 표를 이용하여 알아보세요.

배열 순서	1	2	3	4	5	......
정육각형의 수(개)	1	4				......

❷ 10번째 벌집의 정육각형의 수는 몇 개일까요?

( )

4 약분과 통분

크기가 같은 분수 알아보기

- 분모와 분자에 각각 0이 아닌 같은 수를 곱하면 크기가 같은 분수가 됩니다.

$$\frac{1}{3}=\frac{2}{6}=\frac{3}{9}=\frac{4}{12}$$

(×2, ×3, ×4)

- 분모와 분자를 각각 0이 아닌 같은 수로 나누면 크기가 같은 분수가 됩니다.

$$\frac{12}{18}=\frac{6}{9}=\frac{4}{6}=\frac{2}{3}$$

(÷2, ÷3, ÷6)

약분 알아보기

분모와 분자를 공약수로 나누어 간단한 분수로 만드는 것을 약분한다고 합니다.

예 $\frac{12}{20}$를 약분하기

분모와 분자를 각각 1을 제외한 공약수로 나눕니다.

$$\frac{12}{20}=\frac{12\div2}{20\div2}=\frac{6}{10}$$

$$\frac{12}{20}=\frac{12\div4}{20\div4}=\frac{3}{5}$$

기약분수 알아보기

분모와 분자의 공약수가 1뿐인 분수를 기약분수라고 합니다.

예 $\frac{12}{30}$를 기약분수로 나타내기

$$\frac{\cancel{12}^{6}}{\cancel{30}_{15}}=\frac{\cancel{6}^{2}}{\cancel{15}_{5}}=\frac{2}{5}$$ → 기약분수

분모가 같은 분수로 나타내기

분수의 분모를 같게 하는 것을 통분한다고 하고, 통분한 분모를 공통분모라고 합니다.

예 $\frac{5}{6}$와 $\frac{3}{8}$ 통분하기

방법1 두 분모의 곱을 공통분모로 하기

$$\left(\frac{5}{6}, \frac{3}{8}\right) \rightarrow \left(\frac{5\times8}{6\times8}, \frac{3\times6}{8\times6}\right) \rightarrow \left(\frac{40}{48}, \frac{18}{48}\right)$$

방법2 두 분모의 최소공배수를 공통분모로 하기

$$\left(\frac{5}{6}, \frac{3}{8}\right) \rightarrow \left(\frac{5\times4}{6\times4}, \frac{3\times3}{8\times3}\right) \rightarrow \left(\frac{20}{24}, \frac{9}{24}\right)$$

분수의 크기 비교하기

분수를 통분하여 분모를 같게 한 다음 분자의 크기를 비교합니다.

참고 분수와 소수의 크기를 비교할 때는 분수를 소수로 또는 소수를 분수로 바꾼 후 크기를 비교합니다.

비밀의 문 열기

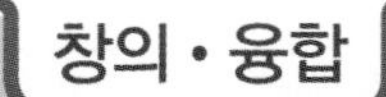

1 비밀의 문을 열기 위해서는 ●에 들어갈 수 있는 자연수의 버튼을 모두 눌러야 합니다. ●에 들어갈 수 있는 자연수를 모두 구해 보세요.

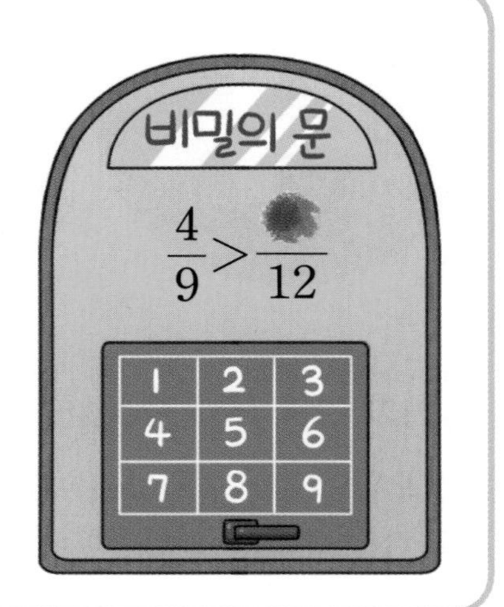

❶ □ 안에 알맞은 수를 써넣으세요.

●에 들어갈 수 있는 수를 구하려면 먼저 $\frac{4}{9}$와 $\frac{●}{12}$를 두 분모의 최소공배수인 □을 공통분모로 하여 통분해야 합니다.

❷ $\frac{4}{9}$와 $\frac{●}{12}$를 통분하는 과정입니다. □ 안에 알맞은 수를 써넣으세요.

$$\left(\frac{4\times\square}{9\times\square}, \frac{●\times\square}{12\times\square}\right) \rightarrow \left(\frac{\square}{\square}, \frac{●\times\square}{\square}\right)$$

❸ ●에 들어갈 수 있는 자연수를 모두 써 보세요.

(　　　　　　　　　　　　　　)

2 비밀의 문을 열기 위해서는 ●에 들어갈 수 있는 자연수의 버튼을 모두 한 번씩 눌러야 합니다. 문을 열기 위해서는 버튼을 몇 번 눌러야 할까요?

❶

( )

❷

( )

3 비밀의 문을 열기 위해서는 ●에 들어갈 수 있는 자연수의 버튼을 모두 눌러야 합니다. 문을 열기 위해 눌러야 하는 버튼에 적힌 수를 모두 써 보세요.

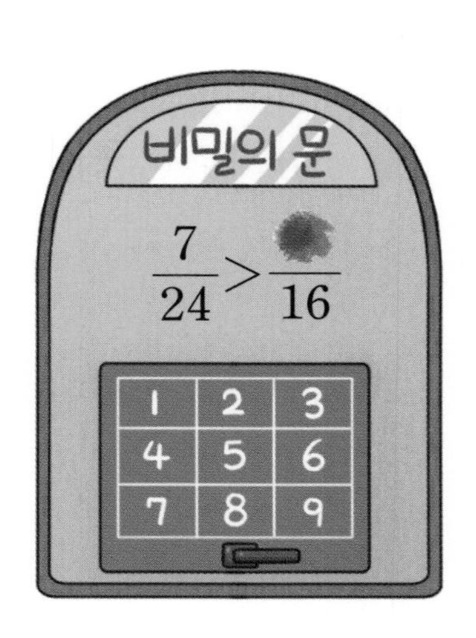

( )

4 단원

유형 2 약분하기 전의 분수

문제 해결

1 다음 직사각형 모양의 땅에서 $\frac{(\text{세로의 길이})}{(\text{가로의 길이})}=\frac{7}{9}$입니다. 이 땅의 가로와 세로의 길이의 합이 112 m일 때, 가로와 세로는 각각 몇 m인지 구해 보세요.

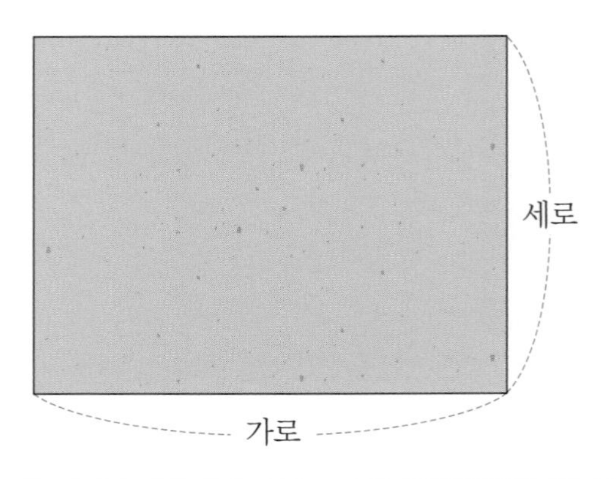

❶ $\frac{7}{9}$과 크기가 같은 분수를 분모가 작은 수부터 차례로 써 보세요.

$$\frac{7}{9}=\frac{14}{18}=\frac{\square}{27}=\frac{\square}{\square}=\frac{\square}{\square}=\frac{\square}{\square}=\frac{\square}{\square}=\frac{\square}{\square}=\cdots\cdots$$

❷ 위 ❶에서 분모와 분자의 합이 112가 되는 분수를 찾아 써 보세요.

( )

❸ 가로와 세로는 각각 몇 m인지 구해 보세요.

가로 ( )
세로 ( )

2 조건 에 맞는 분수를 구해 보세요.

조건

• 분모와 분자의 차가 12입니다.

• 기약분수로 나타내면 $\frac{8}{11}$입니다.

( )

3 조건 에 맞는 분수를 구해 보세요.

조건

• 기약분수로 나타내면 $\frac{5}{8}$입니다.

• 분모와 분자의 곱이 160입니다.

( )

4 $\frac{30}{46}$의 분모와 분자에 각각 어떤 한 자리 수를 더했더니 $\frac{9}{13}$와 크기가 같은 분수가 되었습니다. 어떤 한 자리 수를 구해 보세요.

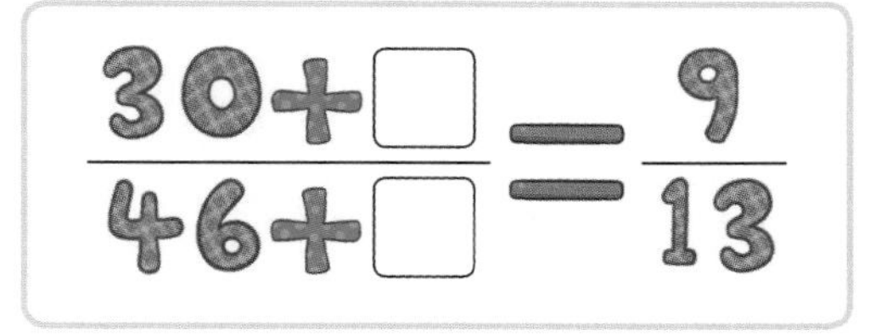

( )

유형 3 어떤 수 구하기

추론

1 다음을 읽고 $\frac{★}{♥}$의 분수를 구해 보세요.

- 어떤 분수 $\frac{★}{♥}$이 있습니다.
- $\frac{★+5}{♥-8}$를 4로 나누어 약분하면 $\frac{7}{9}$입니다.

❶ 4로 나누어 약분하기 전의 분수를 구해 보세요.

(　　　　　　　　)

❷ ♥에서 8을 빼기 전의 분수를 구해 보세요.

(　　　　　　　　)

❸ ★에 5를 더하기 전의 분수를 구해 보세요.

(　　　　　　　　)

❹ 어떤 분수 $\frac{★}{♥}$을 구해 보세요.

(　　　　　　　　)

2 현서가 말하고 있는 어떤 분수를 구해 보세요.

어떤 분수의 분모에서 10을 뺀 후, 5로 나누어 약분하였더니 $\frac{3}{8}$이 되었어요.

( )

3 윤하가 $\frac{8}{11}$의 분자에 어떤 수를 더했는지 구해 보세요.

$\frac{8}{11}$의 분모에 22를 더하고 분자에 어떤 수를 더했더니 분수의 크기가 $\frac{8}{11}$과 같아졌어요.

( )

4 민기가 말하고 있는 어떤 분수를 구해 보세요.

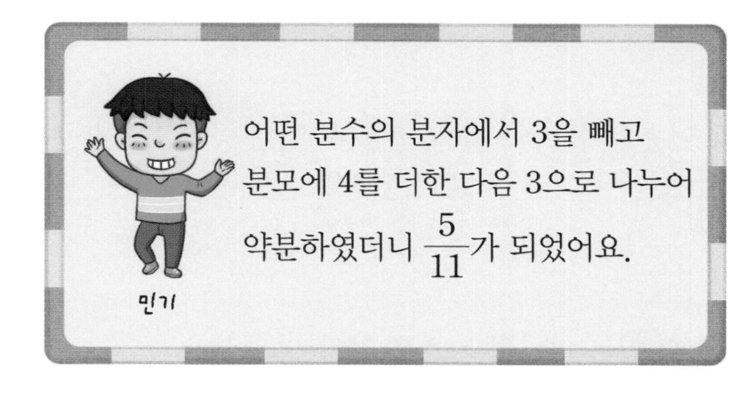

어떤 분수의 분자에서 3을 빼고
분모에 4를 더한 다음 3으로 나누어
약분하였더니 5/11가 되었어요.
민기

( )

유형 4 통분 터널 통과하기

정보 처리

1 버스에 쓰여진 두 분수를 통분할 수 있는 공통분모가 적혀 있는 터널을 찾아 통과해 보세요.

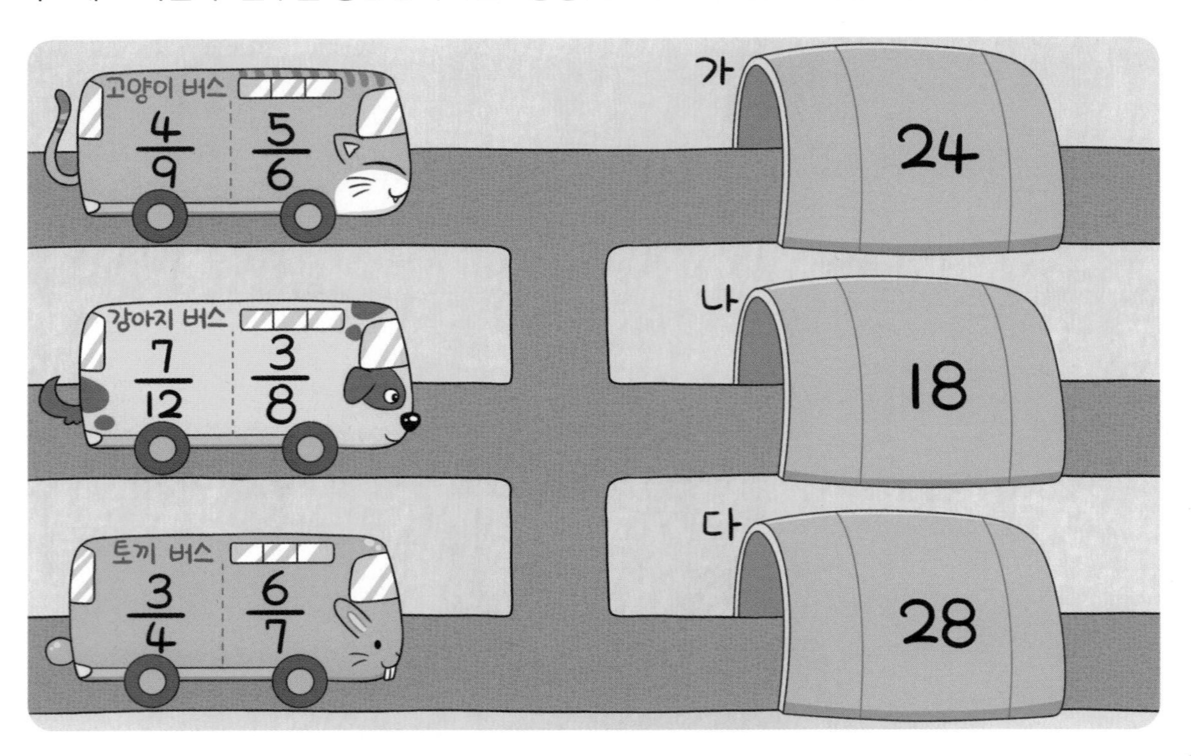

❶ 최소공배수를 이용하여 $\frac{4}{9}$, $\frac{5}{6}$를 통분할 수 있는 공통분모를 구해 보세요.

( )

❷ 최소공배수를 이용하여 $\frac{7}{12}$, $\frac{3}{8}$을 통분할 수 있는 공통분모를 구해 보세요.

( )

❸ 최소공배수를 이용하여 $\frac{3}{4}$, $\frac{6}{7}$을 통분할 수 있는 공통분모를 구해 보세요.

( )

❹ 버스가 통과할 수 있는 터널의 기호를 찾아 써 보세요.

고양이 버스 ( ), 강아지 버스 ( ), 토끼 버스 ( )

2 버스가 통분 터널을 통과하면 버스에 쓰여 있던 두 기약분수가 통분이 됩니다. 터널을 통과하기 전의 두 기약분수를 구해 보세요.

3 세 분수가 쓰인 버스가 통분 터널을 통과해 분수들이 통분되었습니다. ☐ 안에 알맞은 수를 써넣으세요.

❶

❷

❸

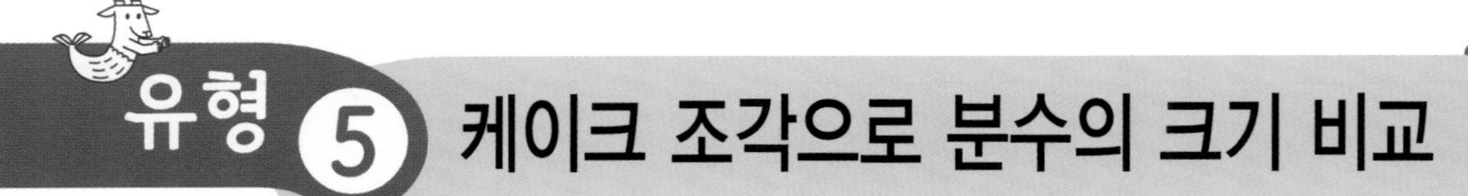

유형 5 케이크 조각으로 분수의 크기 비교

문제 해결

1 똑같은 케이크 3개가 다음과 같이 남아 있습니다. 남아 있는 케이크를 분수로 나타낸 것을 보고 세 분수의 크기를 비교해 보세요.

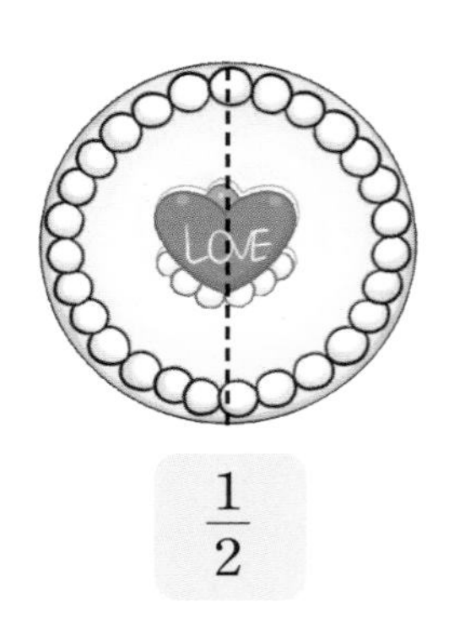

$\frac{1}{2}$

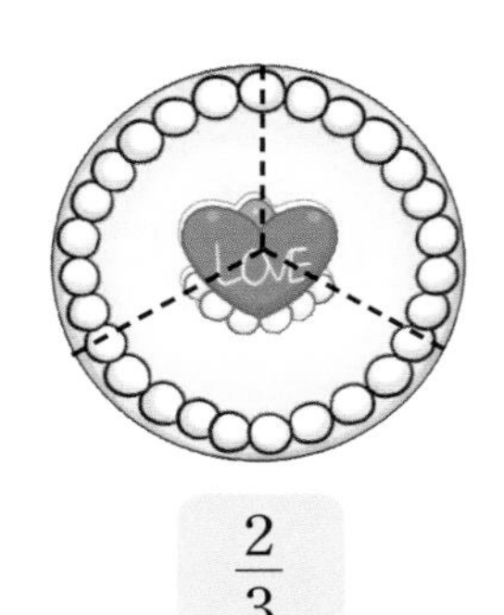

$\frac{2}{3}$

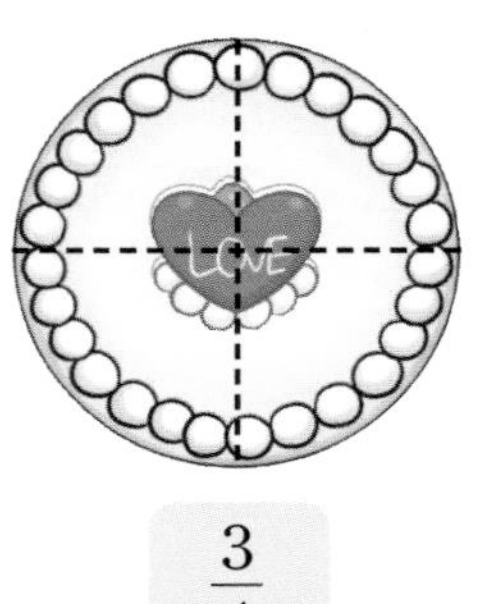

$\frac{3}{4}$

❶ 주어진 분수에 맞게 남아 있는 부분을 색칠해 보세요.

❷ 위 ❶에서 색칠한 그림을 보고 세 분수의 크기를 비교해 보세요.

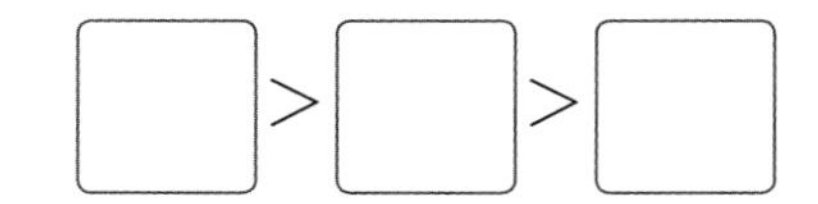

❸ 알맞은 말에 ○표 하세요.

분자가 분모보다 1 작은 분수는 분모가 클수록 더 (작습니다, 큽니다).

2 다음 분수의 크기를 비교해 보세요.

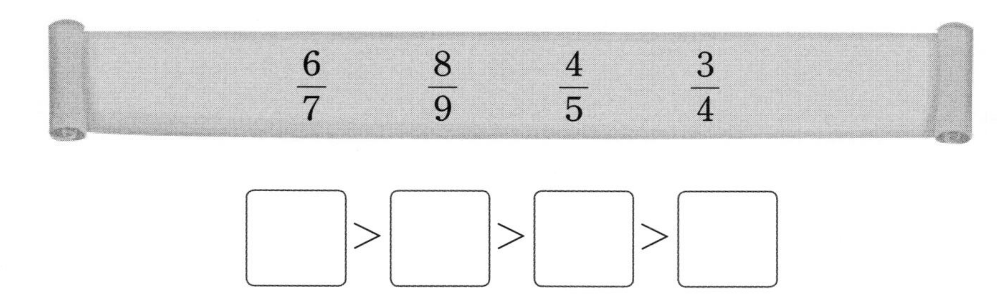

3 다음 분수들 중에서 세 번째로 큰 수는 어떤 수일까요?

$\frac{19}{20}$ $\frac{12}{13}$ $\frac{17}{18}$ $\frac{14}{15}$ $\frac{25}{26}$

( )

4 두 분수의 크기를 비교하여 더 큰 분수를 위의 빈 곳에 써넣으세요.

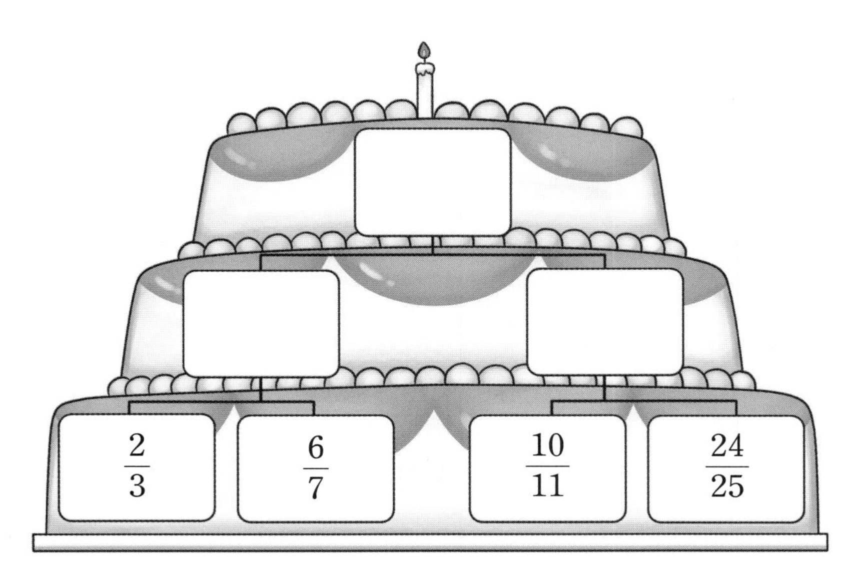

4 단원

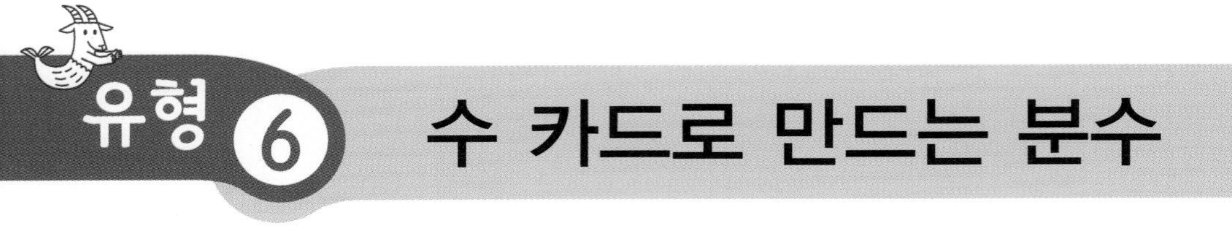

문제 해결

1 3장의 수 카드를 한 번씩 사용하여 만들 수 있는 분수 $\frac{\square}{\square\square}$ 중 기약분수는 모두 몇 개인지 구해 보세요.

❶ 3장의 수 카드로 만들 수 있는 분수를 모두 써 보세요.

____

❷ 위 ❶에서 만든 분수 중에서 기약분수를 모두 찾아 써 보세요.

____

❸ 수 카드로 만들 수 있는 기약분수는 모두 몇 개일까요?

(　　　　　　　　)

2 분모가 8인 진분수 중에서 기약분수는 모두 몇 개인지 구해 보세요.

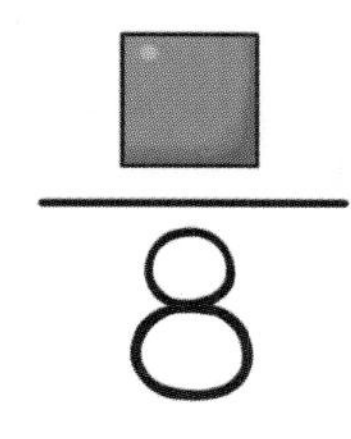

(　　　　　　　　　)

3 4장의 수 카드 중에서 2장을 뽑아 진분수를 만들 때 가장 작은 분수를 구해 보세요.

(　　　　　　　　　)

4 다음 분수는 기약분수입니다. ●와 ◆의 최대공약수를 구해 보세요.

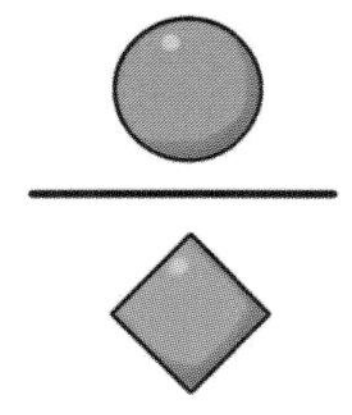

(　　　　　　　　　)

5 5장의 수 카드 중에서 2장을 뽑아 진분수를 만들 때 가장 큰 분수를 구해 보세요.

(　　　　　　　　　)

사고력 종합 평가

1 분모가 각각 9와 12인 두 분수를 통분하려고 합니다. 아래의 수들 중 공통분모가 될 수 있는 수에 모두 ○표 하세요.

24	30	32	36	48	108

2 윤서네 집에서 가장 가까운 곳부터 차례를 써 보세요.

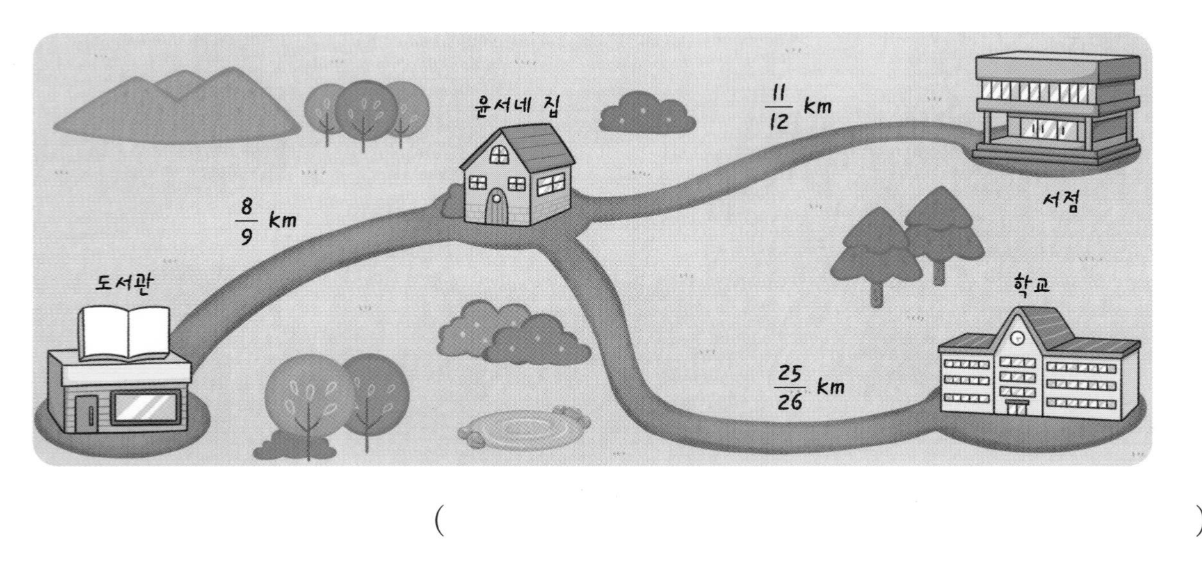

(　　　　　　　　　　　　　　　　　　　　　　)

3 비밀의 문을 열기 위해서는 ●에 들어갈 수 있는 자연수의 버튼을 모두 눌러야 합니다. 문을 열기 위해서 눌러야 하는 버튼에 모두 색칠해 보세요.

4 서희가 말하는 어떤 분수를 구해 보세요.

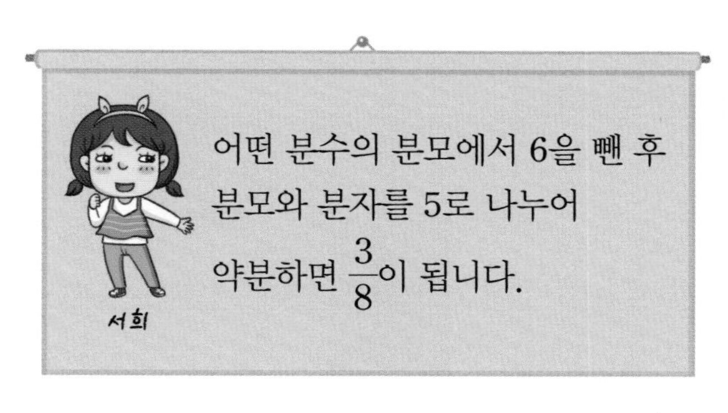

어떤 분수의 분모에서 6을 뺀 후
분모와 분자를 5로 나누어
약분하면 $\frac{3}{8}$이 됩니다.
서희

( )

5 준열이가 만든 어떤 분수의 분자에 7을 더한 다음 6으로 나누어 약분하였더니 $\frac{2}{7}$가 되었습니다. 준열이가 만든 어떤 분수를 구해 보세요.

( )

6 아래와 같이 수 카드가 4장 있습니다. 이 중에서 2장을 뽑아 진분수를 만들려고 합니다. 만들 수 있는 진분수 중 가장 큰 수를 구해 보세요.

( )

7 나는 어떤 분수예요. 나의 분모와 분자의 합은 60이에요. 기약분수로 나타내면 $\frac{5}{7}$가 되죠. 나는 어떤 분수인지 구해 보세요.

(　　　　　　　　　　)

8 다음 조건을 모두 만족하는 두 분수를 구해 보세요.

조건
- 기약분수인 두 수가 있습니다.
- 두 분모의 곱인 35를 공통분모로 하여 통분할 수 있습니다.
- 분모가 한 자리 수인 서로 다른 단위분수입니다.

(　　　　　　　　　　)

9 두 분수의 크기를 비교하여 더 큰 분수를 위의 빈 곳에 써넣으세요.

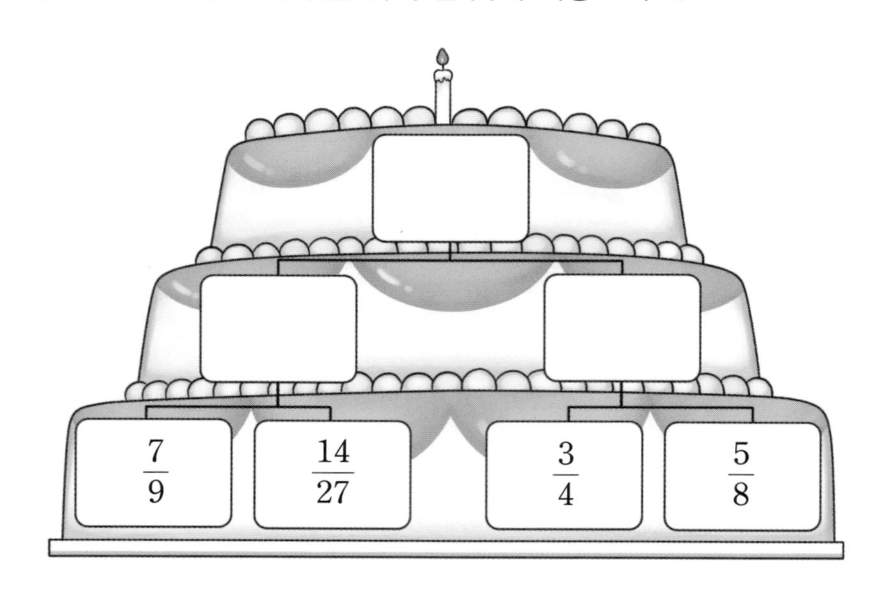

10 버스가 터널을 통과하면 버스에 쓰여 있던 두 기약분수가 통분이 됩니다. 터널을 통과하기 전의 두 기약분수를 구해 보세요.

4 단원

11 다음 중 두 번째로 큰 수는 무엇일까요?

$\frac{2}{3}$ $\frac{6}{7}$ $\frac{9}{10}$ $\frac{7}{8}$ $\frac{13}{14}$

( )

12 3장의 수 카드 [3], [4], [5]를 한 번씩만 사용하여 다음과 같은 기약분수를 몇 개 만들 수 있는지 구해 보세요.

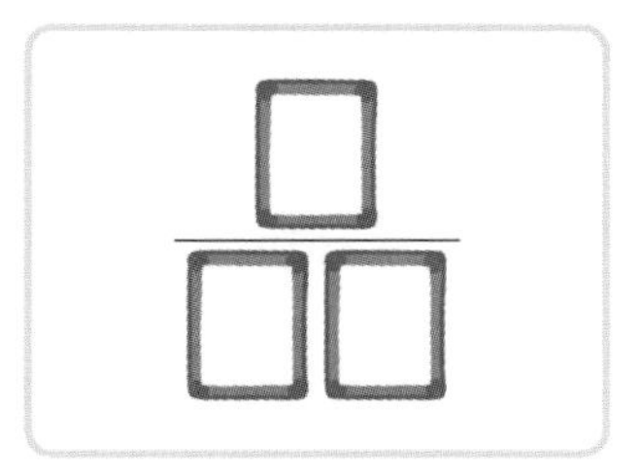

( )

13 $\frac{1}{3}$보다 크고 $\frac{3}{5}$보다 작은 분수 중에서 분모가 30인 기약분수를 모두 구해 보세요.

(　　　　　　　　　　　　　　　　)

14 다음 분수 중에서 기약분수는 모두 몇 개일까요?

❶ 분모가 12인 진분수

(　　　　　　　　)

❷ 분모가 45인 진분수

(　　　　　　　　)

15 다음 두 분수를 통분하려고 합니다. 공통분모를 두 번째로 작은 수로 하여 통분해 보세요.

(　　　　　　　　,　　　　　　　　)

분수의 덧셈과 뺄셈

진분수의 덧셈

방법1 두 분모의 곱을 공통분모로 하여 통분한 후 계산하기

$$\frac{5}{8}+\frac{3}{4}=\frac{5\times4}{8\times4}+\frac{3\times8}{4\times8}=\frac{20}{32}+\frac{24}{32}$$
$$=\frac{44}{32}=1\frac{\cancel{12}^{3}}{\cancel{32}_{8}}=1\frac{3}{8}$$

대분수로! 약분

방법2 두 분모의 최소공배수를 공통분모로 하여 통분한 후 계산하기

$$\frac{5}{8}+\frac{3}{4}=\frac{5}{8}+\frac{3\times2}{4\times2}=\frac{5}{8}+\frac{6}{8}=\frac{11}{8}=1\frac{3}{8}$$

진분수의 뺄셈

방법1 두 분모의 곱을 공통분모로 하여 통분한 후 계산하기

$$\frac{5}{6}-\frac{1}{8}=\frac{5\times8}{6\times8}-\frac{1\times6}{8\times6}=\frac{40}{48}-\frac{6}{48}$$
$$=\frac{\cancel{34}^{17}}{\cancel{48}_{24}}=\frac{17}{24}$$

약분

방법2 두 분모의 최소공배수를 공통분모로 하여 통분한 후 계산하기

$$\frac{5}{6}-\frac{1}{8}=\frac{5\times4}{6\times4}-\frac{1\times3}{8\times3}=\frac{20}{24}-\frac{3}{24}=\frac{17}{24}$$

5 단원

대분수의 덧셈

방법1 자연수는 자연수끼리, 분수는 분수끼리 계산하기

$$1\frac{2}{3}+4\frac{4}{5}=1\frac{10}{15}+4\frac{12}{15}=(1+4)+\left(\frac{10}{15}+\frac{12}{15}\right)$$
$$=5+\frac{22}{15}=5+1\frac{7}{15}=6\frac{7}{15}$$

방법2 대분수를 가분수로 나타내어 계산하기

$$1\frac{2}{3}+4\frac{4}{5}=\frac{5}{3}+\frac{24}{5}=\frac{25}{15}+\frac{72}{15}=\frac{97}{15}=6\frac{7}{15}$$

대분수의 뺄셈

방법1 자연수는 자연수끼리, 분수는 분수끼리 계산하기

$$4\frac{1}{3}-2\frac{1}{2}=4\frac{2}{6}-2\frac{3}{6}=3\frac{8}{6}-2\frac{3}{6}$$
$$=(3-2)+\left(\frac{8}{6}-\frac{3}{6}\right)=1+\frac{5}{6}=1\frac{5}{6}$$

방법2 대분수를 가분수로 나타내어 계산하기

$$4\frac{1}{3}-2\frac{1}{2}=\frac{13}{3}-\frac{5}{2}=\frac{26}{6}-\frac{15}{6}=\frac{11}{6}=1\frac{5}{6}$$

유형 1 분수의 합과 차로 길이 구하기

창의・융합

1 다음 직사각형 모양의 집을 보고 직사각형의 네 변의 길이의 합이 몇 m인지 구해 보세요.

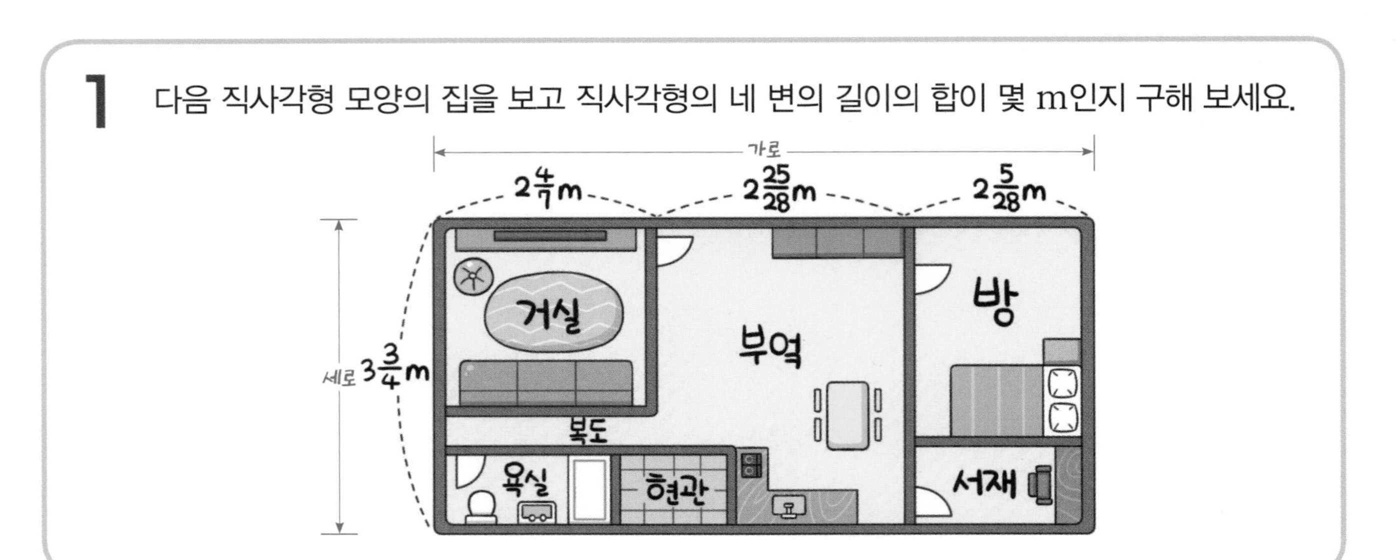

❶ 직사각형의 가로는 몇 m일까요?

( )

❷ 직사각형의 가로와 세로의 합은 몇 m일까요?

( )

❸ 직사각형의 네 변의 길이의 합은 몇 m일까요?

( )

2 다음 직사각형 모양의 집을 보고 직사각형의 네 변의 길이의 합은 몇 m인지 구해 보세요.

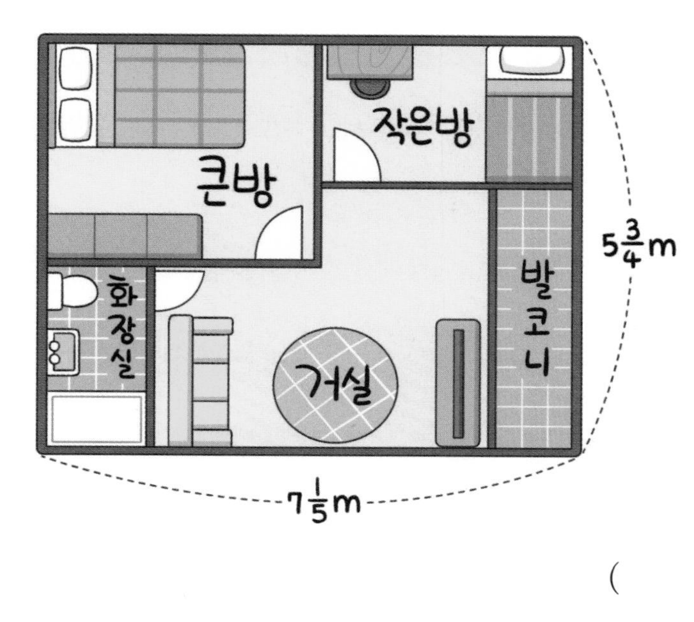

(　　　　　　　　　)

3 다음 등산로 코스를 보고 가장 긴 코스와 가장 짧은 코스의 거리의 합과 차를 각각 구해 보세요.

코스	거리
입구 ~ 약수터	$2\frac{1}{6}$ km
약수터 ~ 폭포	$3\frac{5}{8}$ km
폭포 ~ 정상	$2\frac{4}{9}$ km

합 (　　　　　　　　　), 차 (　　　　　　　　　)

바르게 계산하기

문제 해결

1 어떤 수에 $3\frac{5}{6}$를 더해야 할 것을 잘못하여 뺐더니 $7\frac{4}{9}$가 되었습니다. 바르게 계산한 값을 구해 보세요.

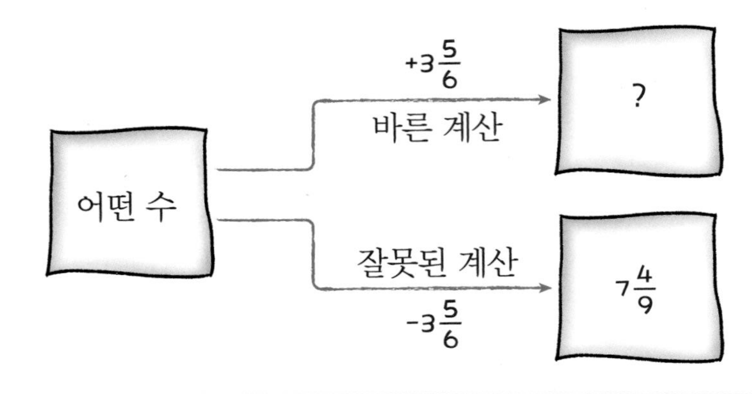

❶ 어떤 수를 □라 하여 잘못 계산한 식을 써 보세요.

❷ 어떤 수를 구해 보세요.

(　　　　　　　　)

❸ 바르게 계산한 값을 구해 보세요.

(　　　　　　　　)

2 어떤 수에 $2\frac{3}{4}$을 더해야 할 것을 잘못하여 뺐더니 $1\frac{5}{9}$가 되었습니다. 바르게 계산한 값을 구해 보세요.

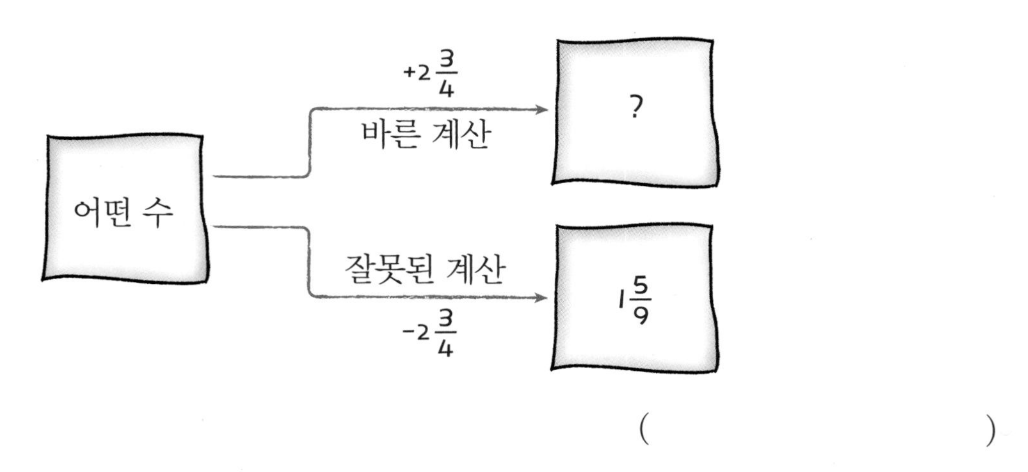

( )

3 어떤 수에서 $1\frac{2}{5}$를 빼야 할 것을 잘못하여 더했더니 $3\frac{4}{7}$가 되었습니다. 바르게 계산한 값에서 $\frac{1}{5}$을 뺀 수를 구해 보세요.

( )

4 어떤 수에서 $1\frac{1}{4}$을 뺀 후 $2\frac{3}{10}$을 더해야 할 것을 잘못하여 어떤 수에 $1\frac{1}{4}$을 더하기만 했더니 $8\frac{1}{10}$이 되었습니다. 바르게 계산한 값을 구해 보세요.

( )

5 단원

유형 3 분수로 만들어 계산하기

문제 해결

1 강호와 윤하는 각자 가지고 있는 수 카드를 한 번씩만 사용하여 가장 큰 대분수를 만들려고 합니다. 두 사람이 만들 수 있는 가장 큰 대분수의 합은 얼마인지 구해 보세요.

❶ 강호가 만들 수 있는 가장 큰 대분수를 써 보세요.

❷ 윤하가 만들 수 있는 가장 큰 대분수를 써 보세요.

❸ 두 사람이 만들 수 있는 가장 큰 대분수의 합은 얼마일까요?

( )

2 수 카드 중에서 3장을 골라 한 번씩만 사용하여 만들 수 있는 가장 큰 대분수와 가장 작은 대분수의 차를 구해 보세요.

3　7　8　1

(　　　　　　　　　　)

3 3개의 주사위를 던져 나온 눈의 수입니다. 주사위의 수로 만들 수 있는 가장 큰 대분수와 가장 작은 대분수의 합과 차를 각각 구해 보세요.

합 (　　　　　　　　　　), 차 (　　　　　　　　　　)

4 4장의 수 카드 중에서 2장을 골라 진분수를 만들려고 합니다. 만들 수 있는 진분수 중에서 가장 큰 진분수와 두 번째로 큰 진분수의 합을 구해 보세요.

❶ 만들 수 있는 진분수를 모두 구해 보세요.

(　　　　　　　　　　)

❷ 위 ❶에서 구한 진분수 중에서 가장 큰 진분수와 두 번째로 큰 진분수의 합을 구해 보세요.

(　　　　　　　　　　)

유형 4 겹쳐진 부분 이용하기

문제 해결

1 ◯ 안에 있는 두 분수의 합은 $3\frac{7}{8}$이고, ◯ 안에 있는 두 분수의 합은 $3\frac{5}{12}$입니다. ㉠과 ㉡에 알맞은 분수의 합과 차를 각각 구해 보세요.

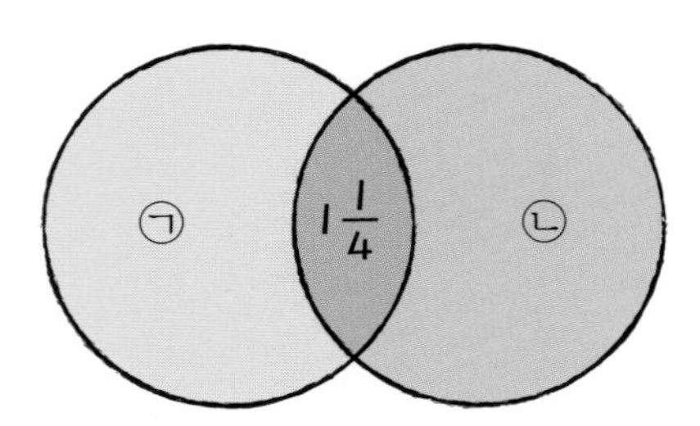

❶ ㉠에 알맞은 분수를 구해 보세요.

( )

❷ ㉡에 알맞은 분수를 구해 보세요.

( )

❸ ㉠과 ㉡에 알맞은 분수의 합을 구해 보세요.

( )

❹ ㉠과 ㉡에 알맞은 분수의 차를 구해 보세요.

( )

2 ▢ 안에 있는 두 분수의 합은 $2\frac{3}{10}$이고, ◯ 안에 있는 세 분수의 합은 $3\frac{9}{70}$입니다. ㉠과 ㉡에 알맞은 분수를 각각 구해 보세요.

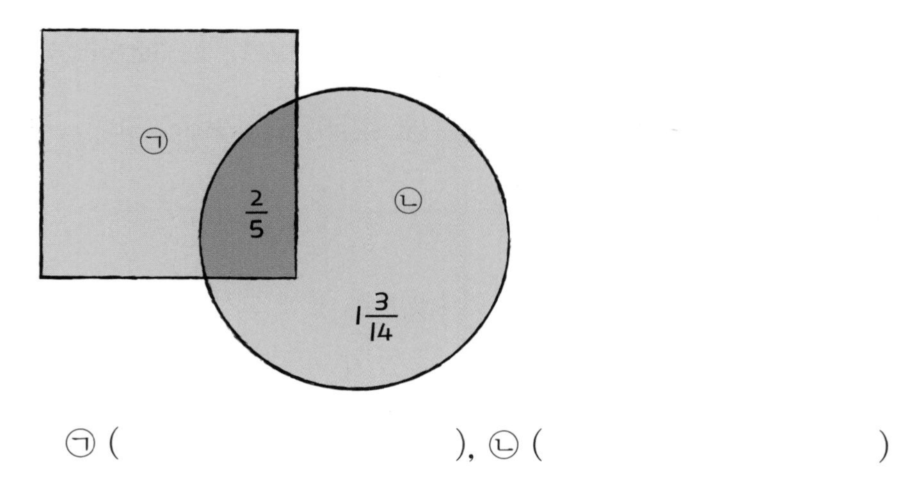

㉠ (　　　　　　　　), ㉡ (　　　　　　　　)

3 다음 그림과 같이 길이가 $1\frac{3}{14}$ m인 종이테이프 3장을 $\frac{2}{5}$ m씩 겹치게 이어 붙였습니다. 이어 붙인 종이테이프의 전체 길이는 몇 m인지 구해 보세요.

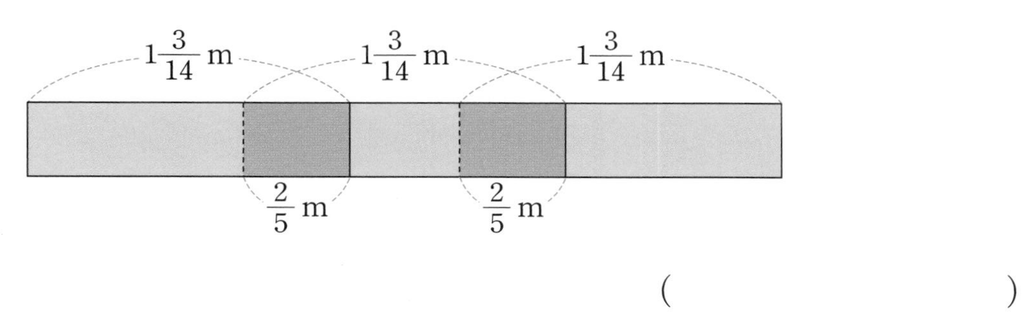

(　　　　　　　　)

유형 5 무게 계산하기

문제 해결

1 무게가 같은 농구공 3개의 무게를 재어 보니 $1\frac{6}{7}$ kg이었습니다. 이 농구공 9개가 들어 있는 가방의 무게가 $6\frac{4}{5}$ kg일 때 빈 가방 3개의 무게는 몇 kg인지 구해 보세요.

① 농구공 9개의 무게는 몇 kg인지 구해 보세요.

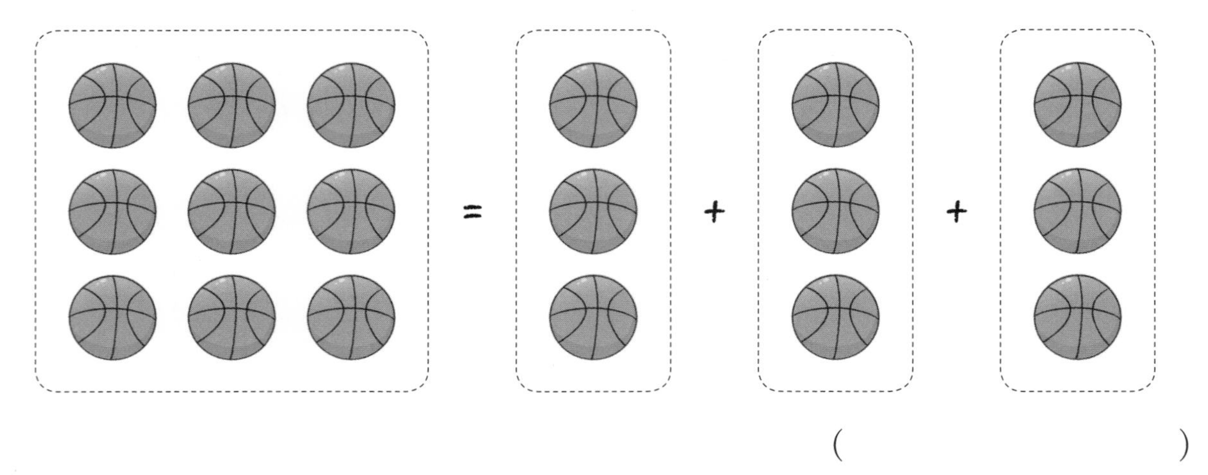

(　　　　　　　　)

② 빈 가방 한 개의 무게는 몇 kg인지 구해 보세요.

(　　　　　　　　)

③ 빈 가방 3개의 무게는 몇 kg인지 구해 보세요.

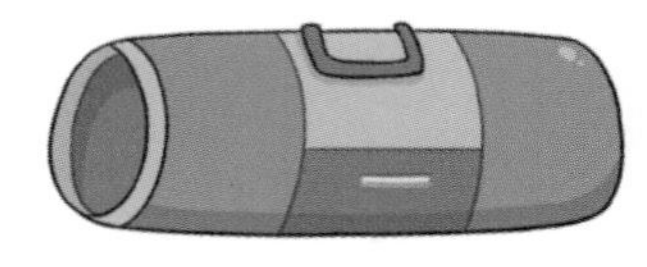
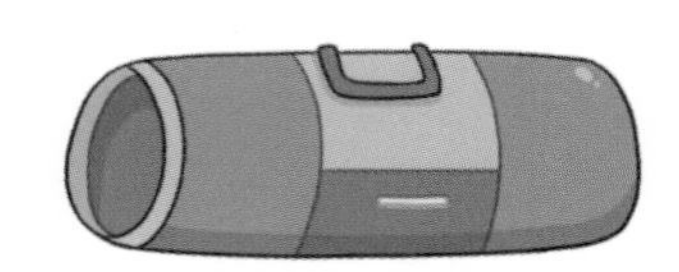
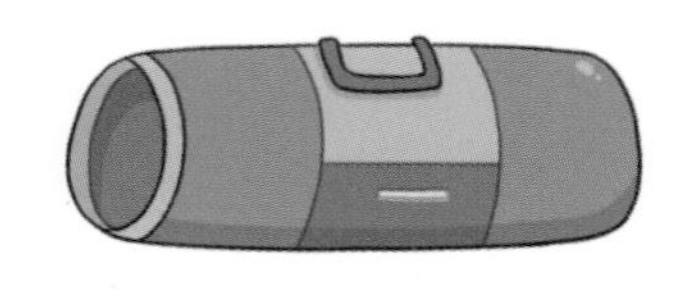

(　　　　　　　　)

2 무게가 같은 고구마 4개가 들어 있는 상자의 무게가 $5\frac{3}{6}$ kg입니다. 고구마 2개를 빼고 무게를 재었더니 무게가 $3\frac{1}{5}$ kg이라면 빈 상자 5개의 무게는 몇 kg인지 구해 보세요.

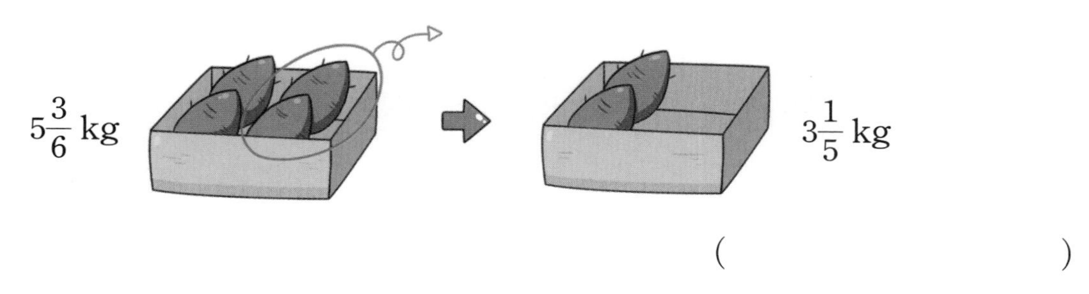

(　　　　　　　　　　　　)

3 물이 가득 들어 있는 물통의 무게가 $10\frac{1}{8}$ kg입니다. 물의 절반을 사용하고 다시 무게를 재어 보니 $5\frac{5}{12}$ kg이었습니다. 빈 물통 2개의 무게는 몇 kg인지 구해 보세요.

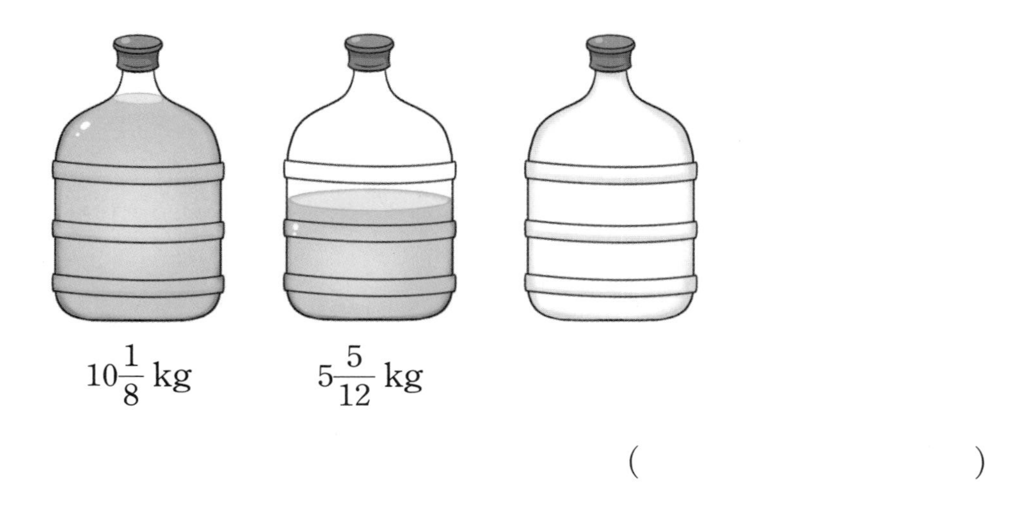

(　　　　　　　　　　　　)

5
단원

유형 6 마방진에서 알맞은 수 구하기

문제 해결

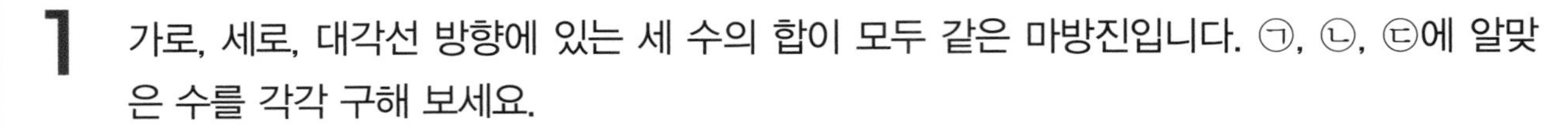

1 가로, 세로, 대각선 방향에 있는 세 수의 합이 모두 같은 마방진입니다. ㉠, ㉡, ㉢에 알맞은 수를 각각 구해 보세요.

$\frac{3}{4}$	$\frac{1}{8}$	㉠
	$\frac{5}{8}$	
㉡	$1\frac{1}{8}$	㉢

❶ 세로 방향으로 놓여 있는 세 수의 합을 구해 보세요.

$$\frac{1}{8}+\frac{5}{8}+1\frac{1}{8}=\square$$

❷ ㉠에 알맞은 수를 구해 보세요.

$$\frac{3}{4}+\frac{1}{8}+㉠=\square \rightarrow ㉠=\square$$

❸ ㉡에 알맞은 수를 구해 보세요.

$$\square+\frac{5}{8}+㉡=\square \rightarrow ㉡=\square$$

❹ ㉢에 알맞은 수를 구해 보세요.

$$\square+1\frac{1}{8}+㉢=\square \rightarrow ㉢=\square$$

2 가로, 세로, 대각선 방향에 있는 세 분수의 합이 모두 같은 마방진입니다. ㉠에 알맞은 분수를 구해 보세요.

$4\frac{5}{12}$	$6\frac{3}{4}$	$5\frac{1}{12}$
	㉠	
		$6\frac{5}{12}$

( )

3 가로, 세로, 대각선 방향에 있는 세 분수의 합이 모두 같은 마방진입니다. ㉠과 ㉡에 알맞은 분수를 각각 구해 보세요.

㉡		$2\frac{7}{18}$
$2\frac{5}{9}$		$2\frac{1}{3}$
㉠	$2\frac{2}{9}$	$2\frac{11}{18}$

㉠ ( ), ㉡ ( )

사고력 종합 평가

1 윤아네 집에서 이모네 집을 가려면 병원을 지나야 합니다. 윤아네 집에서 이모네 집까지의 거리는 몇 km인지 구해 보세요.

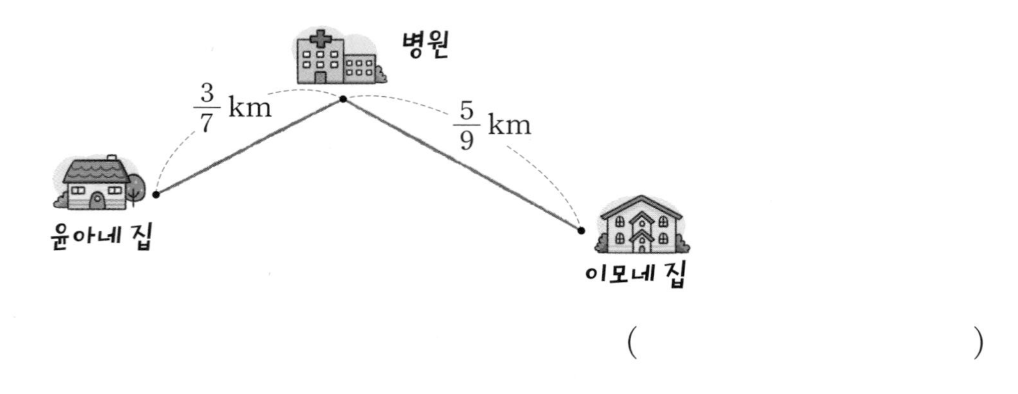

( )

2 재활용 종이를 종서는 $4\frac{3}{8}$ kg, 리라는 $3\frac{7}{10}$ kg을 모았습니다. 두 사람이 모은 재활용 종이 중에서 $3\frac{3}{4}$ kg을 팔았다면 남은 재활용 종이는 몇 kg인지 구해 보세요.

( )

3 어떤 일을 하는 데 1시간 동안 건주는 전체의 $\frac{1}{4}$을, 채민이는 전체의 $\frac{1}{5}$을 합니다. 같은 빠르기로 2시간 동안 건주와 채민이가 하는 일은 전체의 몇 분의 몇인지 구해 보세요.

( )

4 민아는 어제 위인전 한 권을 사서 어제는 전체의 $\frac{2}{9}$를 읽고, 오늘은 전체의 $\frac{5}{12}$를 읽었습니다. 민아가 읽지 않은 부분은 전체의 얼마인지 구해 보세요.

( )

5 어떤 수에서 $2\frac{2}{7}$를 뺀 후 $1\frac{3}{14}$을 더해야 할 것을 잘못하여 어떤 수에 $2\frac{2}{7}$를 더한 후 $1\frac{3}{14}$을 뺐더니 7이 되었습니다. 바르게 계산한 값은 얼마인지 구해 보세요.

( )

6 3장의 수 카드를 한 번씩만 사용하여 만들 수 있는 가장 큰 대분수와 가장 작은 대분수의 합과 차를 각각 구해 보세요.

4 7 9

합 ( ), 차 ( )

7 3장의 수 카드 중에서 2장을 골라 진분수를 만들려고 합니다. 만든 두 진분수의 차가 가장 클 때의 값을 구해 보세요.

( )

8 무게가 같은 멜론 2개의 무게를 재어 보니 $2\frac{1}{3}$ kg이었습니다. 이 멜론 4개가 들어 있는 상자의 무게가 $4\frac{4}{5}$ kg일 때 빈 상자의 무게는 몇 kg인지 구해 보세요.

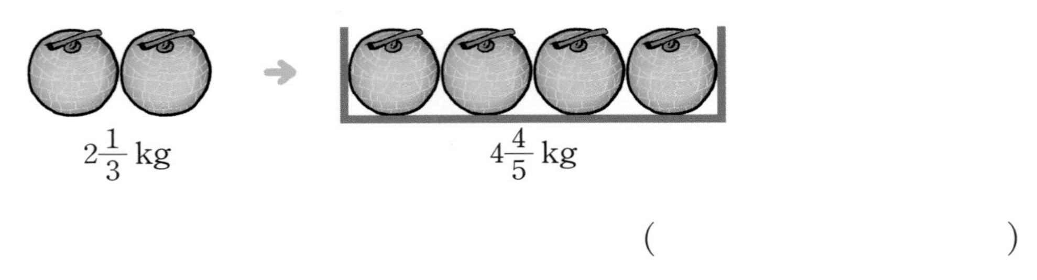

( )

9 선우가 집에서 학교로 바로 가는 거리는 친구네 집을 지나가는 거리보다 몇 km 더 가까운지 구해 보세요.

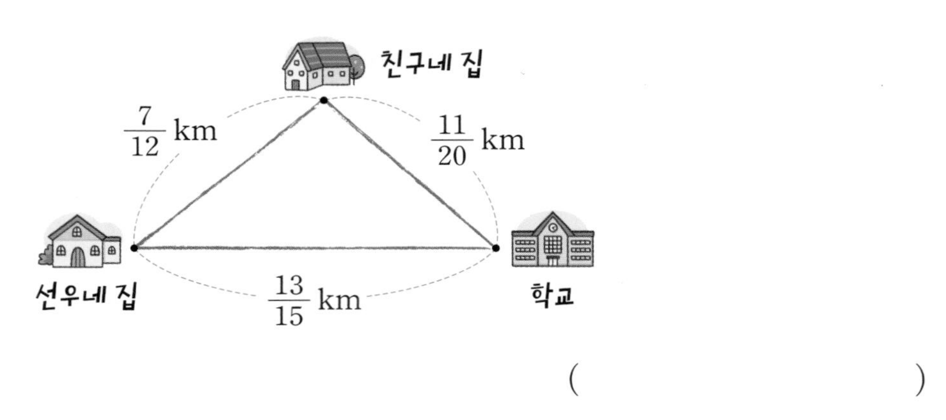

( )

10 한 개의 무게가 $\frac{5}{9}$ kg인 수박과 한 개의 무게가 $\frac{1}{6}$ kg인 배가 있습니다. 무게가 $\frac{1}{3}$ kg인 상자에 수박 2개와 배 11개를 담으면 무게는 모두 몇 kg이 되는지 구해 보세요.

(　　　　　　　　　　)

11 명철이는 수학 공부를 $1\frac{3}{5}$시간, 영어 공부를 $1\frac{1}{4}$시간, 과학 공부를 50분 했습니다. 명철이가 공부한 시간은 모두 몇 시간 몇 분인지 구해 보세요.

(　　　　　　　　　　)

12 △ 안에 있는 두 분수의 합은 $4\frac{7}{20}$이고, □ 안에 있는 세 분수의 합은 $5\frac{3}{4}$입니다. ㉠과 ㉡에 알맞은 분수의 차를 구해 보세요.

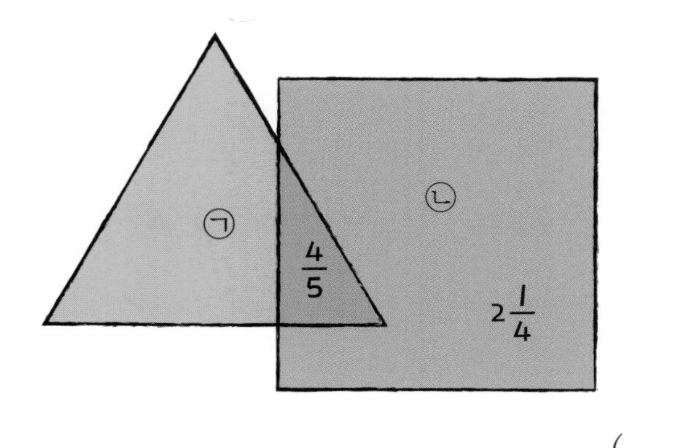

(　　　　　　　　　　)

13 엄마가 있는 곳부터 오누이가 있는 곳까지의 거리는 몇 km인지 구해 보세요.

엄마가 있는 곳부터 달고개까지 거리는 $2\frac{3}{4}$ km, 구름고개부터 오누이가 있는 곳까지의 거리는 $1\frac{7}{10}$ km, 구름고개부터 달고개까지의 거리는 $\frac{4}{5}$ km입니다.

(　　　　　　　　　　)

14 가로, 세로, 대각선 방향에 있는 세 수의 합이 각각 모두 같은 마방진입니다. ㉠과 ㉡에 알맞은 수를 구해 보세요.

		$1\frac{7}{12}$
㉠	$1\frac{5}{6}$	
		$2\frac{7}{12}$

	$\frac{5}{6}$	$\frac{1}{2}$
1		㉡

㉠ (　　　　　　　　　　), ㉡ (　　　　　　　　　　)

다각형의 둘레와 넓이

✲ 정다각형의 둘레

정다각형의 변의 길이는 모두 같으므로 정다각형의 둘레는 한 변의 길이에 변의 수를 곱합니다.

(정다각형의 둘레)=(한 변의 길이)×(변의 수)

✲ 사각형의 둘레

- (직사각형의 둘레)={(가로)+(세로)}×2
- (평행사변형의 둘레)
  ={(한 변의 길이)+(다른 한 변의 길이)}×2
- (마름모의 둘레)=(한 변의 길이)×4

✲ $1\ cm^2$

한 변의 길이가 1 cm인 정사각형의 넓이를 $1\ cm^2$라 쓰고, 1 제곱센티미터라고 읽습니다.

✲ 직사각형의 넓이

- (직사각형의 넓이)=(가로)×(세로)
- (정사각형의 넓이)
  =(한 변의 길이)×(한 변의 길이)

✲ $1\ cm^2$보다 더 큰 넓이의 단위

- $1\ m^2$: 한 변의 길이가 1 m인 정사각형의 넓이
- $1\ km^2$: 한 변의 길이가 1 km인 정사각형의 넓이

✲ 다각형의 넓이

(평행사변형의 넓이)=(밑변의 길이)×(높이)

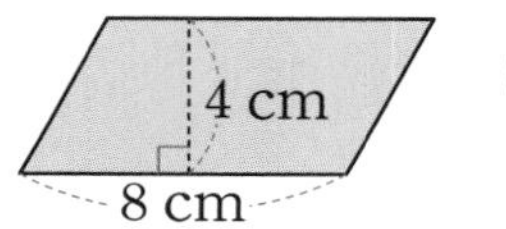

(평행사변형의 넓이)
$=8\times4=32\ (cm^2)$

(삼각형의 넓이)=(밑변의 길이)×(높이)÷2

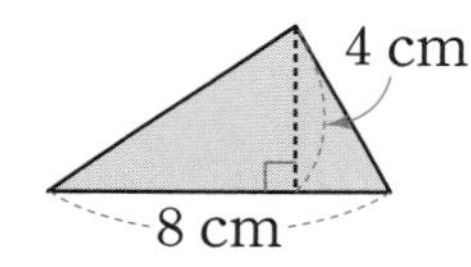

(삼각형의 넓이)
$=8\times4\div2=16\ (cm^2)$

(마름모의 넓이)
=(한 대각선의 길이)×(다른 대각선의 길이)÷2

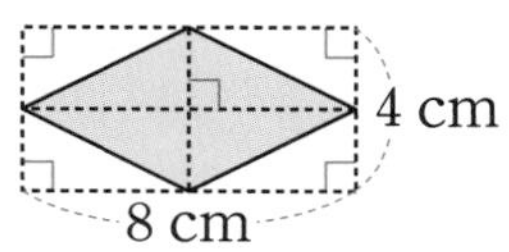

(마름모의 넓이)
$=8\times4\div2=16\ (cm^2)$

(사다리꼴의 넓이)
={(윗변의 길이)+(아랫변의 길이)}×(높이)÷2

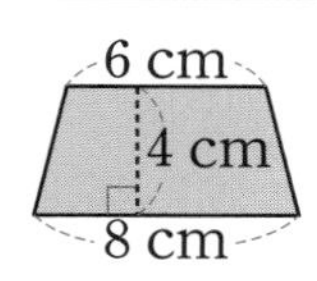

(사다리꼴의 넓이)
$=(6+8)\times4\div2=28\ (cm^2)$

유형 1 직각으로 된 도형의 둘레

문제 해결

1 다음 도형의 둘레는 몇 cm인지 구하려고 합니다. 물음에 답하세요.

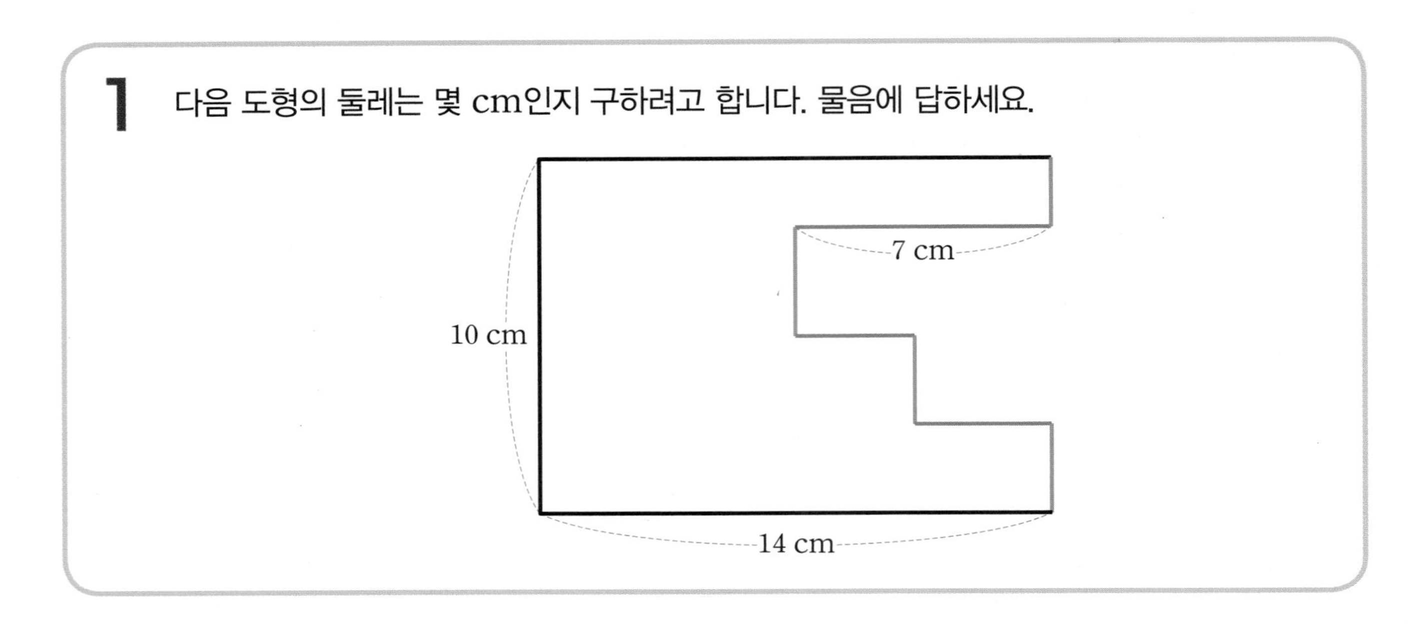

❶ 빨간색 변의 길이는 모두 몇 cm일까요?

( )

❷ 파란색 변을 뺀 나머지 변의 길이는 모두 몇 cm일까요?

( )

❸ 파란색 변의 길이는 모두 몇 cm일까요?

( )

❹ 도형의 둘레는 몇 cm일까요?

( )

2 다음 도형의 둘레는 몇 cm일까요?

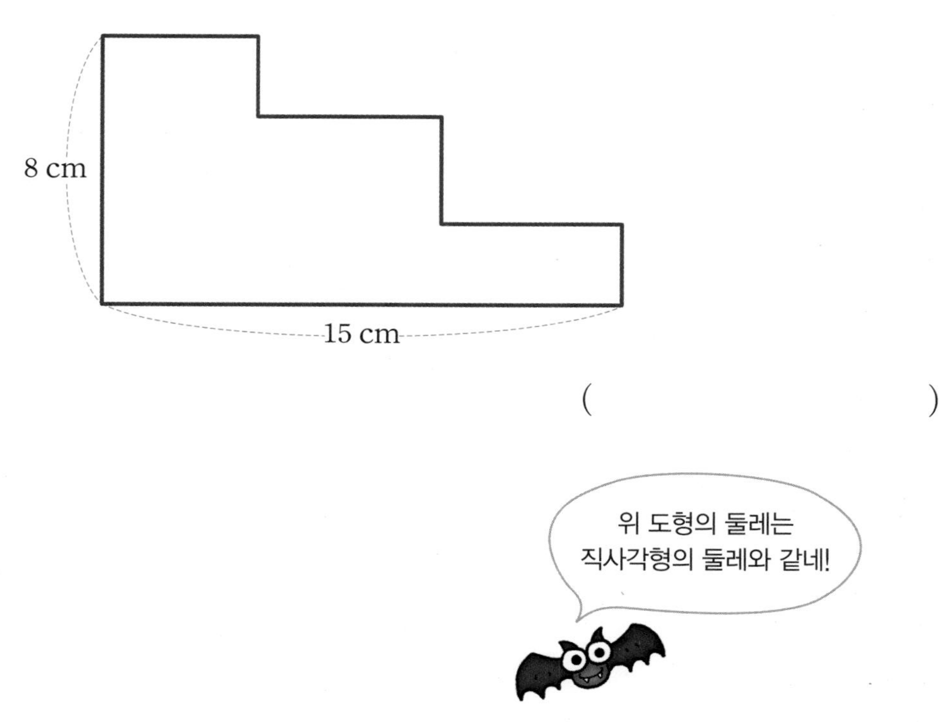

( )

3 다음 도형의 둘레는 몇 cm일까요?

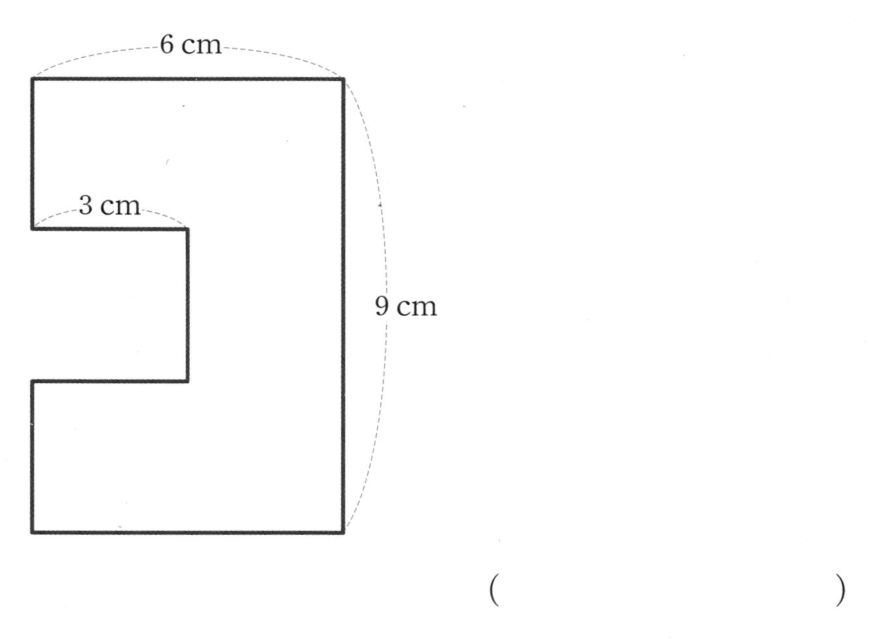

( )

유형 2 잘라낸 도형의 넓이

문제 해결

1 직사각형 모양의 잔디밭이 있습니다. 이 잔디밭에 작은 놀이터를 만들기 위해 그림과 같이 마름모 모양으로 잔디를 깎았습니다. 잔디가 남아 있는 부분의 넓이를 구해 보세요.

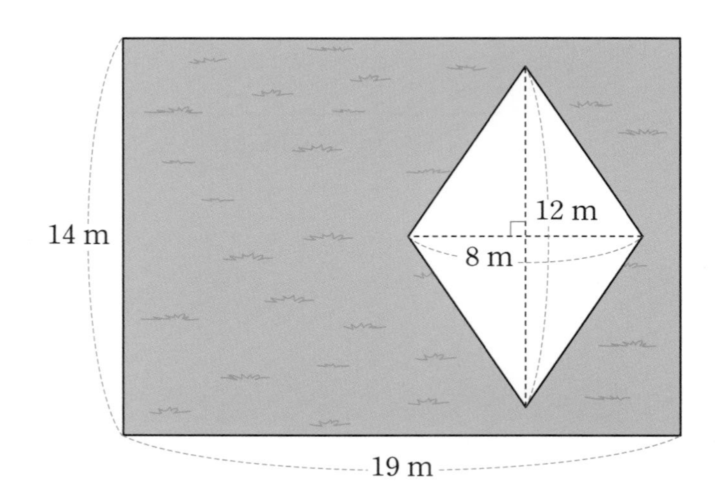

❶ 직사각형 모양의 잔디밭의 넓이를 구해 보세요.

( )

❷ 잔디를 깎아낸 마름모의 넓이를 구해 보세요.

( )

❸ 잔디가 남아 있는 부분의 넓이를 구해 보세요.

( )

2 색칠한 다각형 모양의 꽃밭의 넓이를 구해 보세요.

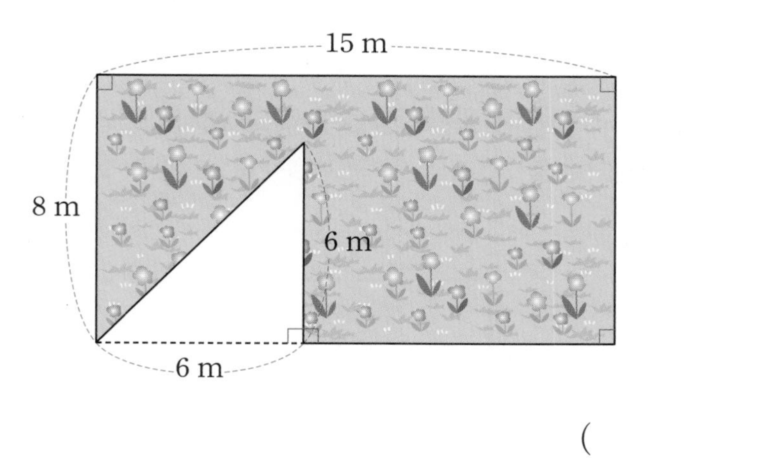

( )

3 다음과 같은 직사각형 모양의 땅이 있습니다. 색칠한 곳은 장미밭을 만들고 나머지 부분은 공원을 만들려고 합니다. 장미밭의 넓이를 구해 보세요.

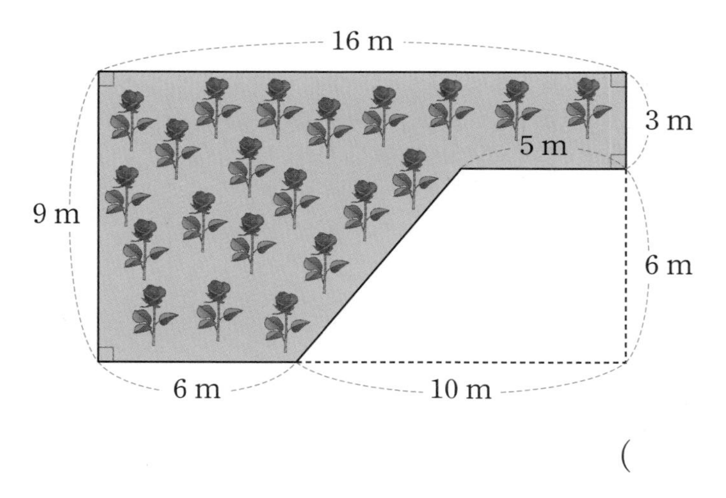

( )

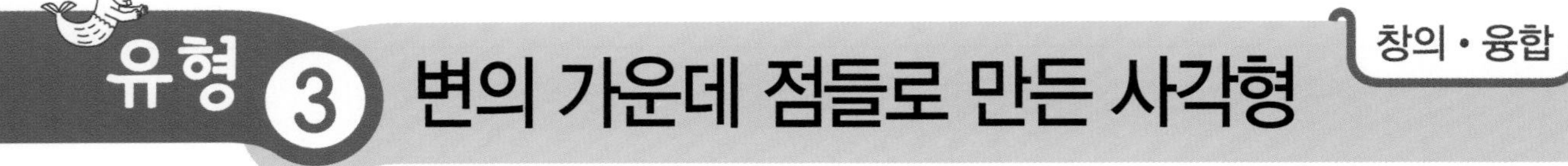

유형 3 변의 가운데 점들로 만든 사각형
창의 • 융합

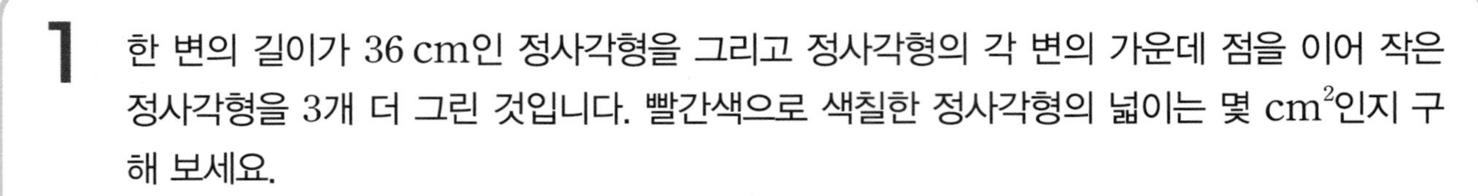

1 한 변의 길이가 36 cm인 정사각형을 그리고 정사각형의 각 변의 가운데 점을 이어 작은 정사각형을 3개 더 그린 것입니다. 빨간색으로 색칠한 정사각형의 넓이는 몇 cm^2인지 구해 보세요.

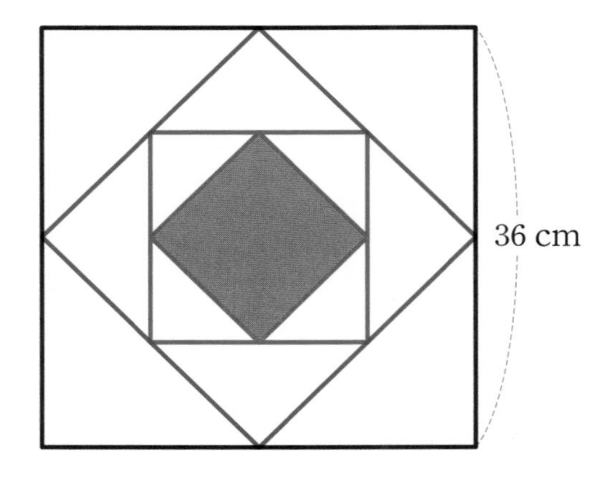

❶ 파란색 정사각형은 한 변의 길이가 36 cm인 정사각형 넓이의 ☐입니다.

❷ 초록색 정사각형의 넓이는 파란색 정사각형 넓이의 ☐입니다.

❸ 빨간색으로 색칠한 정사각형의 넓이를 구해 보세요.

( )

2 한 변의 길이가 24 cm인 정사각형을 그리고 정사각형의 각 변의 가운데 점을 이어 정사각형을 2개 더 그린 것입니다. 초록색으로 색칠한 정사각형의 넓이는 몇 cm^2일까요?

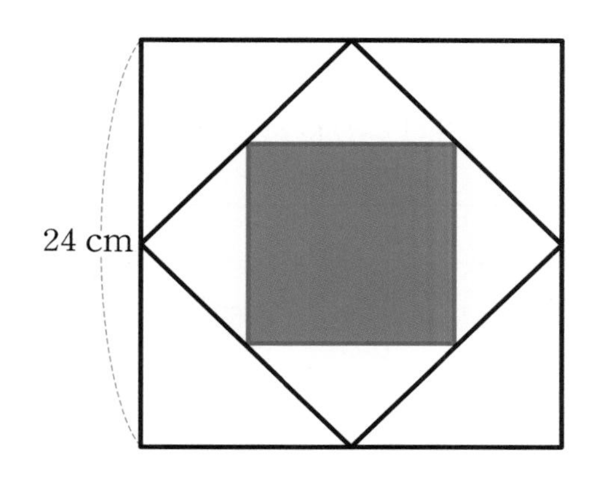

(　　　　　　　　　　)

3 다음은 가로가 20 cm, 세로가 12 cm인 직사각형 안에 각 변의 가운데 점을 이어 작은 사각형을 2개 더 그린 것입니다. 파란색으로 색칠한 사각형의 넓이는 몇 cm^2일까요?

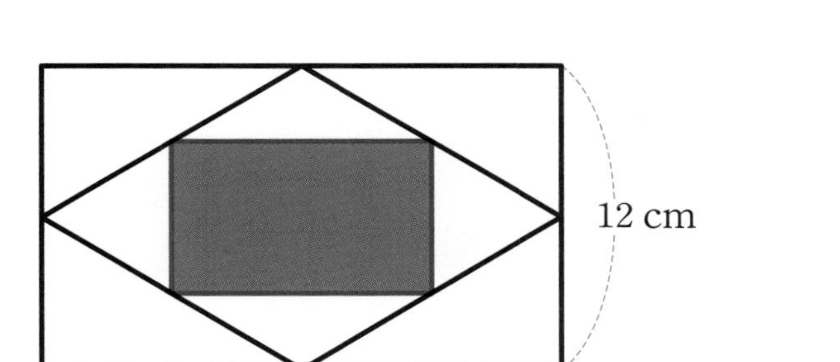

(　　　　　　　　　　)

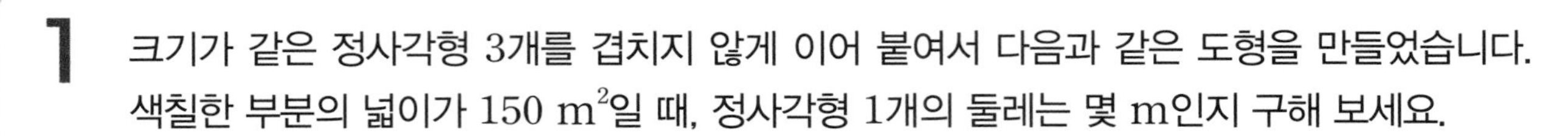

유형 4 정사각형을 이어 붙인 도형

1 크기가 같은 정사각형 3개를 겹치지 않게 이어 붙여서 다음과 같은 도형을 만들었습니다. 색칠한 부분의 넓이가 150 m^2일 때, 정사각형 1개의 둘레는 몇 m인지 구해 보세요.

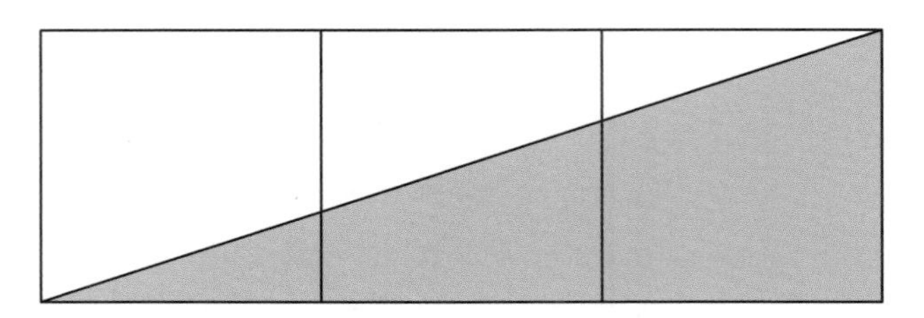

❶ 도형 전체의 넓이는 몇 m^2일까요?

(　　　　　　　　　　)

❷ 정사각형 한 개의 넓이는 몇 m^2일까요?

(　　　　　　　　　　)

❸ 정사각형의 한 변의 길이는 몇 m일까요?

(　　　　　　　　　　)

❹ 정사각형 1개의 둘레는 몇 m일까요?

(　　　　　　　　　　)

2 다음은 크기가 다른 정사각형 3개를 겹치지 않게 이어 붙인 도형입니다. 색칠한 부분의 넓이를 구해 보세요.

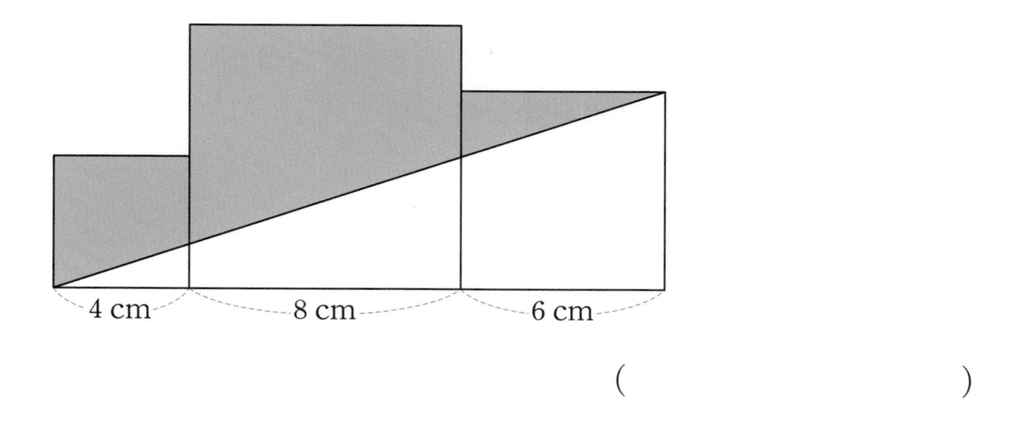

( )

3 다음은 크기가 다른 정사각형 4개를 겹치지 않게 이어 붙인 도형입니다. 색칠한 부분의 넓이를 구해 보세요.

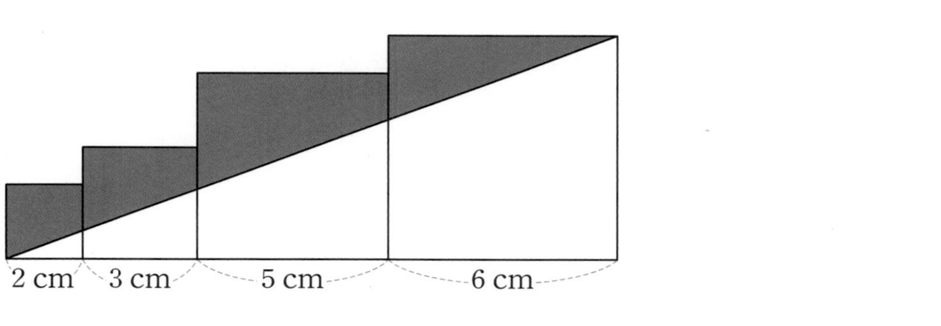

( )

유형 5 이어 붙인 도형의 둘레

문제 해결

1 ㉮와 ㉯는 크기가 같은 정사각형을 겹치지 않게 이어 붙여서 만든 도형입니다. ㉮의 둘레가 56 cm일 때, ㉯의 둘레를 구해 보세요.

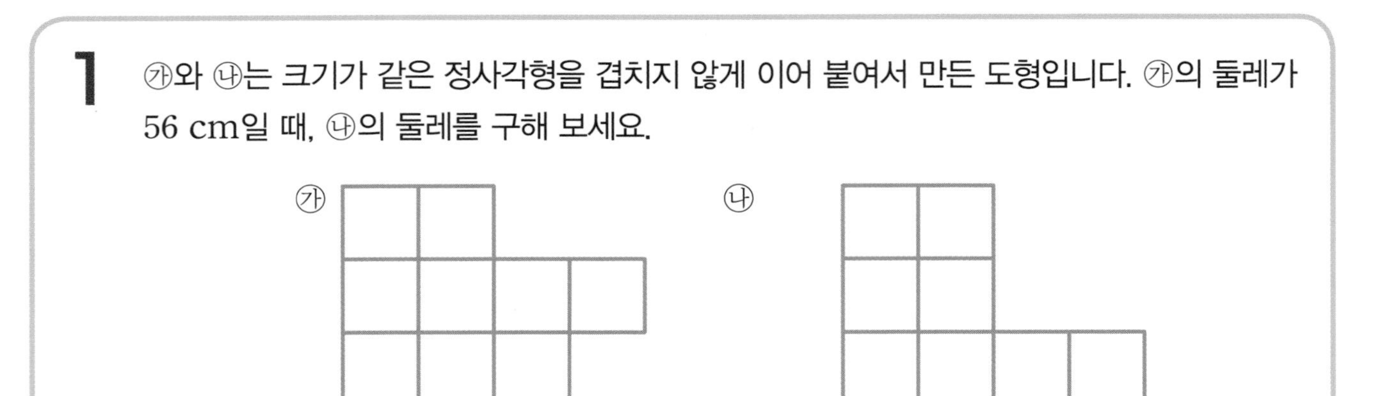

❶ 작은 정사각형의 한 변의 길이를 구해 보세요.

(　　　　　　　　　)

❷ ㉯의 둘레는 작은 정사각형의 한 변의 길이의 ☐배입니다.

❸ ㉯의 둘레를 구해 보세요.

(　　　　　　　　　)

2 다음은 둘레가 12 cm인 정사각형 12개를 겹치지 않게 이어 붙여서 만든 도형입니다. 만든 도형의 둘레는 몇 cm일까요?

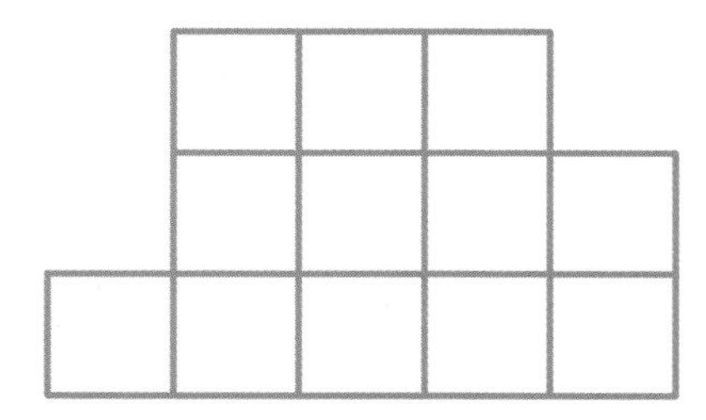

(　　　　　　　　　　)

3 둘레가 96 m인 정사각형을 다음과 같이 크기가 같은 직사각형 3개로 나누었습니다. 직사각형 1개의 둘레는 몇 m일까요?

(　　　　　　　　　　)

유형 6 겹쳐서 만든 도형의 넓이

문제 해결

1 모양과 크기가 같은 마름모 2개를 겹쳐서 만든 도형입니다. 만든 도형 전체의 넓이는 몇 cm^2인지 구해 보세요.

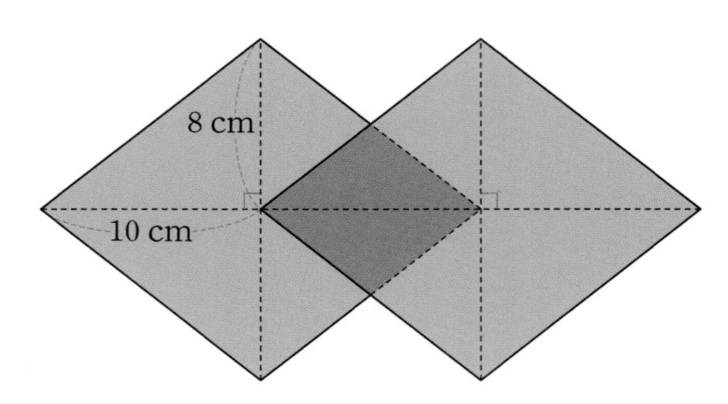

① 마름모 1개의 넓이를 구해 보세요.

( )

② 겹쳐진 부분의 넓이를 구해 보세요.

( )

③ 만든 도형 전체의 넓이를 구해 보세요.

( )

2 모양과 크기가 같은 마름모 2개를 겹쳐서 만든 도형입니다. 만든 도형 전체의 넓이는 몇 cm^2일까요?

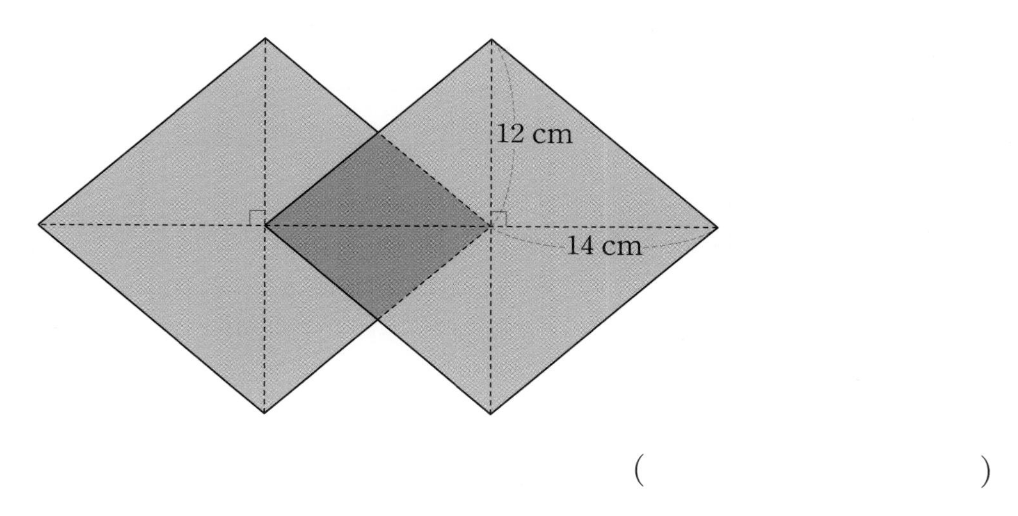

( )

3 모양과 크기가 같은 직사각형 2개를 겹쳐서 만든 도형입니다. 겹쳐진 부분은 정사각형이고 겹쳐서 만든 도형 전체의 넓이가 199 m^2일 때, 겹쳐져 있는 정사각형의 한 변의 길이는 몇 m일까요?

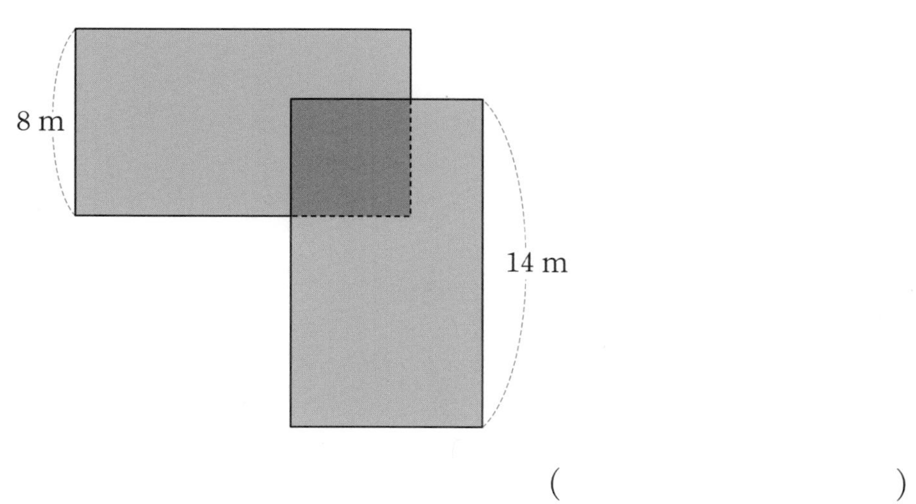

( )

사고력 종합 평가

1 다음 도형의 둘레는 몇 cm인지 구해 보세요.

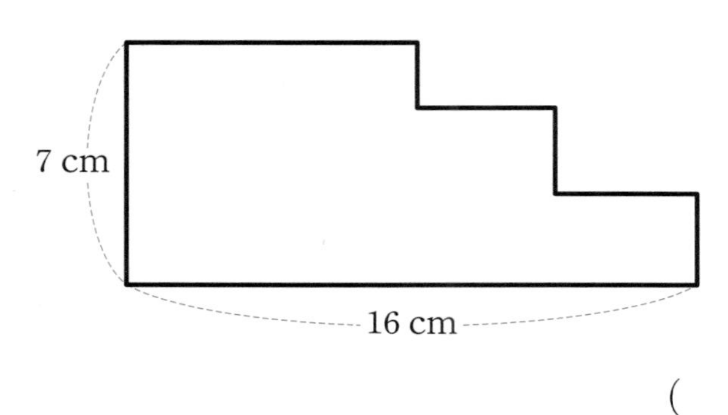

( )

2 다음 도형의 넓이를 구해 보세요.

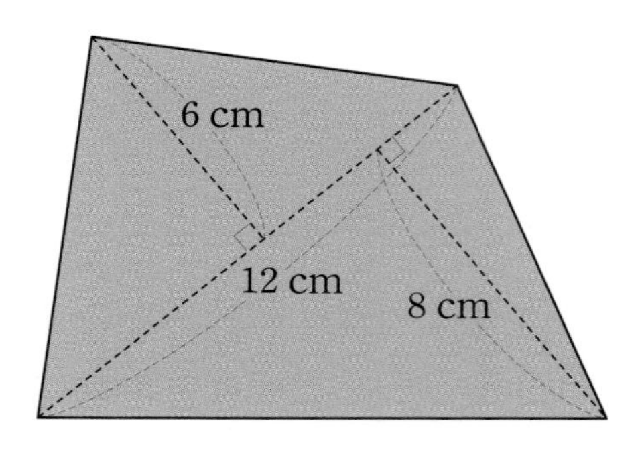

( )

3 색칠한 부분의 넓이를 구해 보세요.

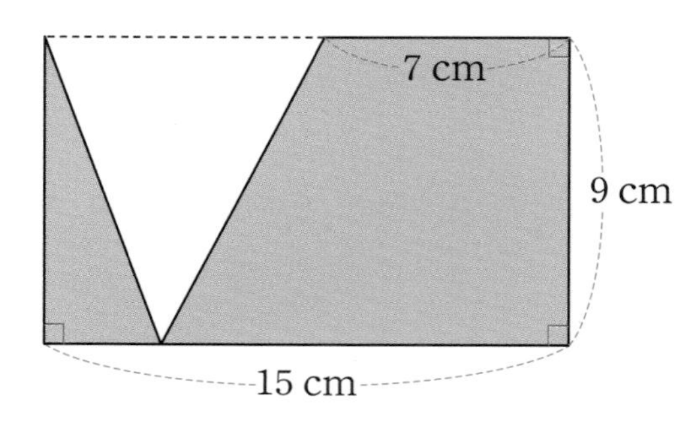

( )

4 높이가 같은 삼각형의 밑변의 길이가 2배, 3배가 되면 넓이는 각각 몇 배가 되는지 구하려고 합니다. 물음에 답하세요.

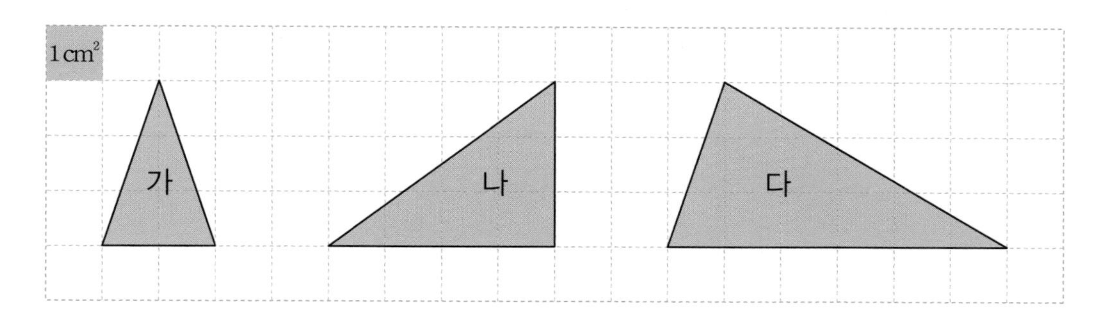

❶ 가, 나, 다 삼각형의 넓이를 각각 구해 보세요.

가 (　　　　　　　　　　)
나 (　　　　　　　　　　)
다 (　　　　　　　　　　)

❷ □ 안에 알맞은 말을 써넣으세요.

높이가 같은 삼각형의 밑변의 길이가 2배, 3배가 되면 넓이도 각각 □배, □배가 됩니다.

6 단원

5 다음 삼각형의 밑변의 길이가 24 cm일 때 높이는 몇 cm인지 구해 보세요.

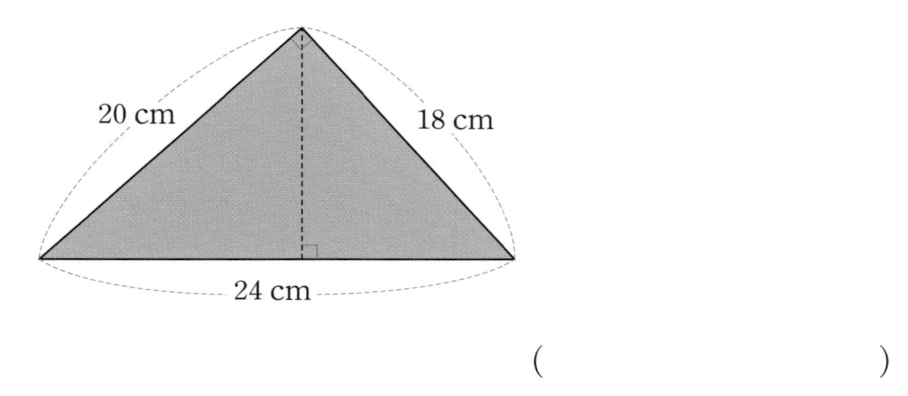

(　　　　　　　　　　)

6 정사각형의 각 변의 가운데 점을 이어 작은 정삭각형을 계속 그린 것입니다. 색칠한 정사각형의 넓이는 몇 cm^2인지 구해 보세요.

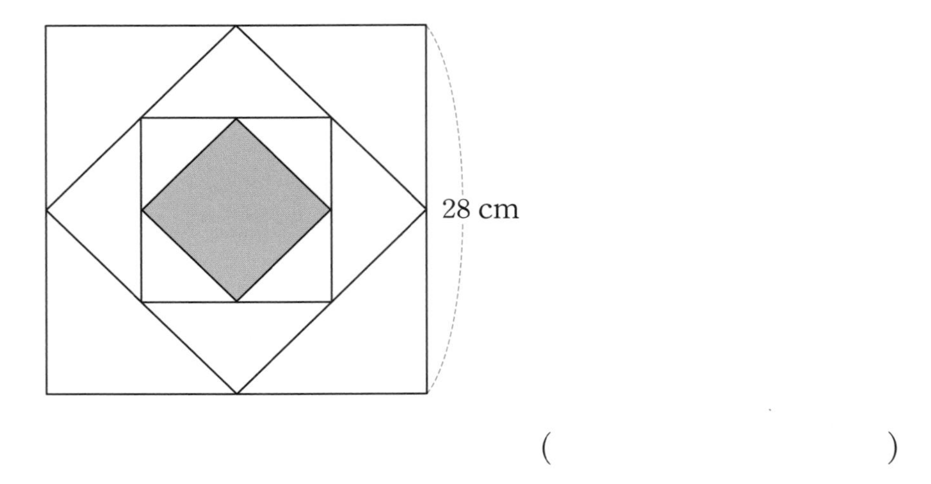

( )

7 크기가 같은 정사각형 3개를 겹치지 않게 이어 붙여서 다음과 같은 도형을 만들었습니다. 색칠한 부분의 넓이가 96 cm^2일 때, 정사각형 1개의 둘레는 몇 cm일까요?

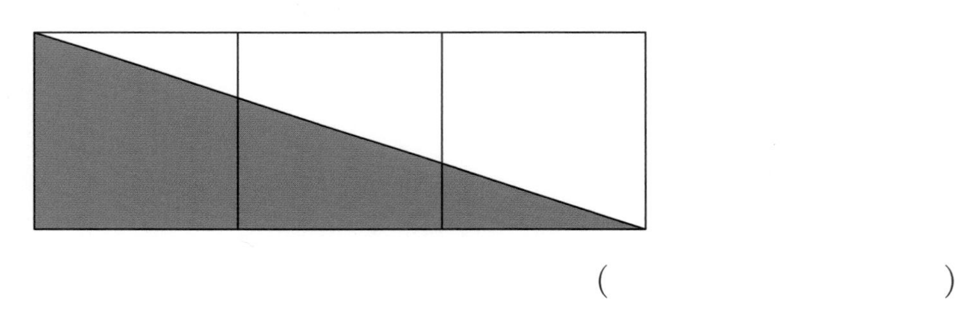

( )

8 둘레가 20 m인 정사각형의 넓이를 구해 보세요.

( )

9 크기가 다른 정사각형 3개를 겹치지 않게 이어 붙인 도형입니다. 색칠한 부분의 넓이를 구해 보세요.

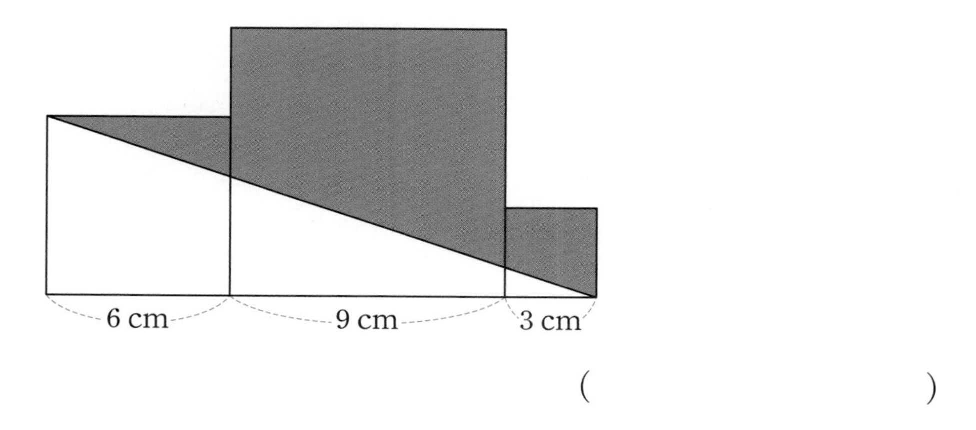

(   )

10 그림과 같이 마름모 모양의 정원이 있습니다. 큰 마름모 모양의 정원 안에 각각의 대각선의 길이의 반을 대각선의 길이로 하는 작은 마름모 모양의 호수를 만들려고 합니다. 호수를 제외한 나머지 정원의 넓이는 몇 m^2일까요?

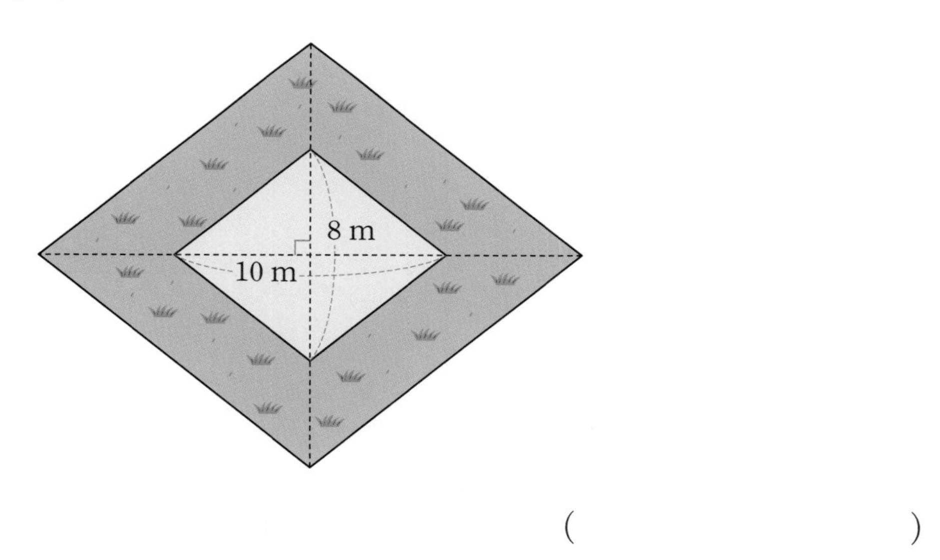

(   )

11 둘레가 48 m인 정사각형 모양의 땅을 그림과 같이 크기가 같은 6개의 직사각형 모양으로 나누어 꽃밭을 꾸미려고 합니다. 직사각형 모양의 꽃밭 1개의 둘레는 몇 m일까요?

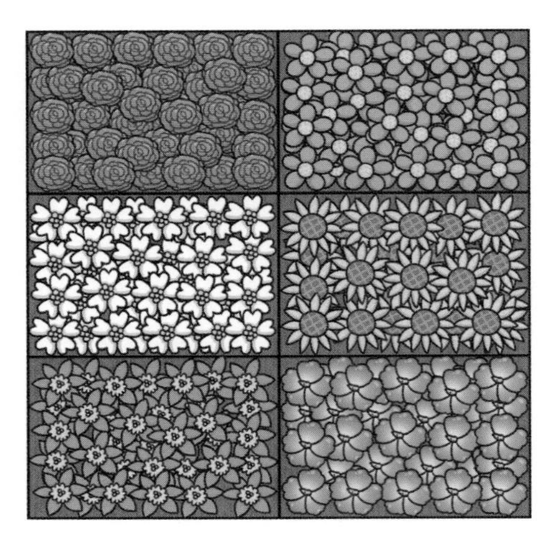

(　　　　　　　　　　)

12 모양과 크기가 같은 직사각형 모양의 공원이 있고 두 공원이 겹쳐져 있는 곳에 정사각형 모양의 꽃밭을 만들었습니다. 공원 전체의 넓이가 239 m^2일 때, 겹쳐져 있는 정사각형 모양의 꽃밭의 한 변의 길이는 몇 m인지 구해 보세요.

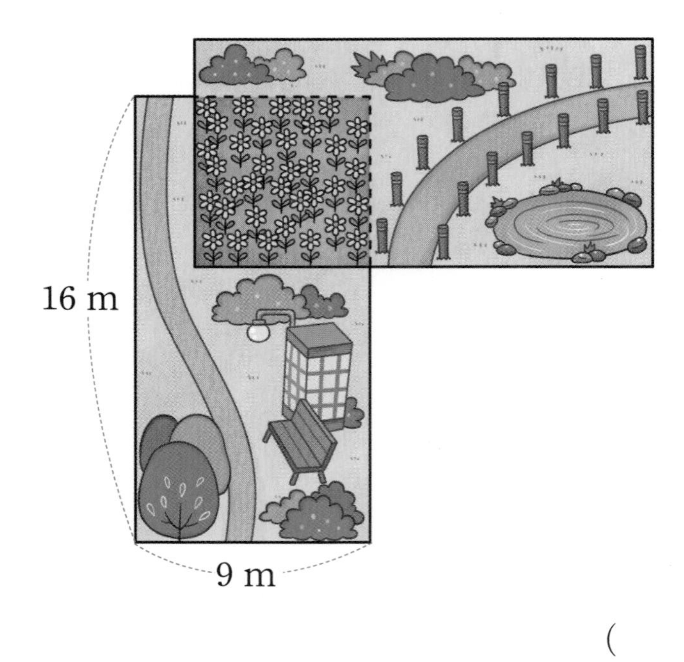

(　　　　　　　　　　)

유형 1 카프리카 수

창의·융합

1 어떤 수를 두 부분으로 나누어 더한 다음, 그 값끼리 곱한 계산 결과가 원래 수와 같을 때 그 수를 카프리카 수라고 합니다. 3025와 같은 방법으로 2025, 9801이 카프리카 수임을 확인해 보세요.

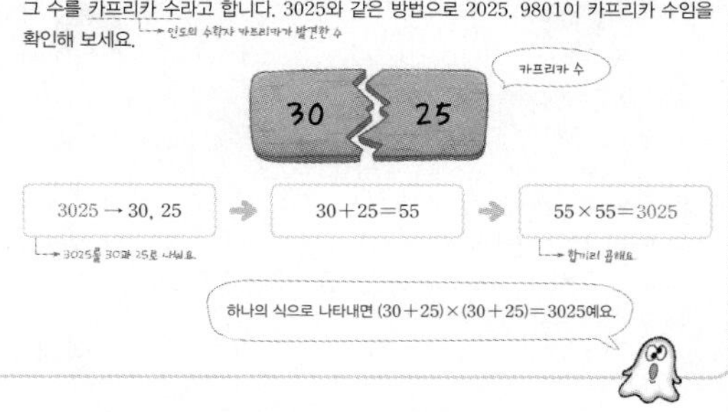

① 3025와 같은 방법으로 2025가 카프리카 수임을 확인해 보세요.

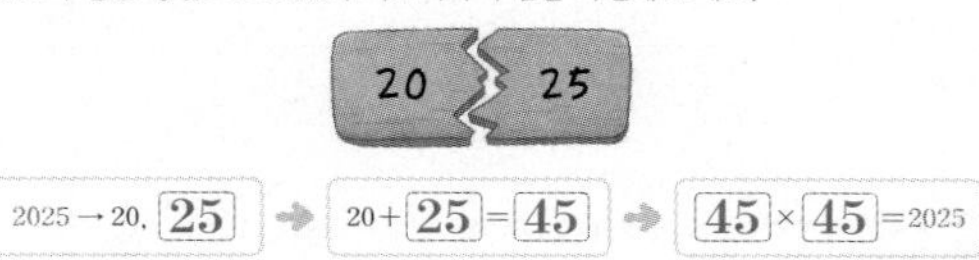

2025 → 20, 25 → 20+25=45 → 45×45=2025

② 3025와 같은 방법으로 9801이 카프리카 수임을 확인해 보세요.

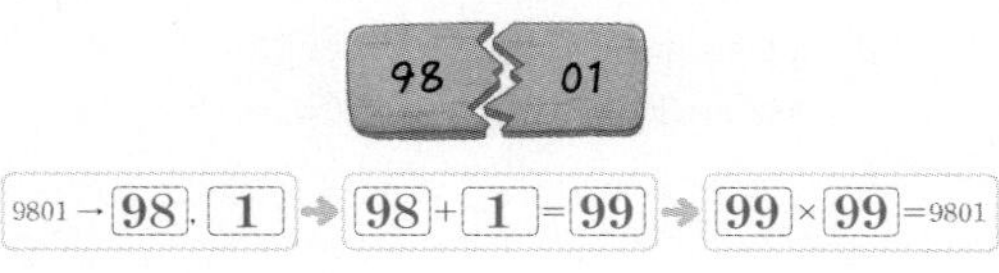

9801 → 98, 1 → 98+1=99 → 99×99=9801

2 친구들이 가지고 있는 수 중에서 카프리카 수를 가지고 있는 사람의 이름을 써 보세요.

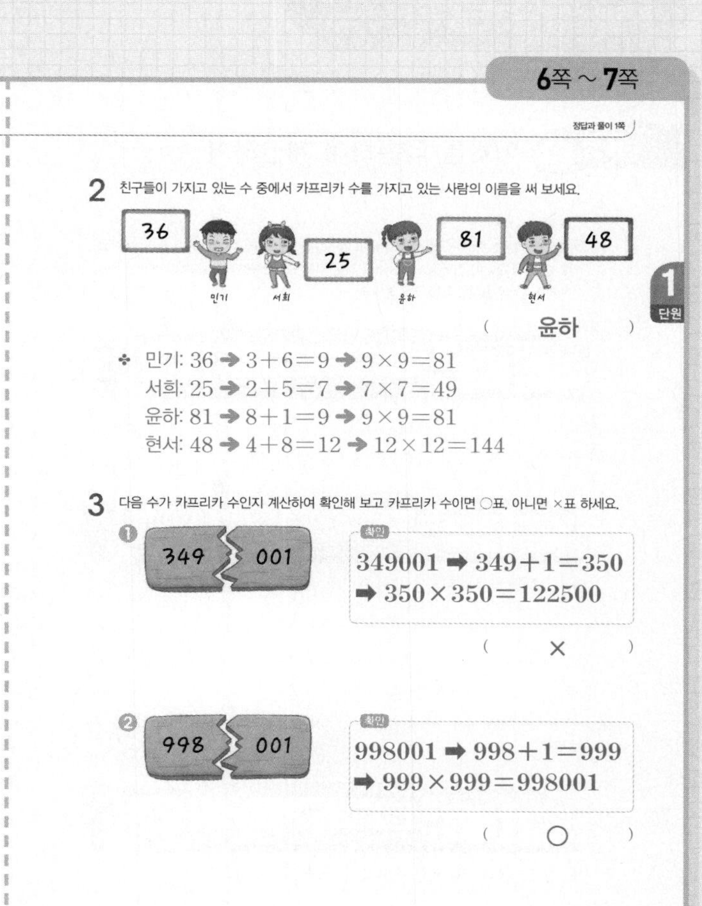

(윤하)

✤ 민기: 36 ➔ 3+6=9 ➔ 9×9=81
서희: 25 ➔ 2+5=7 ➔ 7×7=49
윤하: 81 ➔ 8+1=9 ➔ 9×9=81
현서: 48 ➔ 4+8=12 ➔ 12×12=144

3 다음 수가 카프리카 수인지 계산하여 확인해 보고 카프리카 수이면 ○표, 아니면 ×표 하세요.

① 349 001

확인: 349001 ➔ 349+1=350 ➔ 350×350=122500

(×)

② 998 001

확인: 998001 ➔ 998+1=999 ➔ 999×999=998001

(○)

유형 2 ( )에 따라 달라지는 계산 결과 알아보기

추론

1 ( )가 없는 식과 있는 식의 계산 결과를 비교하려고 합니다. 물음에 답하세요.

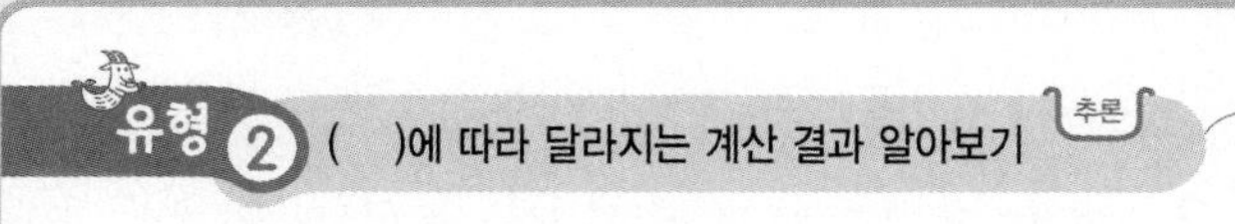

① ㉮ 식을 계산 순서에 맞게 □ 안에 1부터 4까지 써넣고 계산 결과를 구해 보세요.

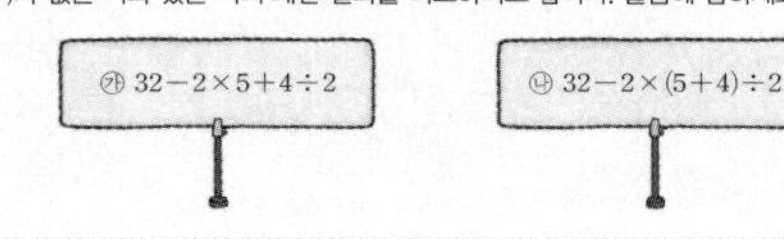

32 − 2 × 5 + 4 ÷ 2 : 3 1 4 2

(24)

✤ 32−2×5+4÷2=30−10+4÷2=32−10+2
=22+2=24

내가 없을 때와 있을 때는 계산 순서가 달라질 수 있어요.

② ㉯ 식을 계산 순서에 맞게 □ 안에 1부터 4까지 써넣고 계산 결과를 구해 보세요.

32 − 2 × (5 + 4) ÷ 2 : 4 2 1 3

(23)

✤ 32−2×(5+4)÷2=32−2×9÷2=32−18÷2
=32−9=23

③ ㉮ 식과 ㉯ 식의 계산 결과는 서로 같을까요, 다를까요?

(다릅니다.)

✤ ㉮ 식의 계산 결과는 24이고, ㉯ 식의 계산 결과는 23이므로 두 식의 계산 결과는 서로 다릅니다.

2 ( )가 있으면 계산 순서가 바뀌는 부분에 ( )를 넣었습니다. 각각 계산해 보세요.

7×6+9÷3−2

① 7×(6+9)÷3−2=33 (15, 105, 35, 33)

② 7×6+9÷(3−2)=51 (42, 1, 9, 51)

③ (7×6+9)÷3−2=15 (42, 51, 17, 15)

④ 7×(6+9÷3−2)=49 (3, 9, 7, 49)

3 다음 식이 성립하도록 두 수를 ( )로 묶어 보세요.

① 38 −(15 + 27)÷ 3 × 2 = 10

✤ 38−(15+27)÷3×2=38−42÷3×2
=38−14×2=38−28=10

② 24 ÷(3 + 9)× 4 − 6 = 2

✤ 24÷(3+9)×4−6=24÷12×4−6=2×4−6
=8−6=2

③ 42 − 3 ×(5 + 3)÷ 8 = 39

✤ 42−3×(5+3)÷8=42−3×8÷8=42−24÷8
=42−3=39

선생님 Tip

두 수를 ( )로 묶을 때에는 +, −가 있는 식을 ( )로 묶어 식이 성립하는지 알아봅니다.

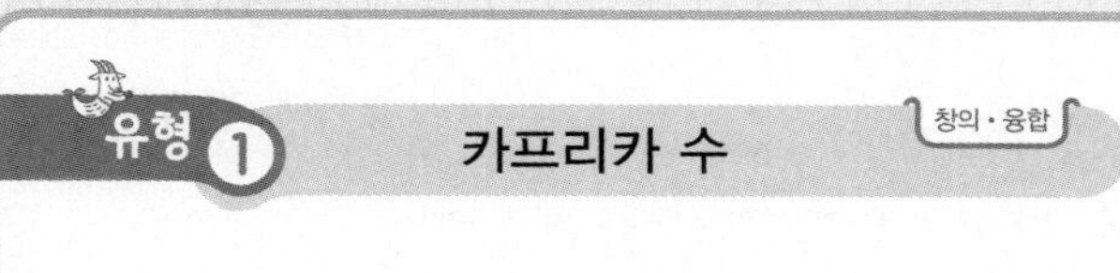

유형 3 기호를 약속하여 계산하기 (의사소통)

1 가◎나=가×2−나÷2와 같이 약속합니다. 다음 연산 규칙 기계에 가와 나를 넣어 출력한 값을 다시 가에 입력하고 나는 계속 같은 값을 입력한다면 처음에 가=12, 나=8을 입력하여 2회에 출력한 값을 구해 보세요.

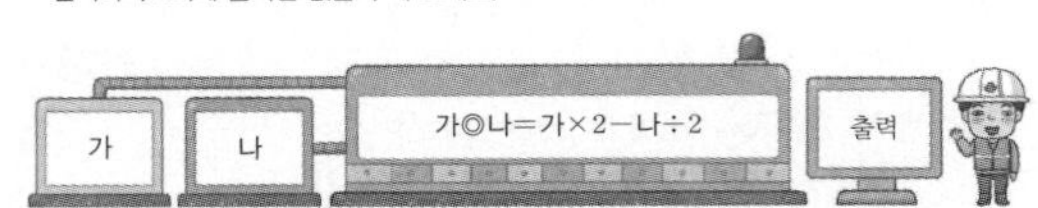

❶ 가=12, 나=8을 입력하여 1회에 출력한 값을 구해 보세요.

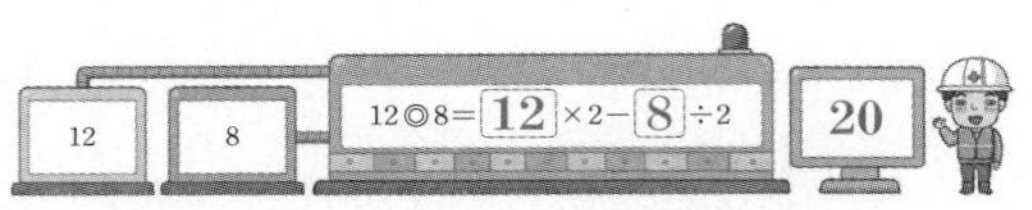

✤ $12◎8=12\times2-8\div2=24-4=20$

❷ 위 ❶에서 출력한 값을 다시 가에 입력하고 나는 8을 입력하여 2회에 출력한 값을 구해 보세요.

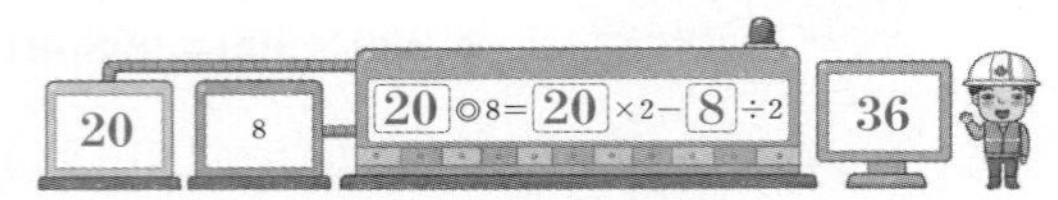

✤ $20◎8=20\times2-8\div2=40-4=36$

2 다음과 같이 약속할 때 바르게 계산한 사람은 누구인지 써 보세요.

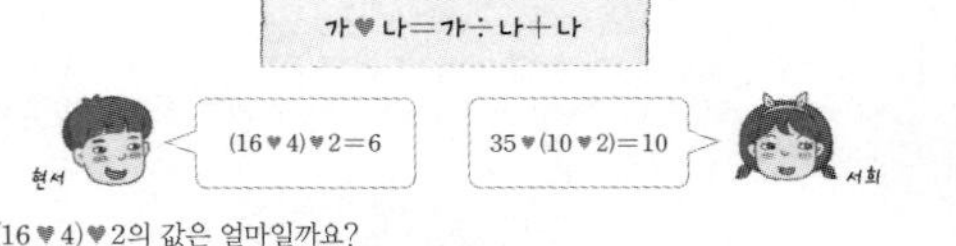

❶ (16♥4)♥2의 값은 얼마일까요? (6)

✤ $16♥4=16\div4+4=4+4=8$
$8♥2=8\div2+2=4+2=6$

❷ 35♥(10♥2)의 값은 얼마일까요? (12)

✤ $10♥2=10\div2+2=5+2=7$
$35♥7=35\div7+7=5+7=12$

❸ 바르게 계산한 사람은 누구일까요? (현서)

3 다음과 같이 약속할 때 20●(14◆7)의 계산 결과를 구해 보세요.

가◆나=가÷나+3
가●나=가÷나−3

(1)

✤ $14◆7=14\div7+3=2+3=5$
$20●5=20\div5-3=4-3=1$

유형 4 식으로 해결하기 (문제 해결)

1 준수네 어머니께서는 10000원으로 복숭아 2개, 참외 3개, 사과 2개를 샀습니다. 남은 돈은 얼마인지 하나의 식으로 나타내어 구해 보세요.

❶ 복숭아 2개, 참외 3개, 사과 2개의 값을 구하는 식을 하나의 식으로 나타내어 보세요.

$6000\div\boxed{4}\times2+1200\times\boxed{3}+7000\div\boxed{5}\times\boxed{2}$

✤ 복숭아 2개의 값을 구하는 식: $6000\div4\times2$
참외 3개의 값을 구하는 식: 1200×3
사과 2개의 값을 구하는 식: $7000\div5\times2$

❷ 10000원으로 복숭아 2개, 참외 3개, 사과 2개를 사고 남은 돈을 구하는 식을 하나의 식으로 나타내어 보세요.

$\boxed{10000}-(6000\div\boxed{4}\times2+1200\times\boxed{3}+7000\div\boxed{5}\times\boxed{2})$

❸ 남은 돈은 얼마인지 구해 보세요. (600원)

✤ $10000-(6000\div4\times2+1200\times3+7000\div5\times2)$
$=10000-(3000+3600+2800)$
$=10000-9400=600$(원)

2 준수는 5000원으로 가지 1개, 호박 2개, 대파 1단을 샀습니다. 남은 돈은 얼마인지 하나의 식으로 나타내어 구해 보세요.

식 예 $5000-(2500\div5+2100\div3\times2+3000\div2)$
$=1600$

답 1600원

✤ 가지 1개의 값: $2500\div5$, 호박 1개의 값: $2100\div3$
대파 1단의 값: $3000\div2$
(남은 돈)$=5000-(2500\div5+2100\div3\times2+3000\div2)$
$=5000-(500+1400+1500)=5000-3400=1600$(원)

3 기연이네 귤 농장에서는 귤 1200개를 6일 동안 농장 방문객에게 매일 똑같은 수만큼 나누어 주려고 합니다. 첫째 날 오후에 나누어 줄 수 있는 귤은 몇 개인지 하나의 식으로 나타내어 구해 보세요.

식 $1200\div6-(18+34)\times2=96$

답 96개

✤ 귤 1200개를 6일로 나누면 하루에 나누어 줄 수 있는 귤은 $1200\div6=200$(개)입니다.
$(18+34)\times2=104$(개)의 귤을 첫째 날 오전에 나누어 주었으므로 첫째 날 오후에 나누어 줄 수 있는 귤의 수는
$1200\div6-(18+34)\times2=200-104=96$(개)입니다.

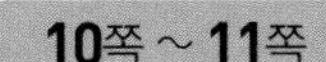

유형 5 규칙으로 해결하기 추론

1 성냥개비로 삼각형을 만들고 있습니다. 삼각형을 15개 만들려면 성냥개비는 몇 개 필요한지 하나의 식으로 나타내어 구해 보세요.

❶ 규칙을 찾아 빈칸에 알맞은 식을 써넣으세요.

삼각형의 수(개)	성냥개비의 수를 구하는 식
1	3
2	3+[2]
3	3+[2]×[2]
4	3+[2]×[3]
5	3+[2]×[4]

✤ 처음 삼각형 1개를 만드는 데 필요한 성냥개비의 수는 3개이고 삼각형이 1개씩 늘어날 때마다 성냥개비는 2개씩 늘어납니다.

❷ 삼각형을 15개 만들려면 성냥개비는 몇 개 필요한지 하나의 식으로 나타내어 구해 보세요.

식 $3+2\times14=31$

답 31개

✤ $3+2\times14=3+28=31$(개)

2 성냥개비로 사각형을 만들고 있습니다. 사각형을 13개 만들려면 성냥개비는 몇 개 필요한지 구해 보세요.

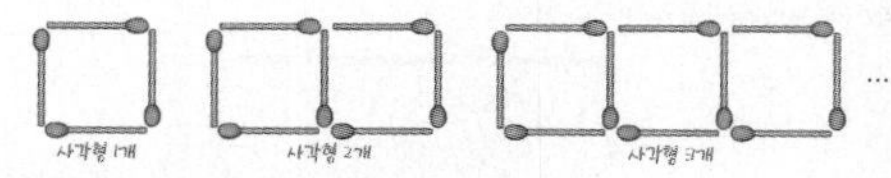

❶ 규칙을 찾아 빈칸에 알맞은 식을 써넣으세요.

사각형의 수(개)	성냥개비의 수를 구하는 식
1	4
2	4+[3]
3	4+[3]×[2]
4	4+[3]×[3]
5	4+[3]×[4]

❷ 사각형을 13개 만들려면 성냥개비는 몇 개 필요할까요?

(40개)

✤ 사각형을 13개 만들려면 성냥개비는 $4+3\times12=4+36=40$(개) 필요합니다.

3 그림과 같이 규칙에 따라 바둑돌을 놓고 있습니다. 21번째에는 바둑돌은 몇 개 놓아야 하는지 구해 보세요.

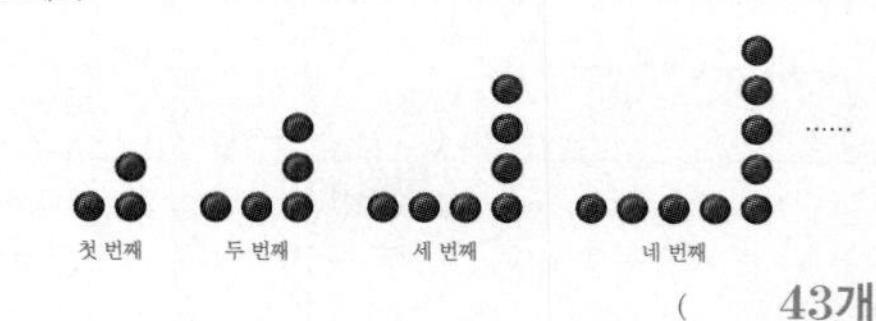

(43개)

✤ 21번째에는 바둑돌을 $3+2\times20=43$(개) 놓아야 합니다.

유형 6 가장 크게, 가장 작게 추론

1 수 카드 [2], [3], [5]를 한 번씩만 사용하여 다음과 같은 식을 만들려고 합니다. 계산 결과가 가장 큰 식과 가장 작은 식을 만들고, 계산 결과를 구해 보세요.

(17+□)÷□×□

❶ 계산 결과가 가장 큰 식을 만들려고 합니다. □ 안에 알맞은 수를 써넣으세요.

계산 결과가 가장 크려면 가장 큰 수를 곱하는 수에, 가장 작은 수를 나누는 수에 넣어야 해요.

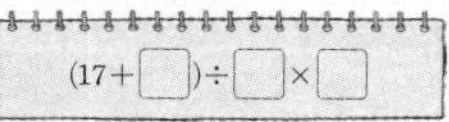

(17+[3])÷[2]×[5]=[50]

✤ $(17+3)\div2\times5=20\div2\times5=10\times5=50$

❷ 계산 결과가 가장 작은 식을 만들려고 합니다. □ 안에 알맞은 수를 써넣으세요.

계산 결과가 가장 작으려면 가장 큰 수를 나누는 수에, 가장 작은 수를 곱하는 수에 넣어야 해요.

(17+[3])÷[5]×[2]=[8]

✤ $(17+3)\div5\times2=20\div5\times2=4\times2=8$

2 수 카드 [2], [5], [8]을 한 번씩만 사용하여 다음과 같은 식을 만들려고 합니다. 계산 결과가 가장 큰 식과 가장 작은 식을 만들고, 계산 결과를 구해 보세요.

(□+□)×16÷□

❶ 계산 결과가 가장 큰 식을 만들려고 합니다. □ 안에 알맞은 수를 써넣으세요.

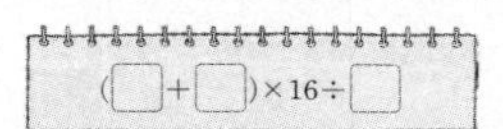

([8]+[5])×16÷[2]=[104]

(또는 5 8)

✤ $(8+5)\times16\div2=13\times16\div2=208\div2=104$

❷ 계산 결과가 가장 작은 식을 만들려고 합니다. □ 안에 알맞은 수를 써넣으세요.

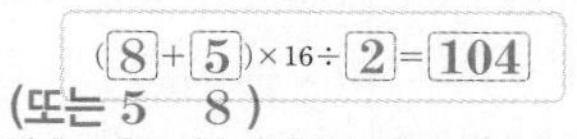

([2]+[5])×16÷[8]=[14]

(또는 5 2)

✤ $(2+5)\times16\div8=7\times16\div8=112\div8=14$

3 수 카드 [2], [4], [8]을 한 번씩만 사용하여 다음과 같은 식을 만들려고 합니다. 계산 결과가 가장 큰 식을 만들고, 계산 결과를 구해 보세요.

[4]÷[2]×[8]

(16)

✤ $4\div2\times8=2\times8=16$

[참고] '$8\div2\times4=16$'이라고 써도 정답입니다.

사고력 종합 평가

1 ㉠과 ㉡의 계산 결과를 각각 구해 보세요.

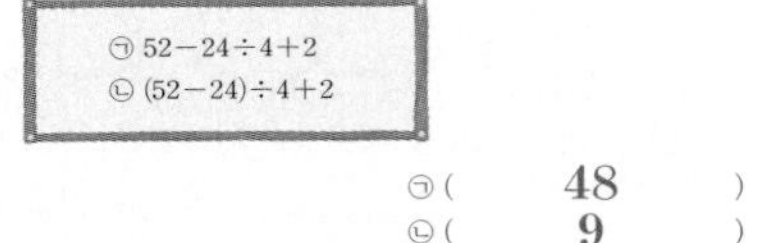

㉠ (**48**)
㉡ (**9**)

❖ ㉠ $52-24\div4+2=52-6+2=46+2=48$
㉡ $(52-24)\div4+2=28\div4+2=7+2=9$

2 ( )를 사용하여 두 식을 하나의 식으로 나타내어 보세요.

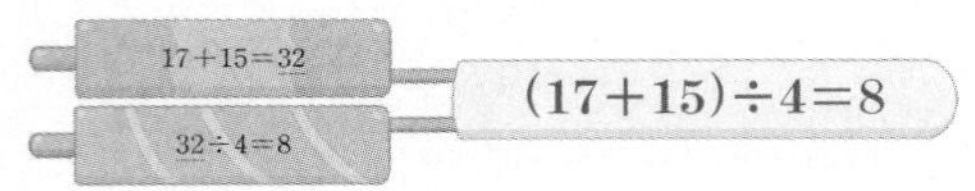

❖ $17+15=32$, $32\div4=8$
→ $(17+15)\div4=8$

3 두 식의 계산 결과를 비교하여 ○ 안에 >, =, <를 알맞게 써넣으세요.

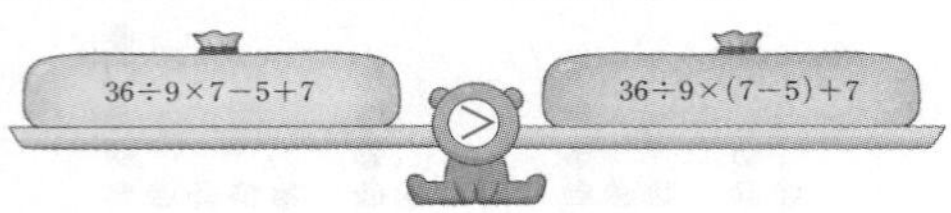

❖ • $36\div9\times7-5+7=4\times7-5+7=28-5+7=23+7=30$
• $36\div9\times(7-5)+7=36\div9\times2+7=4\times2+7=8+7=15$
→ $30>15$

4 길이가 3 m인 색 테이프가 있습니다. 이 색 테이프 5장을 25 cm씩 겹쳐지게 이어 붙였습니다. 이어 붙인 색 테이프 전체의 길이는 몇 cm인지 하나의 식으로 나타내어 구해 보세요.

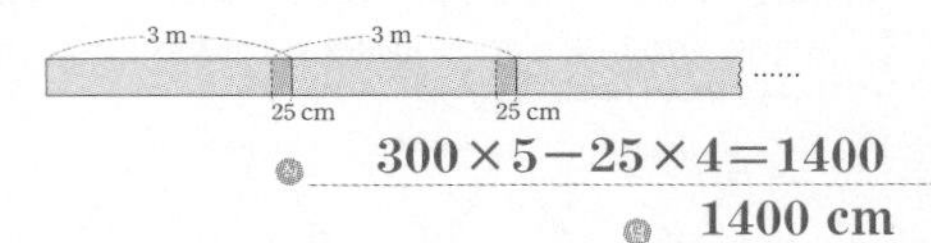

식 **$300\times5-25\times4=1400$**
답 **1400 cm**

❖ 3 m=300 cm
(전체 길이)=(색 테이프 5장의 길이의 합)−(겹쳐진 부분의 길이의 합)
$=300\times5-25\times4=1500-100=1400$ (cm)

5 은주는 문구점에서 지우개 2개와 연필 3자루를 사고 5000원을 냈습니다. 은주가 받아야 하는 거스름돈은 얼마인지 하나의 식으로 나타내어 구해 보세요.

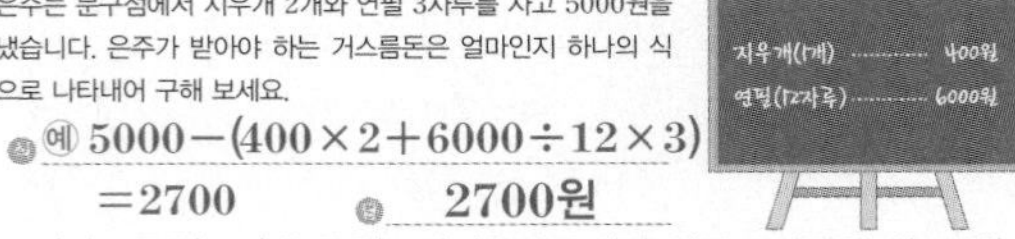

지우개(1개) 400원
연필(12자루) 6000원

식 예 **$5000-(400\times2+6000\div12\times3)$ $=2700$**
답 **2700원**

❖ (거스름돈)=(낸 금액)−(지우개 2개와 연필 3자루를 산 금액)
$=5000-(400\times2+6000\div12\times3)$
$=5000-(800+1500)=5000-2300$
$=2700$(원)

6 그림과 같이 규칙에 따라 바둑돌을 놓고 있습니다. 아홉 번째에는 바둑돌을 몇 개 놓아야 하는지 구해 보세요.

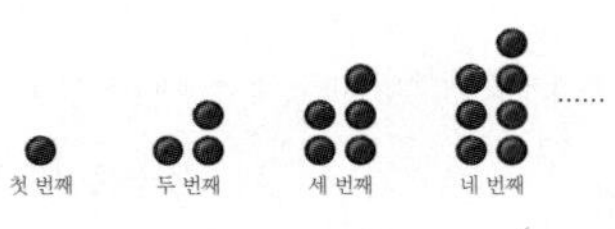

(**17개**)

❖ 아홉 번째에는 바둑돌을 $1+2\times8=17$(개) 놓아야 합니다.

사고력 종합 평가

7 □ 안에 +, − 중에서 알맞은 기호를 써넣어 혼합 계산식을 완성해 보세요.

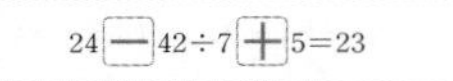

❖ • $24+42\div7-5=24+6-5=30-5=25$(×)
• $24-42\div7+5=24-6+5=18+5=23$(○)

8 다음과 같은 규칙으로 야구공을 놓고 있습니다. 14번째에 놓이는 야구공은 몇 개인지 구해 보세요.

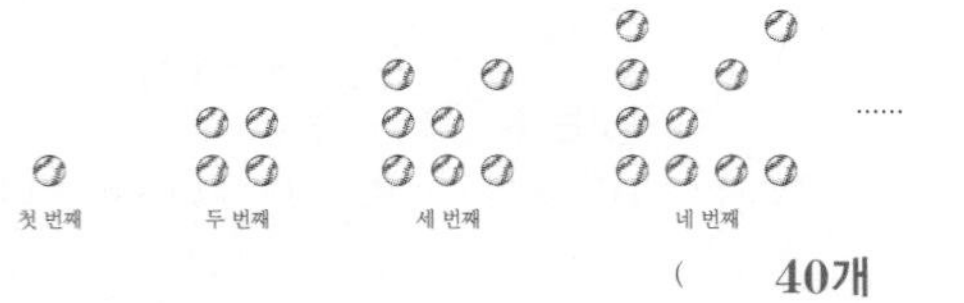

(**40개**)

❖ 14번째에는 야구공을 $1+3\times13=40$(개) 놓아야 합니다.

9 가☆나=(가−나)×(가+나)와 같이 약속했습니다. 강호와 예지 중 바르게 구한 사람은 누구인지 써 보세요.

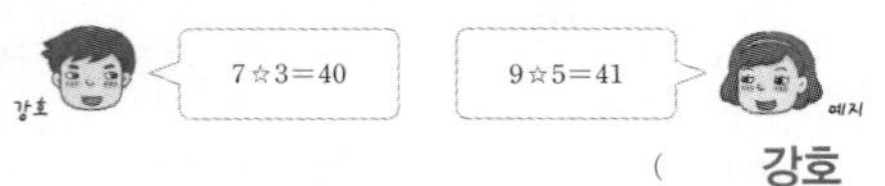

(**강호**)

❖ • $7☆3=(7-3)\times(7+3)=4\times10=40$
• $9☆5=(9-5)\times(9+5)=4\times14=56$
따라서 바르게 구한 사람은 강호입니다.

10 식이 성립하도록 두 수를 ( )로 묶어 보세요.

$80-(12+8)\div4\times6=50$

❖ $80-(12+8)\div4\times6=80-20\div4\times6$
$=80-5\times6$
$=80-30=50$

11 지구에서 잰 무게는 달에서 잰 무게의 약 6배라고 합니다. 세 사람이 모두 달에서 몸무게를 잰다면 소영이와 진우의 몸무게의 합은 선생님의 몸무게보다 몇 kg 더 무거운지 하나의 식으로 나타내어 구해 보세요.

	선생님	소영	진우
지구에서 잰 몸무게(kg)	84	48	42

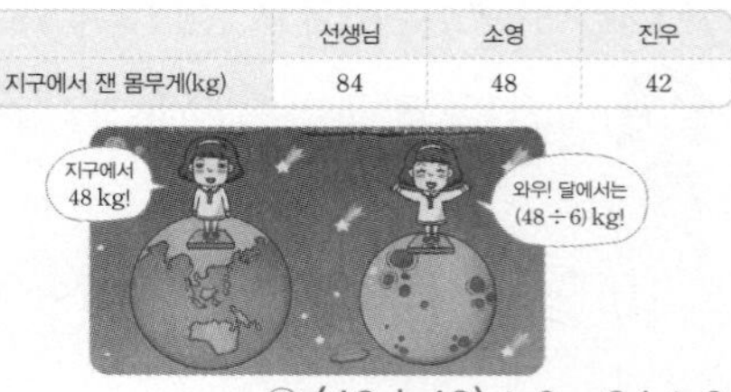

지구에서 48 kg!
와우! 달에서는 (48÷6) kg!

식 예 **$(48+42)\div6-84\div6=1$**
답 **1 kg**

❖ $(48+42)\div6-84\div6=90\div6-84\div6=15-84\div6$
$=15-14=1$ (kg)

12 다음과 같이 약속할 때 $\begin{pmatrix}4&3\\5&7\end{pmatrix}+\begin{pmatrix}10&9\\2&3\end{pmatrix}$의 값을 구해 보세요.

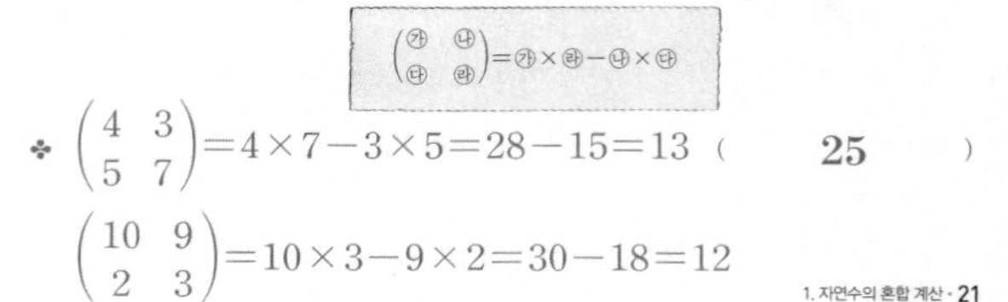

$\begin{pmatrix}㉮&㉯\\㉰&㉱\end{pmatrix}=㉮\times㉱-㉯\times㉰$

(**25**)

❖ $\begin{pmatrix}4&3\\5&7\end{pmatrix}=4\times7-3\times5=28-15=13$
$\begin{pmatrix}10&9\\2&3\end{pmatrix}=10\times3-9\times2=30-18=12$
→ $13+12=25$

22쪽

정답과 풀이 5쪽

13 수 카드 2, 6, 8을 한 번씩만 사용하여 다음과 같은 식을 만들려고 합니다. 계산 결과가 가장 작을 때의 값은 얼마인지 구해 보세요.

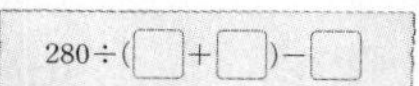

(18)

✤ 계산 결과가 가장 작아지려면 280을 나누는 수가 가장 커야 하므로 나누는 수는 $(8+6)$ 또는 $(6+8)$이어야 합니다.
➔ $280 \div (8+6)-2=280 \div 14-2=20-2=18$

14 사다리 타는 방법을 이용하여 빈 곳에 알맞은 수를 써넣으세요.

<사다리 타는 방법>
- 출발점에서 아래로 내려가다가 만나는 다리는 반드시 건너야 합니다.
- 아래와 옆으로만 이동할 수 있습니다.
- 지나가는 길 위에 쓰여 있는 식은 차례로 모두 계산합니다.

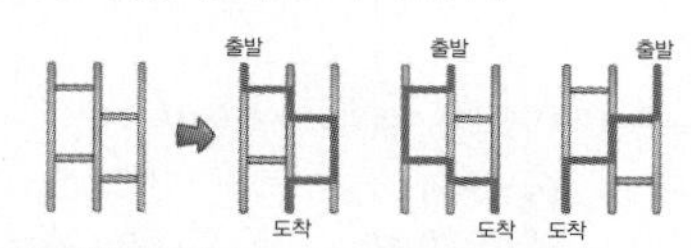

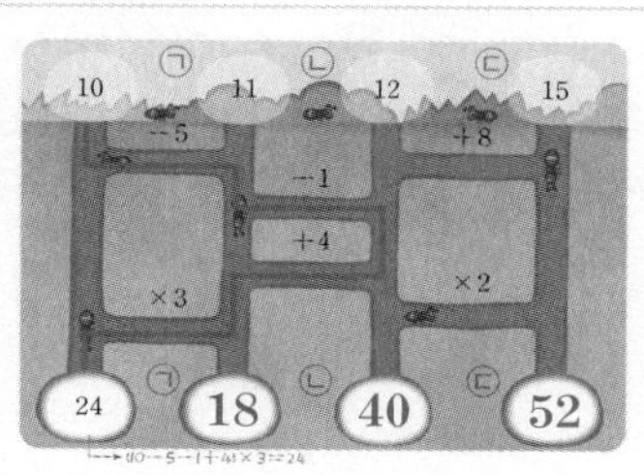

✤ ㉠ $(11-5)\times 3=6\times 3=18$
㉡ $(12+8)\times 2=20\times 2=40$
㉢ $(15+8-1+4)\times 2=26\times 2=52$

[GO! 매쓰]
여기까지 1단원 내용입니다.
다음부터는 2단원 내용이
시작합니다.

24쪽 ~ 25쪽

정답과 풀이 5쪽

유형 1 두 수 사이의 관계 (창의·융합)

1 보기의 7, 28과 같이 폭탄에 쓰인 두 수는 약수와 배수의 관계입니다. ㉠과 ㉡은 모두 두 자리 수일 때 ㉠과 ㉡의 차가 가장 큰 경우의 두 수의 차를 구해 보세요.
(단, ㉠ > ㉡입니다.)

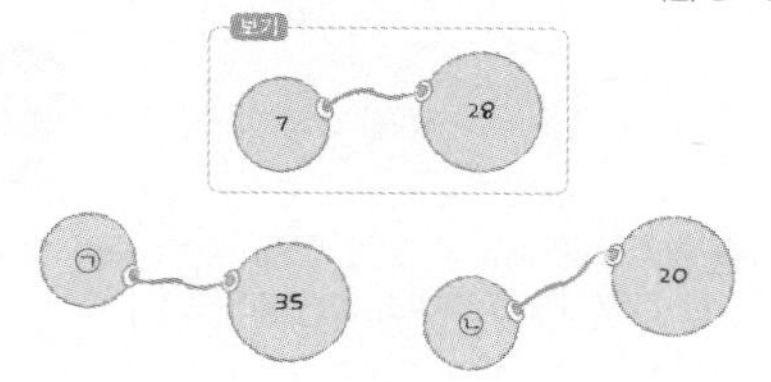

❶ ㉠과 ㉡의 차가 가장 큰 경우를 구하려면 가장 먼저 무엇을 구해야 하는지 □ 안에 알맞은 말을 써넣으세요.

㉠은 35의 배수 중 가장 큰 두 자리 수이고,
㉡은 20의 **약수** 중 가장 작은 두 자리 수입니다.

❷ ㉠에 알맞은 수를 구해 보세요. (70)
✤ 35의 배수는 35, 70, 105……이므로 가장 큰 두 자리 수는 70입니다.

❸ ㉡에 알맞은 수를 구해 보세요. (10)
✤ 20의 약수는 1, 2, 4, 5, 10, 20이므로 가장 작은 두 자리 수는 10입니다.

❹ ㉠과 ㉡의 차가 가장 큰 경우의 두 수의 차를 구해 보세요. (60)
✤ $70-10=60$

2 약수와 배수의 관계가 되도록 빈칸에 1을 제외한 알맞은 수를 써넣으세요.

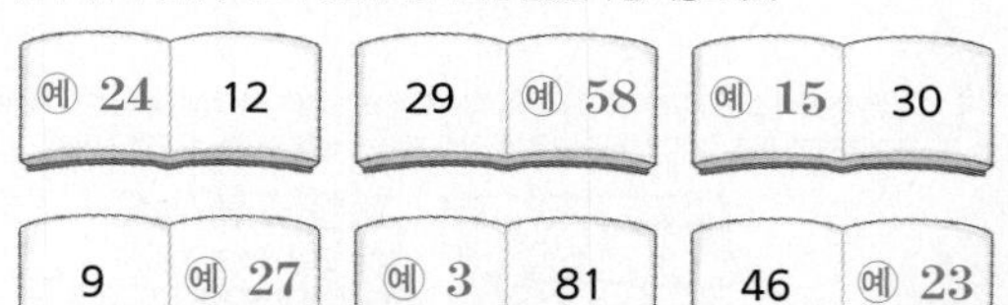

✤ 약수와 배수의 관계가 되도록 주어진 수의 약수나 배수를 써넣습니다.

3 보기의 8, 24와 같이 폭탄에 쓰인 두 수는 약수와 배수의 관계입니다. ㉠과 ㉡은 모두 두 자리 수일 때 ㉠과 ㉡의 합이 가장 큰 경우의 두 수의 합을 구해 보세요.

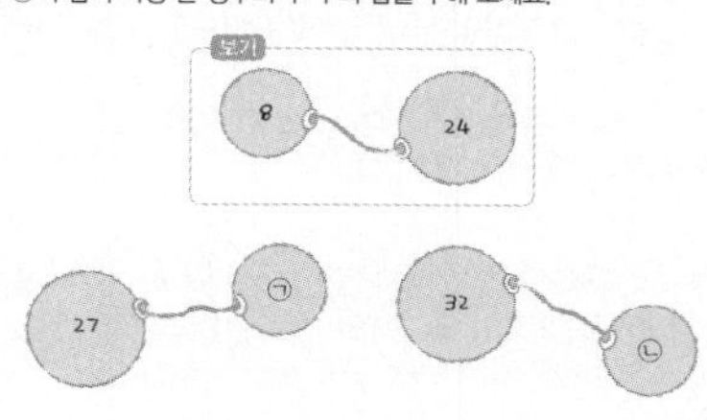

(177)

✤ 두 수의 합이 가장 큰 경우는 ㉠은 27의 배수 중 가장 큰 두 자리 수, ㉡은 32의 배수 중 가장 큰 두 자리 수가 되는 경우입니다.
- 27의 배수: 27, 54, 81, 108…… ➔ ㉠: 81
- 32의 배수: 32, 64, 96, 128…… ➔ ㉡: 96

➔ $81+96=177$

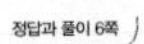

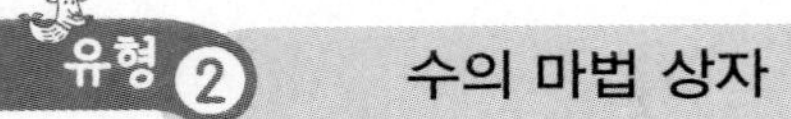

유형 2 수의 마법 상자 (추론)

1 두 수를 넣으면 새로운 하나의 수가 나오는 마법 규칙을 가진 두 종류의 상자가 있습니다. 마법 규칙을 찾아 28과 42를 넣었을 때 나오는 수를 구해 보세요.

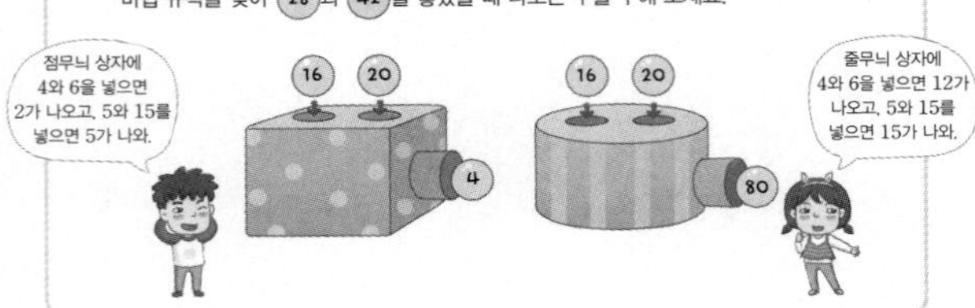

점무늬 상자에 4와 6을 넣으면 2가 나오고, 5와 15를 넣으면 5가 나와.
16
20
4
16
20
80
줄무늬 상자에 4와 6을 넣으면 12가 나오고, 5와 15를 넣으면 15가 나와.

① 규칙을 찾아 □ 안에 알맞은 말을 써넣으세요.

점무늬 상자의 마법 규칙은 넣은 두 수의 **최대공약수**가 나오는 것입니다.

줄무늬 상자의 마법 규칙은 넣은 두 수의 **최소공배수**가 나오는 것입니다.

② 28과 42를 넣었을 때 나오는 수를 각각 구해 보세요.

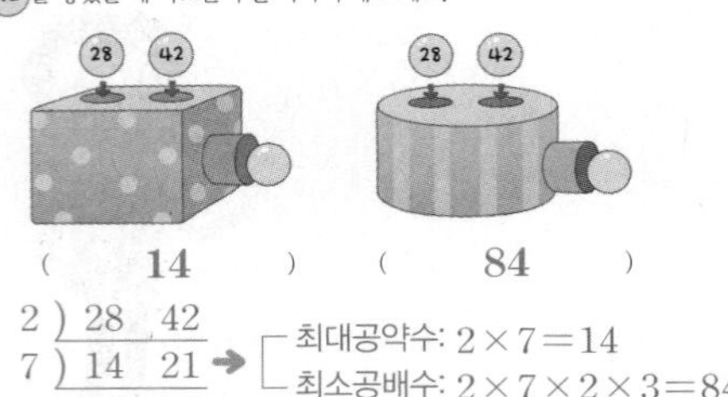

(**14**) (**84**)

✤ 2) 28 42
7) 14 21 → 최대공약수: $2\times7=14$
2 3 최소공배수: $2\times7\times2\times3=84$

2 1번 마법 상자의 규칙에 따라 ◯ 안에 알맞은 수를 써넣으세요.

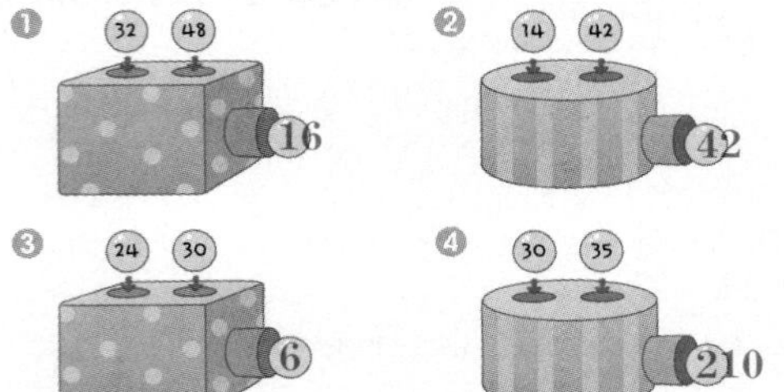

3 1번 마법 상자의 규칙에 따라 ⓒ 안에 알맞은 수를 구해 보세요.

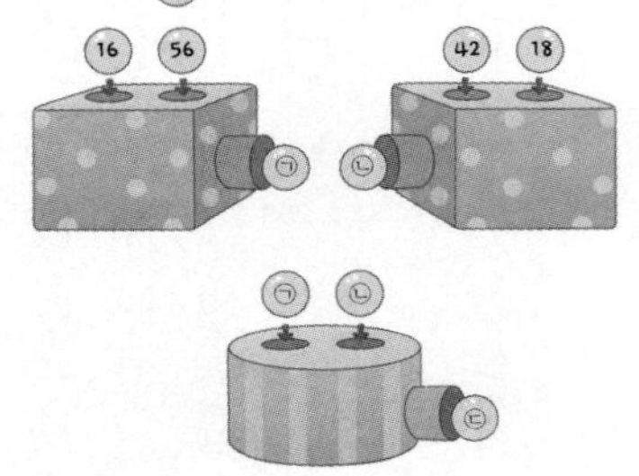

✤ ㉠ 16과 56의 최대공약수: 8
㉡ 42와 18의 최대공약수: 6
㉢ 8과 6의 최소공배수: 24

(**24**)

유형 3 남김없이 똑같이 나누는 방법 (문제 해결)

1 선생님께서 초콜릿 24개와 사탕 36개를 최대한 많은 학생에게 남김없이 똑같이 나누어 주려고 합니다. 한 학생이 초콜릿과 사탕을 각각 몇 개씩 받을 수 있는지 구해 보세요.

① 초콜릿 24개를 남김없이 몇 명에게 똑같이 나누어 줄 수 있는지 모두 써 보세요.

(**1명, 2명, 3명, 4명, 6명, 8명, 12명, 24명**)

✤ 남김없이 똑같이 나누어 주어야 하므로 24의 약수를 구합니다.

② 사탕 36개를 남김없이 몇 명에게 똑같이 나누어 줄 수 있는지 모두 써 보세요.

(**1명, 2명, 3명, 4명, 6명, 9명, 12명, 18명, 36명**)

✤ 남김없이 똑같이 나누어 주어야 하므로 36의 약수를 구합니다.

③ 초콜릿과 사탕을 최대한 많은 학생에게 남김없이 똑같이 나누어 주려고 합니다. 몇 명에게 나누어 줄 수 있는지 구해 보세요.

(**12명**)

✤ 최대한 많은 학생에게 나누어 주어야 하므로 24와 36의 최대공약수를 구합니다. → 24와 36의 최대공약수: 12

④ 학생 한 명이 초콜릿을 몇 개씩 받을 수 있는지 구해 보세요.

(**2개**)

✤ $24\div12=2$(개)

⑤ 학생 한 명이 사탕을 몇 개씩 받을 수 있는지 구해 보세요.

✤ $36\div12=3$(개) (**3개**)

2 가로가 18 m, 세로가 12 m인 직사각형 모양의 땅을 똑같은 크기의 정사각형 모양으로 남김없이 잘라 여러 개의 꽃밭을 만들려고 합니다. 꽃밭을 가능한 한 크게 만들 때 정사각형 모양 꽃밭의 한 변의 길이는 몇 m일까요?

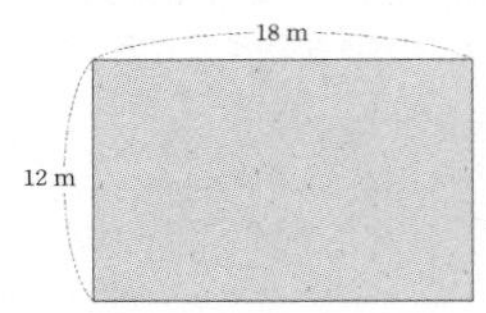

꽃밭의 한 변의 길이를 몇 m로 하면 될까요?

✤ 정사각형 모양 꽃밭의 한 변의 길이는 18과 12의 최대공약수와 같습니다. (**6 m**)

2) 18 12
3) 9 6
3 2 → 최대공약수: $2\times3=6$

18과 12의 최대공약수는 6이므로 꽃밭의 한 변의 길이는 6 m입니다.

3 노란색 탁구공 28개와 흰색 탁구공 49개가 있습니다. 두 색깔의 탁구공을 최대한 많은 봉지에 남김없이 똑같이 나누어 담으려고 합니다. 봉지 한 개에 노란색 탁구공은 몇 개씩 담아야 하는지 구해 보세요.

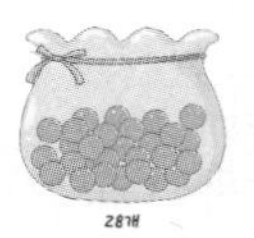

(**4개**)

✤ 최대한 많은 봉지에 담아야 하므로 28과 49의 최대공약수인 7개의 봉지에 담을 수 있습니다.
따라서 노란색 탁구공은 봉지 한 개에 $28\div7=4$(개)씩 담아야 합니다.

유형 4 생활 속 최소공배수 문제 창의·융합

1 부산행 기차는 60분마다 한 대씩 출발하고, 대전행 기차는 24분마다 한 대씩 출발합니다. 오전 8시에 두 기차가 처음으로 동시에 출발한다면 두 기차가 4번째로 동시에 출발하는 시각을 구해 보세요.

❶ 두 기차는 몇 분마다 동시에 출발하는지 구해 보세요.

(120분)

✤ 2) 60 24
2) 30 12
3) 15 6
5 2 ➔ 최소공배수: $2\times2\times3\times5\times2=120$

❷ 위 ❶에서 구한 분을 시간으로 나타내어 보세요.

120분 ➔ 2시간

✤ 1시간은 60분이므로 120분은 2시간입니다.

❸ 두 기차가 4번째로 동시에 출발하는 시각을 구해 보세요.

(오후 2시)

✤ 오전 8시(첫 번째) ➔ 오전 10시(두 번째) ➔ 낮 12시(세 번째) ➔ 오후 2시(네 번째)

2 가 톱니바퀴의 톱니 수는 20개이고 나 톱니바퀴의 톱니 수는 28개입니다. 톱니바퀴 가와 나가 서로 맞물려 돌아가고 있을 때 두 톱니바퀴의 톱니가 한 번 맞물렸던 자리에서 처음으로 다시 맞물릴 때까지 가와 나는 적어도 각각 몇 바퀴씩 돌아야 할까요?

가(7바퀴)
나(5바퀴)

✤ 2) 20 28
2) 10 14
5 7 ➔ 최소공배수: $2\times2\times5\times7=140$

두 톱니바퀴의 톱니가 적어도 140개 맞물려야 처음 맞물렸던 자리에서 다시 만나게 됩니다.

➔ 가 톱니바퀴의 회전수: $140\div20=7$(바퀴)
나 톱니바퀴의 회전수: $140\div28=5$(바퀴)

3 주원이와 영지는 운동장을 일정한 빠르기로 달리고 있습니다. 주원이는 4분마다, 영지는 6분마다 운동장 한 바퀴를 돕니다. 두 사람이 출발점에서 같은 방향으로 동시에 출발할 때, 출발 후 30분 동안 출발점에서 몇 번 다시 만나는지 구해 보세요.

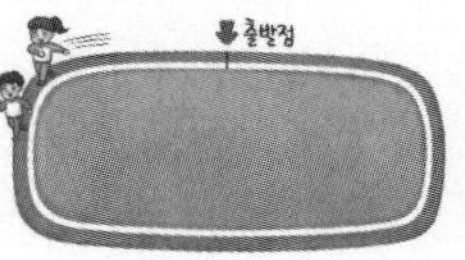

(2번)

✤ 2) 4 6
2 3 ➔ 최소공배수: $2\times2\times3=12$

두 사람은 12분마다 출발점에서 만나므로 12분, 24분, 36분 …… 후에 만납니다.

따라서 30분 동안 2번 출발점에서 다시 만납니다.

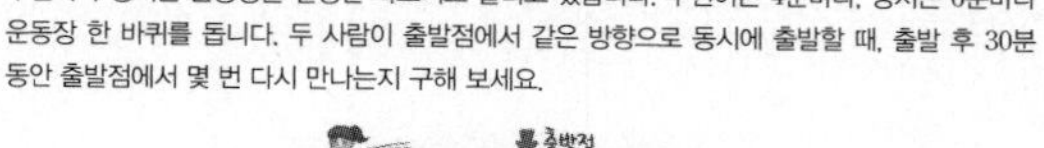

유형 5 조건에 알맞은 수 문제 해결

1 어떤 두 수의 최대공약수를 구하는 과정이 적힌 종이에 잉크가 떨어져 일부분이 보이지 않습니다. 어떤 두 수의 최대공약수가 15일 때 어떤 두 수를 구해 보세요.

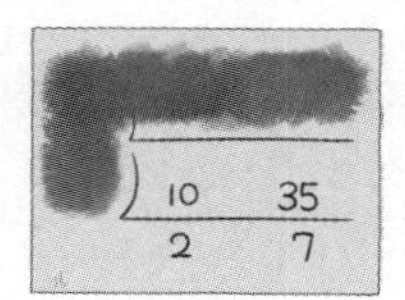

➔ 최대공약수: 15

❶ ㉠에 알맞은 수를 구해 보세요.

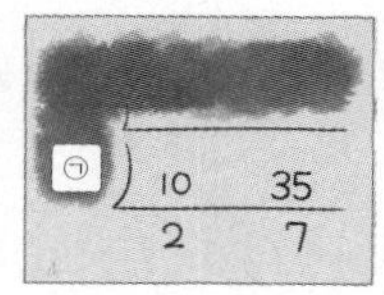

(5)

✤ ㉠$\times2=10$, ㉠$\times7=35$이므로 ㉠$=5$입니다.

❷ ㉡에 알맞은 수를 구해 보세요.

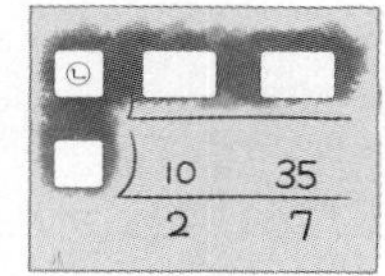

(3)

✤ 최대공약수가 15이므로 ㉡$\times5=15$입니다. ➔ ㉡$=3$

❸ 어떤 두 수를 구해 보세요.

(30 , 105)

✤ 어떤 두 수는 $3\times10=30$, $3\times35=105$입니다.

2 20과 어떤 수의 최대공약수와 최소공배수를 구하는 과정이 적힌 종이에 잉크가 떨어져 일부분이 보이지 않습니다. 20과 어떤 수의 최대공약수는 5이고, 최소공배수는 60일 때 어떤 수를 구하려고 합니다. 물음에 답하세요.

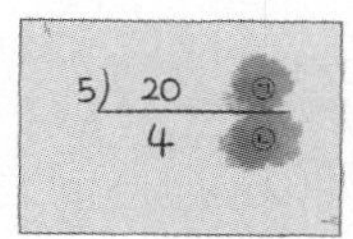

❶ ㉡에 알맞은 수를 구해 보세요.

(3)

✤ 5) 20 ㉠
4 ㉡

최소공배수가 60이므로 $5\times4\times$㉡$=60$, $20\times$㉡$=60$, ㉡$=3$입니다.

❷ ㉠에 알맞은 수를 구해 보세요.

(15)

✤ ㉠$=5\times3=15$

3 어떤 두 수의 최대공약수와 최소공배수를 구하는 과정이 적힌 종이에 잉크가 떨어져 일부분이 보이지 않습니다. 어떤 두 수의 최대공약수는 4이고, 최소공배수는 40일 때 어떤 두 수의 곱을 구해 보세요.

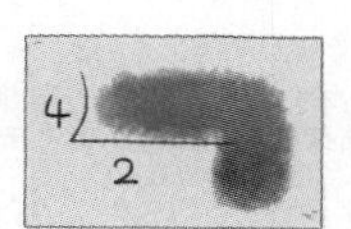

(160)

✤ 4) ㉠ ㉡
2 ㉢

$4\times2\times$㉢$=40$, $8\times$㉢$=40$, ㉢$=5$

• ㉠$=4\times2=8$

• ㉡$=4\times$㉢$=4\times5=20$

따라서 어떤 두 수는 8, 20이고 두 수의 곱은 $8\times20=160$입니다.

유형 6 배수에서의 규칙 (정보 처리)

1 몇의 배수인지 알아보는 방법은 다음과 같습니다.

2의 배수	짝수인 수
3의 배수	각 자리 숫자의 합이 3의 배수인 수
4의 배수	끝의 두 자리 수가 00이거나 4의 배수인 수
5의 배수	일의 자리 숫자가 0이거나 5인 수
6의 배수	각 자리 숫자의 합이 3의 배수이면서 짝수인 수
9의 배수	각 자리 숫자의 합이 9의 배수인 수

다음 네 자리 수는 3의 배수입니다. ★에 알맞은 숫자를 모두 구해 보세요.

472★

❶ □ 안에 알맞은 수를 써넣으세요.

472★이 3의 배수이면 각 자리 숫자의 합이 3의 배수여야 하므로
[4]+[7]+[2]+★은 3의 배수여야 합니다.

❷ ★에 알맞은 숫자를 모두 구해 보세요.

(2, 5, 8)

✣ 4+7+2+★=13+★이 3의 배수인 경우는
13+2=15, 13+5=18, 13+8=21이므로
★에 알맞은 숫자는 2, 5, 8입니다.

2 다음 네 자리 수는 5의 배수입니다. 얼룩으로 가려진 자리에 들어갈 수 있는 숫자를 모두 구해 보세요.

4 9 3 ●

(0, 5)

✣ 5의 배수인 경우는 일의 자리 숫자가 0이거나 5이므로
얼룩으로 가려진 자리에 들어갈 수 있는 숫자는 0, 5입니다.

3 다음 세 자리 수는 6의 배수입니다. 얼룩으로 가려진 자리에 들어갈 수 있는 숫자를 구해 보세요.

5 3 ●

(4)

✣ 6의 배수는 각 자리 숫자의 합이 3의 배수이면서 짝수여야 합니다.
얼룩으로 가려진 자리의 숫자를 □라 하면 5+3+□=8+□가 3의 배수여야 하므로 □ 안에 들어갈 수 있는 숫자는 1, 4, 7입니다. 이 중 □ 안에 넣었을 때 짝수인 숫자는 4입니다.

4 다음 아홉 자리 수는 4의 배수입니다. 아홉 자리 수가 가장 큰 수가 되도록 ㉠과 ㉡에 알맞은 수를 구해 보세요.

8 2 7 0 3 2 6 ㉠ ㉡

㉠ (9), ㉡ (6)

✣ 4의 배수는 맨 마지막 두 자리 수가 00이거나 4의 배수이면 됩니다.
4의 배수 중 가장 큰 두 자리 수는 96이므로 ㉠=9, ㉡=6입니다.

사고력 종합 평가

1 50과 약수와 배수의 관계가 아닌 수를 모두 찾아 써 보세요.

2 50 15 200 45 25

(15, 45)

✣ 50의 약수: 1, 2, 5, 10, 25, 50
50의 배수: 50, 100, 150, 200……

2 보기 의 13, 26과 같이 폭탄에 쓰인 두 수는 약수와 배수의 관계입니다. ㉠과 ㉡이 두 자리 수일 때 ㉠과 ㉡의 차가 가장 큰 경우의 두 수의 차를 구해 보세요. (단, ㉠>㉡입니다.)

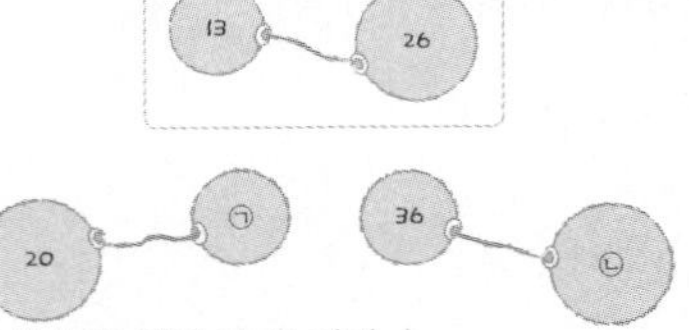

(68)

✣ ㉠은 20의 배수 중 가장 큰 두 자리 수, ㉡은 36의 약수 중 가장 작은 두 자리 수일 때 두 수의 차가 가장 큽니다.
㉠: 80, ㉡: 12 ➔ 80−12=68

3 어떤 두 수를 넣으면 넣은 두 수의 최대공약수가 나오는 마법 상자와 최소공배수가 나오는 마법 상자가 있습니다. 두 마법 상자에 28과 70을 넣었을 때 나오는 수를 각각 써 보세요.

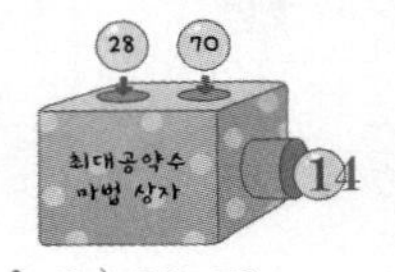

14

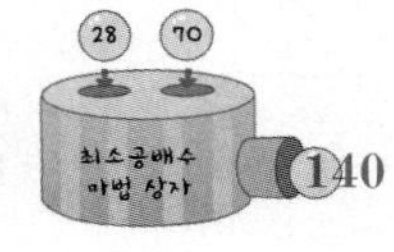

140

✣ 2) 28 70
7) 14 35
2 5
➔ 최대공약수: 2×7=14
최소공배수: 2×7×2×5=140

4 가와 나의 최대공약수가 10이고 □ 안에 들어갈 수가 가장 작을 때 가와 나의 최소공배수를 구해 보세요.

가=2×5×7 나=2×3×□

(210)

✣ 가와 나의 최대공약수가 10이므로 두 곱셈식에 공통으로 들어 있는 곱셈식은 2×5여야 합니다. ➔ □=5
따라서 가와 나의 최소공배수는 2×5×7×3=210입니다.

5 최대공약수가 16인 두 수 [X]와 [Y]가 있습니다. [X]와 [Y]의 공약수들의 합을 구해 보세요.

(31)

✣ 두 수의 최대공약수의 약수는 두 수의 공약수와 같습니다.
16의 약수: 1, 2, 4, 8, 16
➔ 1+2+4+8+16=31

6 어떤 두 수의 최대공약수와 최소공배수를 구하는 과정이 적힌 종이에 잉크가 떨어져 일부분이 보이지 않습니다. 어떤 두 수의 최대공약수는 8이고, 최소공배수는 112일 때 어떤 두 수를 구해 보세요.

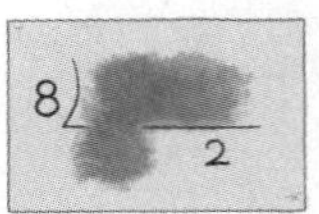

(56 , 16)

✣ 8) ㉠ ㉡
㉢ 2
최대공약수가 8, 최소공배수가 112이므로
8×㉢×2=112, ㉢=7입니다.
➔ ㉠=8×7=56, ㉡=8×2=16

7 다음 네 자리 수는 4의 배수입니다. 얼룩으로 가려진 자리에 들어갈 수 있는 숫자를 모두 찾아 ○표 하세요.

4 5 7 ●

0 ② 4 ⑥ 8

✤ 4의 배수는 끝의 두 자리 수가 00이거나 4의 배수여야 합니다. 얼룩으로 가려진 자리의 숫자를 □라 하면 7□가 4의 배수여야 하므로 □에 들어갈 수 있는 수는 2, 6입니다.

8 봉순이가 들고 있는 두 수를 어떤 수로 나누면 나머지가 모두 4가 됩니다. 어떤 수가 될 수 있는 수를 모두 구해 보세요.

(5, 15)

✤ $139-4=135$, $154-4=150$이므로 어떤 수는 135와 150의 공약수입니다.
135, 150의 최대공약수는 15입니다. 따라서 어떤 수는 15의 약수 중 나머지인 4보다 큰 5, 15입니다.

9 9로 나누어도 나누어떨어지고 12로 나누어도 나누어떨어지는 수 중에서 100에 가장 가까운 수를 구해 보세요.

(108)

✤ 9와 12로 나누어떨어지는 수는 9와 12의 공배수입니다.
9와 12의 최소공배수는 36이므로 9와 12의 공배수는 36, 72, 108……이고 100에 가장 가까운 수는 108입니다.

10 다음 세 자리 수가 3의 배수일 때 □ 안에 들어갈 수 있는 숫자를 모두 구해 보세요.

52□

✤ 3의 배수는 각 자리 숫자의 합이 3의 배수입니다.
$5+2+□=7+□$가 3의 배수여야 하므로 $7+2=9$, $7+5=12$, $7+8=15$에서 □에 들어갈 수 있는 숫자는 2, 5, 8입니다.

(2, 5, 8)

11 지구의 공전 주기를 1년이라고 할 때, 목성의 공전 주기는 약 12년이고 토성의 공전 주기는 약 30년입니다. 태양, 목성, 토성이 일직선으로 놓인 후 바로 다음 번의 일직선에 놓이게 될 때까지는 최소 약 몇 년이 걸릴까요?

공전 주기: 지구나 화성 등의 행성이 태양 주위를 한 바퀴 도는 데 걸리는 시간

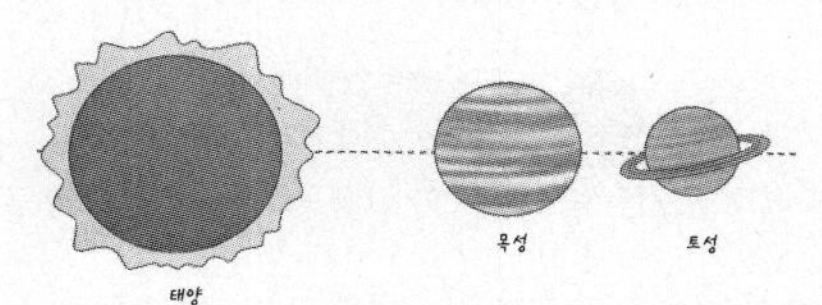

✤ 12와 30의 최소공배수는 60이므로 태양, 목성, 토성이 바로 다음 번의 일직선으로 놓이게 될 때까지는 최소 약 60년이 걸립니다.

(약 60년)

12 톱니 수가 12개인 톱니바퀴 A와 톱니 수가 21인 톱니바퀴 B가 서로 맞물려 돌아가고 있습니다. 두 톱니바퀴의 톱니가 처음 맞물렸던 곳에서 다시 맞물릴 때까지 A와 B는 적어도 각각 몇 바퀴씩 돌아야 할까요?

✤ 12와 21의 최소공배수는 84이므로 두 톱니바퀴의 톱니가 적어도 84개 맞물려야 처음 맞물렸던 곳에서 다시 맞물리게 됩니다.

A (7바퀴)
B (4바퀴)

➜ 톱니바퀴 A의 회전수: $84 \div 12=7$(바퀴)
　 톱니바퀴 B의 회전수: $84 \div 21=4$(바퀴)

13 7의 약수는 1과 자기 자신뿐입니다. 이와 같이 10에서 30까지의 수 중에서 1과 자기 자신만을 약수로 가지는 수를 모두 써 보세요.

(11, 13, 17, 19, 23, 29)

약수가 1과 자기 자신뿐인 수를 '소수'라고 해요.

14 가로가 20 cm, 세로가 12 cm인 직사각형 모양의 노란색 색종이와 하늘색 색종이가 각각 한 장씩 있습니다. 이 색종이를 똑같은 크기의 정사각형 모양으로 남김없이 잘라 여러 장의 메모지를 만들려고 합니다. 메모지를 가능한 한 크게 만들 때 정사각형 모양의 메모지는 모두 몇 장 만들 수 있을까요?

✤ 20과 12의 최대공약수는 4이므로 정사각형 모양 메모지의 한 변의 길이는 4 cm입니다.

(30장)

가로는 $20 \div 4=5$(장), 세로는 $12 \div 4=3$(장)으로 자를 수 있으므로 직사각형 모양 색종이 한 장으로 만들 수 있는 메모지는 $5 \times 3=15$(장)이고, 2장으로 만들 수 있는 메모지는 $15 \times 2=30$(장)입니다.

15 석찬이와 유림이는 공원 둘레를 일정한 빠르기로 걷고 있습니다. 석찬이는 6분마다, 유림이는 8분마다 공원을 한 바퀴 돕니다. 두 사람이 출발점에서 같은 방향으로 동시에 출발할 때, 출발 후 90분 동안 출발점에서 몇 번 다시 만나는지 구해 보세요.

✤ 6과 8의 최소공배수는 24이므로 두 사람은 24분마다 출발점에서 다시 만납니다.
24의 배수는 24, 48, 72, 96……이므로 90분 동안 3번 다시 출발점에서 만납니다.

(3번)

[GO! 매쓰]
여기까지 2단원 내용입니다.
다음부터는 3단원 내용이 시작합니다.

유형 1 마법 상자의 규칙 (창의・융합)

정답과 풀이 10쪽

1 마법 상자에 금화를 넣었더니 다음과 같은 규칙에 따라 금화가 나왔습니다. 물음에 답하세요.

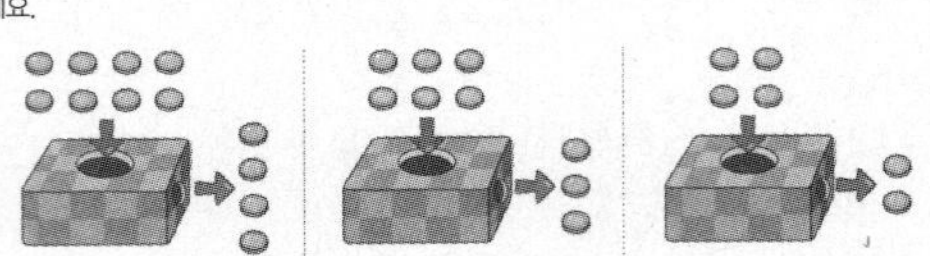

❶ 규칙을 찾아 □ 안에 알맞은 수를 써넣으세요.

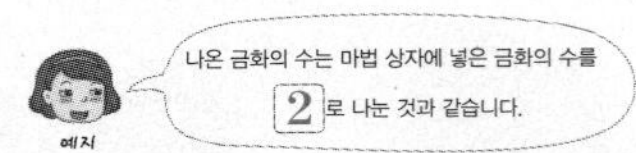

✤ 금화 8개를 넣으면 4개가 나오고, 6개를 넣으면 3개, 4개를 넣으면 2개가 나옵니다.
따라서 나온 금화의 수는 넣은 금화의 수를 2로 나눈 것과 같습니다.

❷ 마법 상자에 넣은 금화의 수를 ○, 나온 금화의 수를 △라고 할 때, ○와 △ 사이의 대응 관계를 식으로 나타내어 보세요.

식 ○÷2=△ (또는 △×2=○)

✤ (넣은 금화의 수)÷2=(나온 금화의 수) ➔ ○÷2=△

❸ 위의 규칙을 이용하여 나오는 금화의 수를 ○ 안에 써넣으세요.

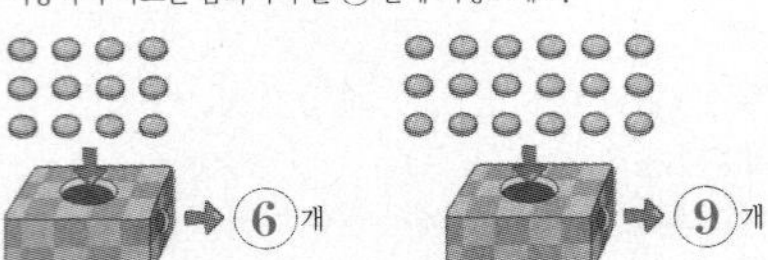

2 마법 항아리에 수가 들어갔다가 나오는 규칙을 보고 ○ 안에 알맞은 수를 써넣으세요.

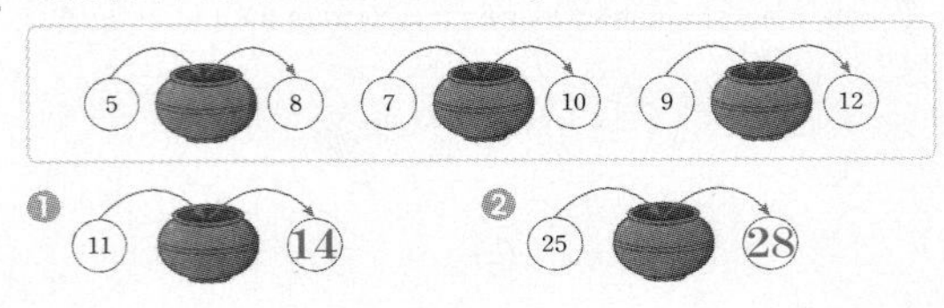

❶ 11 → 14 ❷ 25 → 28

✤ 들어간 수보다 3 큰 수가 나옵니다.
❶ 11+3=14 ❷ 25+3=28

3 마법 상자에 도형을 넣으면 다음과 같은 수가 나옵니다. 규칙을 보고 ○ 안에 알맞은 수를 써넣으세요.

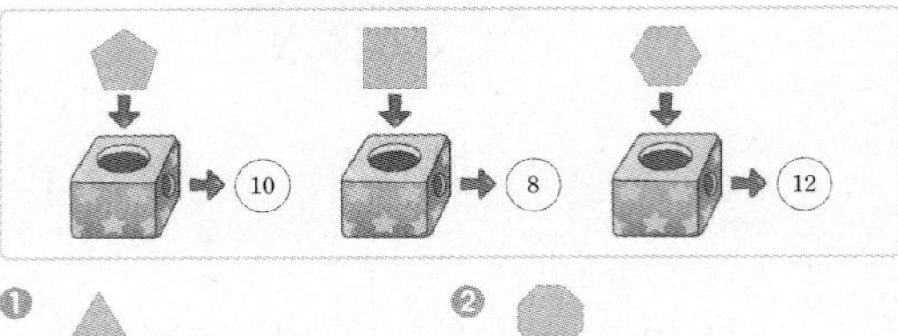

✤ 넣은 도형의 변의 수를 2배 한 수가 나옵니다.
❶ 삼각형 ➔ 3×2=6 ❷ 팔각형 ➔ 8×2=16

유형 2 규칙적인 배열에서의 대응 관계 (추론)

정답과 풀이 10쪽

1 그림과 같이 규칙에 따라 바둑돌을 놓고 있습니다. 바둑돌이 81개 놓일 때는 몇 번째인지 알아보세요.

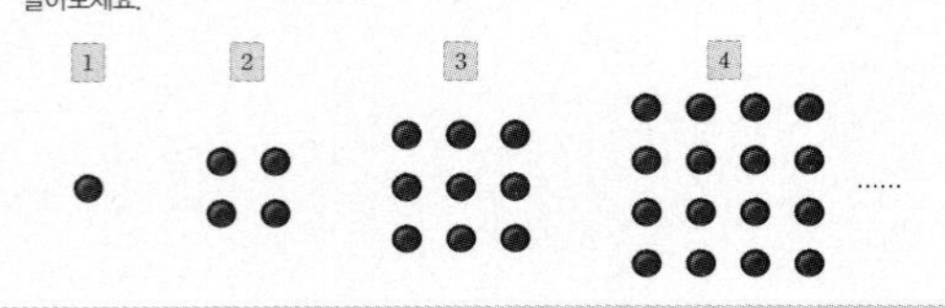

❶ 배열 순서에 따라 바둑돌의 수가 어떻게 변하는지 표를 완성해 보세요.

배열 순서	1	2	3	4	5	……
바둑돌의 수(개)	1	4	9	16	25	……

❷ 바둑돌이 놓인 순서를 □, 놓인 바둑돌의 수를 △라고 할 때, □와 △ 사이의 대응 관계를 식으로 나타내어 보세요.

식 □×□=△

❸ 바둑돌이 81개 놓일 때는 몇 번째일까요?

(9번째)

✤ 9×9=81이므로 바둑돌이 81개 놓일 때는 9번째입니다.

2 그림과 같이 규칙에 따라 구슬을 놓고 있습니다. 구슬이 45개 놓일 때는 몇 번째인지 구해 보세요.

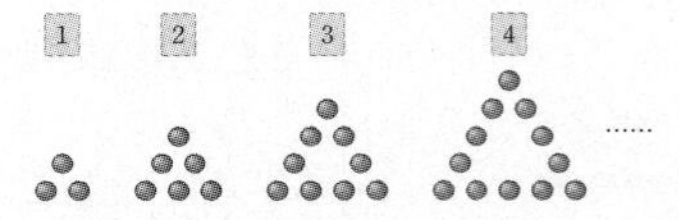

❶ 배열 순서에 따라 구슬의 수가 어떻게 변하는지 표를 완성해 보세요.

배열 순서	1	2	3	4	5	……
구슬의 수(개)	3	6	9	12	15	……

❷ 구슬이 45개 놓일 때는 몇 번째일까요?

(15번째)

✤ 구슬이 놓인 순서를 □, 놓인 구슬의 수를 △라고 할 때, □와 △ 사이의 대응 관계를 식으로 나타내면 □×3=△입니다.
➔ □×3=45, □=15

3 그림과 같이 규칙에 따라 육각형 조각을 배열했습니다. 육각형 조각을 100개 배열할 때는 몇 번째인지 구해 보세요.

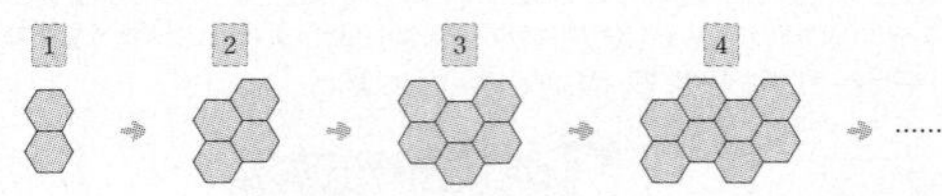

(50번째)

✤ 육각형 조각을 배열한 순서를 □, 배열한 육각형 조각의 수를 △라고 할 때, □와 △ 사이의 대응 관계를 식으로 나타내면 □×2=△입니다.
➔ □×2=100, □=50

유형 3 성냥개비와 도형의 대응 관계 추론

1 다음 그림과 같이 성냥개비로 정오각형을 만들었습니다. 정오각형 8개를 만들 때 필요한 성냥개비는 몇 개인지 알아보세요.

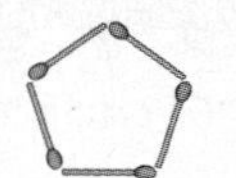 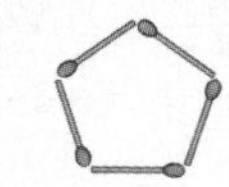 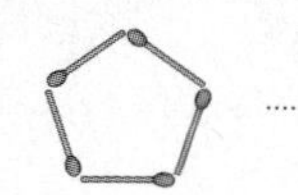 ......

❶ 정오각형의 수와 성냥개비의 수 사이의 대응 관계를 표를 이용하여 알아보세요.

정오각형의 수(개)	1	2	3	4	5	......
성냥개비의 수(개)	5	10	15	20	25	......

❖ 정오각형 1개를 만드는 데 필요한 성냥개비는 5개입니다.

❷ 정오각형의 수를 ○, 성냥개비의 수를 ♡라고 할 때, 두 양 사이의 대응 관계를 식으로 나타내어 보세요.

식 ○×5=♡ (또는 ♡÷5=○)

❸ 정오각형 8개를 만들 때 필요한 성냥개비는 몇 개일까요?

(40개)

❖ 8×5=40(개)

2 다음 그림과 같이 성냥개비로 정육각형을 만들었습니다. 정육각형 12개를 만들 때 필요한 성냥개비는 몇 개인지 구해 보세요.

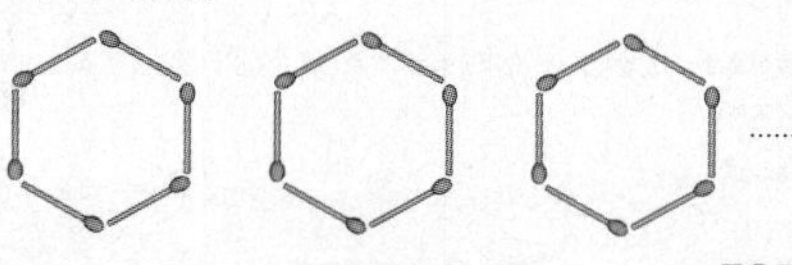

(72개)

❖ 정육각형 1개를 만드는 데 필요한 성냥개비는 6개이므로 정육각형의 수와 성냥개비의 수 사이의 대응 관계를 식으로 나타내면 (정육각형의 수)×6=(성냥개비의 수)입니다.

➜ 12×6=72(개)

3 성냥개비로 그림과 같이 탑을 쌓고 있습니다. 한 층을 쌓는 데 필요한 성냥개비는 2개입니다. 14층까지 쌓을 때 필요한 성냥개비는 몇 개인지 구해 보세요.

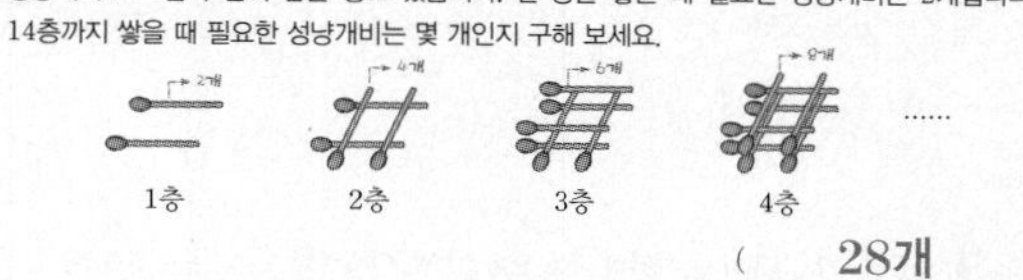

(28개)

❖ 층수가 1씩 늘어날 때마다 성냥개비의 수는 2씩 늘어나므로 14층까지 쌓을 때 필요한 성냥개비는 14×2=28(개)입니다.

4 성냥개비로 그림과 같이 탑을 쌓고 있습니다. 한 층을 쌓는 데 필요한 성냥개비는 3개입니다. 13층까지 쌓을 때 필요한 성냥개비는 몇 개인지 구해 보세요.

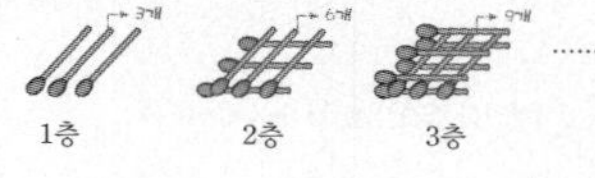

(39개)

❖ 층수가 1씩 늘어날 때마다 성냥개비의 수는 3씩 늘어나므로 13층까지 쌓을 때 필요한 성냥개비는 13×3=39(개)입니다.

유형 4 실생활에서의 대응 관계 창의·융합

1 아무것도 매달지 않았을 때의 길이가 8 cm인 용수철이 있습니다. 이 용수철에 1 kg의 추를 한 개씩 매달 때마다 길이가 2 cm씩 늘어납니다. 1 kg인 추를 6개 매달 때 용수철의 길이는 몇 cm인지 구해 보세요.

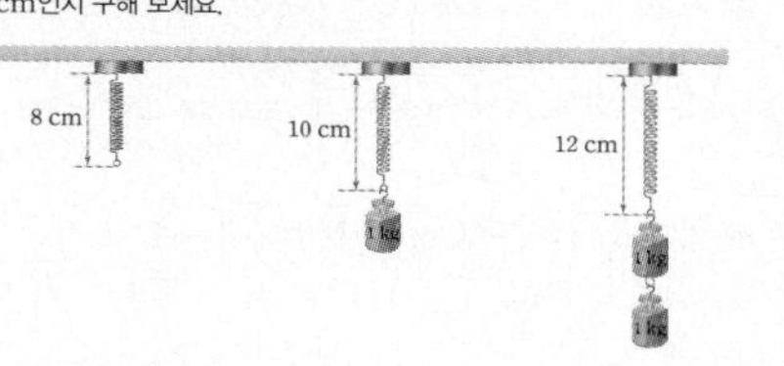

❶ 추의 무게와 용수철의 길이 사이의 대응 관계를 표를 이용하여 알아보세요.

추의 무게(kg)	1	2	3	4	5	......
용수철의 길이(cm)	10	12	14	16	18	......

❷ 추의 무게를 ♡(kg), 용수철의 길이를 ☆(cm)이라고 할 때, 두 양 사이의 대응 관계를 식으로 나타내어 보세요.

식 8+2×♡=☆

❖ 아무것도 매달지 않은 용수철의 길이는 8 cm이고 1 kg인 추를 한 개씩 매달 때마다 용수철의 길이는 2 cm씩 늘어납니다.

❸ 1 kg인 추를 6개 매달 때 용수철의 길이는 몇 cm가 될까요?

(20 cm)

❖ 1 kg의 추를 6개 매달면 용수철의 길이는 8+2×6=20 (cm)가 됩니다.

2 수도꼭지에서 1분에 5 L의 물이 나옵니다. 수도꼭지를 튼 시간을 △(분), 나온 물의 양을 ○(L)라고 할 때, 두 양 사이의 대응 관계를 식으로 나타내고, 이 수도꼭지로 20분 동안 받을 수 있는 물의 양은 몇 L인지 구해 보세요.

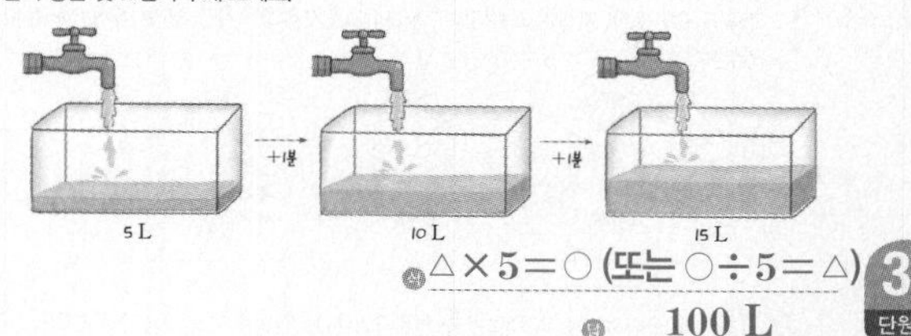

식 △×5=○ (또는 ○÷5=△)

답 100 L

❖ 수도꼭지를 튼 시간이 1분씩 늘어나면 나온 물의 양은 5 L씩 늘어납니다.

➜ 20×5=100 (L)

3 길이가 30 cm인 어떤 양초에 불을 붙이면 3분에 2 cm씩 길이가 짧아집니다. 불을 붙인 지 15분 후에 남은 양초의 길이는 몇 cm인지 구해 보세요.

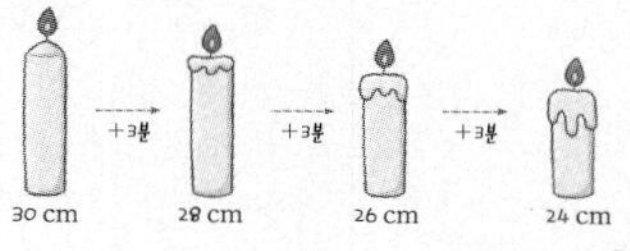

(20 cm)

❖ 시간이 3분씩 늘어나면 양초의 길이는 2 cm씩 줄어듭니다.

➜ 30−15÷3×2=20 (cm)

유형 5 연결한 경우의 대응 관계 (문제 해결)

1 그림과 같이 사진을 집게로 연결했습니다. 사진을 15장 연결하려면 집게는 몇 개 필요한지 알아보세요.

❶ 사진의 수와 집게의 수 사이에는 어떤 대응 관계가 있는지 표를 이용하여 알아보세요.

사진의 수(장)	1	2	3	4	5	……
집게의 수(개)	2	3	4	5	6	……

❷ 사진의 수와 집게의 수 사이의 대응 관계를 바르게 설명한 사람은 누구일까요?

집게의 수는 사진의 수보다 1 작습니다.

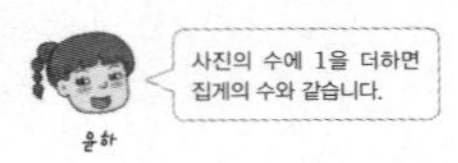

사진의 수에 1을 더하면 집게의 수와 같습니다.

(윤하)

❸ 사진 15장을 연결하려면 집게가 몇 개 필요할까요? (16개)

✤ (사진의 수)$+1=$(집게의 수)
➔ $15+1=16$(개)

2 다음과 같이 의자를 놓을 수 있는 식탁이 있습니다. 식탁 20개를 한 줄로 붙이면 모두 몇 명이 앉을 수 있는지 구해 보세요. (단, 의자 1개에 1명씩 앉습니다.)

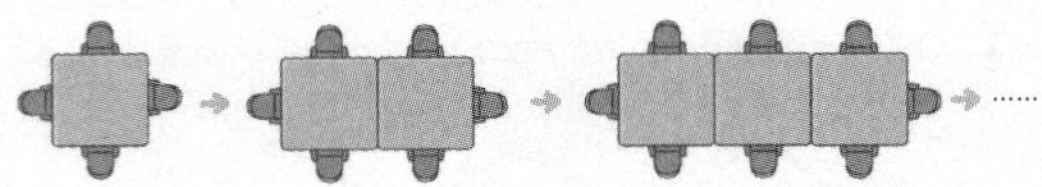

❶ 식탁의 수와 의자의 수 사이에는 어떤 대응 관계가 있는지 표를 이용하여 알아보세요.

식탁의 수(개)	1	2	3	4	5	……
의자의 수(개)	4	6	8	10	12	……

❷ 식탁 20개를 한 줄로 붙이면 모두 몇 명이 앉을 수 있을까요? (42명)

✤ $2+$(식탁의 수)$\times2=$(의자의 수)이므로 식탁이 20개일 때 의자는 $2+20\times2=42$(개)입니다.
따라서 42명이 앉을 수 있습니다.

3 그림과 같이 종이에 누름 못을 꽂아서 벽에 붙이고 있습니다. 종이를 17장 붙이려면 누름 못은 몇 개 필요한지 구해 보세요.

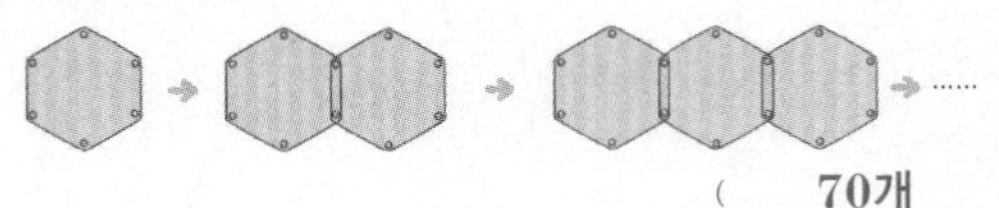

(70개)

✤ $2+$(종이의 수)$\times4=$(누름 못의 수)이므로 종이를 17장 붙이려면 누름 못은 $2+17\times4=70$(개) 필요합니다.

3 단원

유형 6 자른 횟수와 도막 수의 대응 관계 (추론)

1 다음과 같이 끈을 자르려고 합니다. 13도막으로 자르려면 끈을 몇 번 잘라야 하는지 알아보세요.

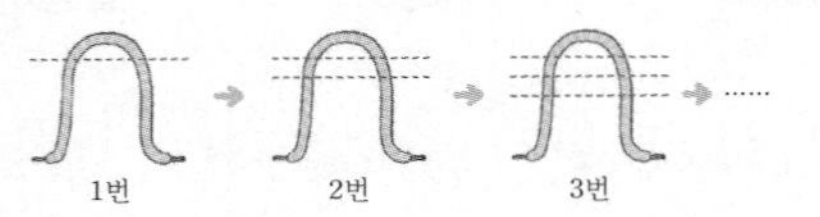

❶ 자른 횟수에 따라 자른 도막의 수가 어떻게 변하는지 표를 이용하여 알아보세요.

자른 횟수(번)	1	2	3	4	5	……
도막의 수(도막)	3	5	7	9	11	……

❷ 자른 횟수를 □, 도막 수를 △라고 할 때, □와 △ 사이의 대응 관계를 식으로 나타내어 보세요.

식 □$\times2+1=$△

❸ 13도막으로 자르려면 끈을 몇 번 잘라야 할까요? (6번)

✤ □$\times2+1=13$, □$\times2=12$, □$=6$이므로 13도막으로 자르려면 끈을 6번 잘라야 합니다.

2 밧줄을 자르려고 합니다. 밧줄을 한 번 자르는 데 2분이 걸린다면 쉬지 않고 11도막을 자르는 데에는 몇 분이 걸리는지 구해 보세요. (단, 밧줄을 겹쳐서 자르지 않습니다.)

❶ 밧줄을 11도막으로 자르려면 몇 번 잘라야 할까요? (10번)

✤ (도막의 수)$-1=$(자른 횟수)이므로 밧줄을 11도막으로 자르려면 $11-1=10$(번) 잘라야 합니다.

❷ 밧줄을 쉬지 않고 11도막으로 자르는 데에는 몇 분이 걸릴까요? (20분)

✤ 밧줄을 11도막으로 자르는 데에는 $2\times10=20$(분)이 걸립니다.

3 그림과 같이 끈을 자르려고 합니다. 16도막으로 자르려면 몇 번 잘라야 하는지 구해 보세요.

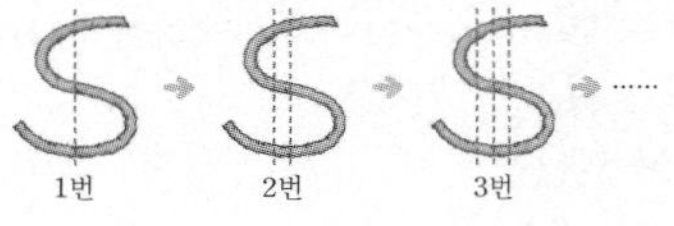

(5번)

✤ 16도막으로 자르려면 (자른 횟수)$\times3+1=16$이어야 합니다.
(자른 횟수)$\times3=15$, (자른 횟수)$=5$이므로 16도막으로 자르려면 5번 잘라야 합니다.

4 그림과 같이 원 모양의 종이띠를 자르려고 합니다. 줄을 한 번 자르는 데 3초가 걸린다면 쉬지 않고 20도막으로 자르는 데에는 몇 초가 걸리는지 구해 보세요.

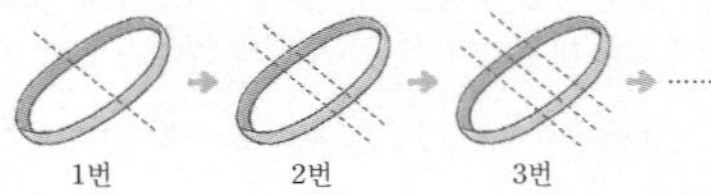

(30초)

✤ (도막 수)$\div2=$(자른 횟수)이므로 종이띠를 20도막으로 자르려면 $20\div2=10$(번) 잘라야 합니다.
따라서 종이띠를 20도막으로 자르는 데에는 $3\times10=30$(초)가 걸립니다.

3 단원

사고력 종합 평가

1 마름모와 삼각형으로 규칙적인 배열을 만들고 있습니다. 삼각형이 18개일 때 마름모는 몇 개인지 구해 보세요.

❶ 마름모의 수와 삼각형의 수 사이의 대응 관계를 표를 이용하여 알아보세요.

마름모의 수(개)	1	2	3	4	5	……
삼각형의 수(개)	2	4	6	8	10	……

❷ 삼각형이 18개일 때 마름모는 몇 개일까요?

(9개)

✣ 마름모의 수는 삼각형의 수의 반이므로 마름모는 $18 \div 2 = 9$(개)입니다.

2 도형 안의 수가 다음과 같이 규칙에 따라 바뀔 때, 빈 곳에 알맞은 수를 써넣으세요.

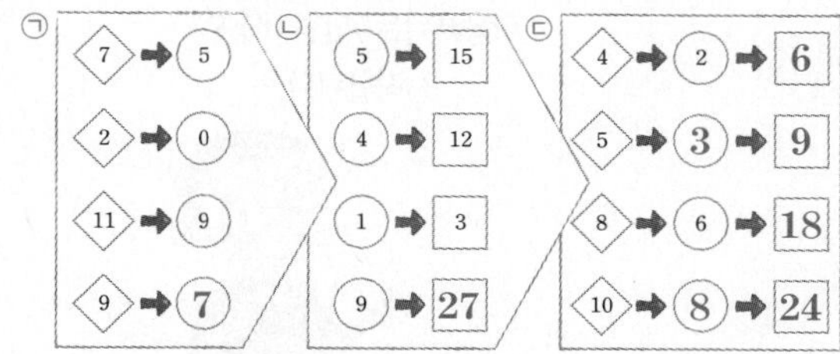

✣ ◇ 안의 수에서 2를 빼면 ○ 안의 수가 됩니다.
○ 안의 수를 3배 하면 □ 안의 수가 됩니다.
㉠ $9-2=7$ ㉡ $9 \times 3 = 27$
㉢ • $2 \times 3 = 6$ • $5-2=3$, $3 \times 3 = 9$
• $6 \times 3 = 18$ • $10-2=8$, $8 \times 3 = 24$

3 1시간에 120 km를 이동하는 기차가 있습니다. 같은 빠르기로 이 기차가 이동하는 시간을 ♡(시간), 이동하는 거리를 ○(km)라고 할 때, 두 양 사이의 대응 관계를 식으로 나타내고, 4시간 동안 가면 몇 km를 갈 수 있는지 구해 보세요.

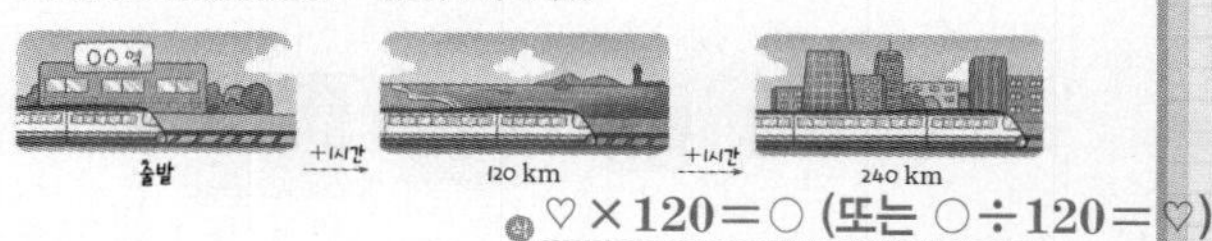

식 ♡ × 120 = ○ (또는 ○ ÷ 120 = ♡)

답 480 km

✣ ♡ × 120 = ○에서 ♡ = 4일 때 $4 \times 120 =$ ○, ○ $= 480$이므로 4시간 동안 가면 480 km를 갈 수 있습니다.

4 마법 상자에 수를 넣으면 다음과 같이 수가 나옵니다. 마법 상자의 규칙을 찾아 ○ 안에 알맞은 수를 써넣으세요.

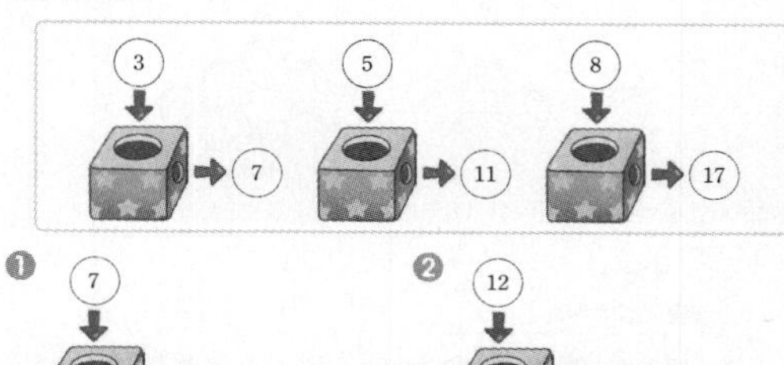

❶ 7 → 15 ❷ 12 → 25

✣ 들어간 수를 2배 한 수에 1을 더한 값이 나오는 규칙입니다.
❶ $7 \times 2 + 1 = 15$ ❷ $12 \times 2 + 1 = 25$

사고력 종합 평가

5 윤하와 민기가 대응 관계 알아맞히기 놀이를 하고 있습니다. 물음에 답하세요.

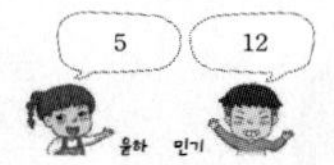

❶ 윤하가 말한 수와 민기가 답한 수 사이의 대응 관계를 표를 이용하여 알아보세요.

윤하가 말한 수	2	4	5	9	11	……
민기가 답한 수	9	11	12	16	18	……

❷ 윤하가 24를 말하면 민기는 어떤 수를 답할까요?

(31)

✣ 민기가 답한 수는 윤하가 말한 수보다 7 크므로 민기가 답한 수는 $24 + 7 = 31$입니다.

6 종이테이프를 다음과 같은 방법으로 7번을 자르면 몇 도막이 되는지 구하려고 합니다. 물음에 답하세요.

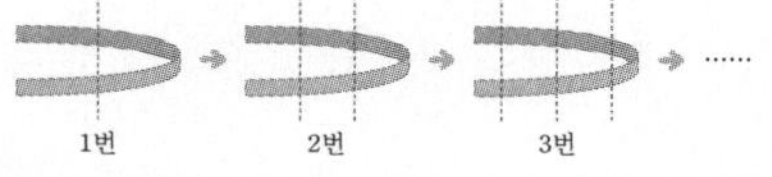

❶ 종이테이프를 자른 횟수를 ♡, 도막 수를 ☆이라고 할 때, ♡와 ☆ 사이의 대응 관계를 식으로 나타내어 보세요.

식 ♡ × 2 + 1 = ☆

✣ (자른 횟수) × 2 + 1 = (도막 수) → ♡ × 2 + 1 = ☆

❷ 종이테이프를 7번 자르면 몇 도막이 되는지 구해 보세요.

(15도막)

✣ ♡ = 7이므로 $7 \times 2 + 1 = 15$(도막)입니다.

7 정사각형 모양의 종이를 다음과 같은 규칙으로 자르고 있습니다. 12번째에는 사각형 조각이 몇 개가 되는지 구해 보세요.

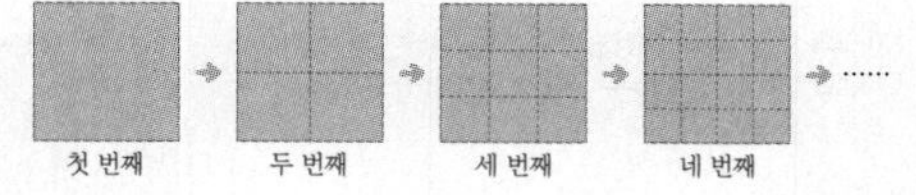

(144개)

✣ 배열 순서를 □, 사각형 조각 수를 △라고 할 때, 두 양 사이의 대응 관계를 식으로 나타내면 □ × □ = △입니다.
□ = 12일 때 $12 \times 12 =$ △, △ $= 144$이므로 12번째에는 사각형 조각이 144개가 됩니다.

8 연호네 반 아이들이 그린 그림을 누름 못을 사용하여 게시판에 붙이고 있습니다. 물음에 답하세요.

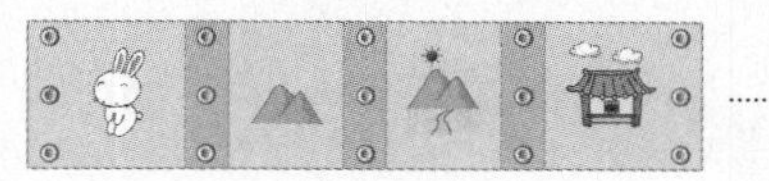

❶ 그림의 수를 □, 누름 못의 수를 ♡라고 할 때, 두 양 사이의 대응 관계를 식으로 나타내어 보세요.

식 3 + □ × 3 = ♡

❷ 그림 15장을 붙이려면 누름 못은 몇 개 필요할까요?

(48개)

✣ □ = 15일 때 $3 + 15 \times 3 = 3 + 45 = 48$이므로 누름 못은 48개 필요합니다.

58쪽

사고력 종합 평가

정답과 풀이 14쪽

9 사각형 조각으로 규칙적인 배열을 만들고 있습니다. 배열 순서를 ●, 사각형 조각의 수를 ▲라고 할 때, 두 양 사이의 대응 관계를 식으로 나타내어 보세요.

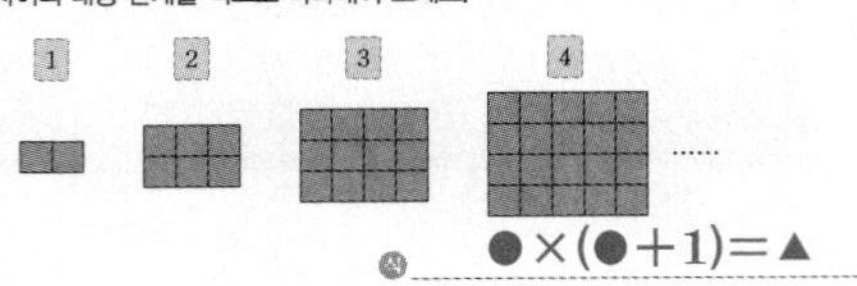

식 ●×(●+1)=▲

10 정육각형 모양으로 다음과 같은 규칙에 따라 벌집을 만들고 있습니다. 10번째 벌집의 정육각형의 수를 알아보려고 합니다. 물음에 답하세요.

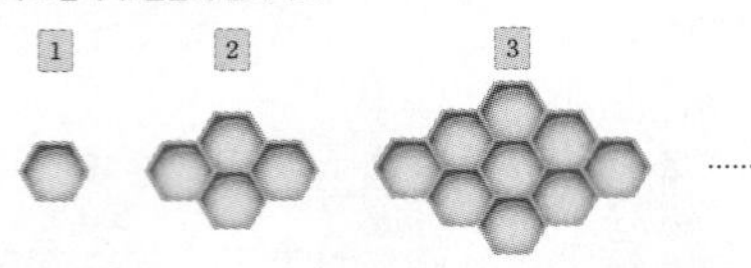

❶ 배열 순서와 정육각형의 수 사이의 대응 관계를 표를 이용하여 알아보세요.

배열 순서	1	2	3	4	5	……
정육각형의 수(개)	1	4	9	16	25	……

✣ 배열 순서를 □, 정육각형의 수를 △라고 할 때, 두 양 사이의 대응 관계를 식으로 나타내면 □×□=△입니다.

❷ 10번째 벌집의 정육각형의 수는 몇 개일까요?

(100개)

✣ □=10이므로 10×10=△, △=100입니다.

[GO! 매쓰]
여기까지 3단원 내용입니다.
다음부터는 4단원 내용이
시작합니다.

60쪽 ~ 61쪽

정답과 풀이 14쪽

유형 ① 비밀의 문 열기 창의·융합

1 비밀의 문을 열기 위해서는 ●에 들어갈 수 있는 자연수의 버튼을 모두 눌러야 합니다. ●에 들어갈 수 있는 자연수를 모두 구해 보세요.

❶ □ 안에 알맞은 수를 써넣으세요.

●에 들어갈 수 있는 수를 구하려면 먼저 $\frac{4}{9}$와 $\frac{●}{12}$를 두 분모의 최소공배수인 36을 공통분모로 하여 통분해야 합니다.

❷ $\frac{4}{9}$와 $\frac{●}{12}$를 통분하는 과정입니다. □ 안에 알맞은 수를 써넣으세요.

$\left(\frac{4\times 4}{9\times 4}, \frac{●\times 3}{12\times 3}\right) \rightarrow \left(\frac{16}{36}, \frac{●\times 3}{36}\right)$

❸ ●에 들어갈 수 있는 자연수를 모두 써 보세요.

(1, 2, 3, 4, 5)

✣ $\frac{16}{36} > \frac{●\times 3}{36}$에서 16>●×3이므로 ●에 들어갈 수 있는 자연수는 1, 2, 3, 4, 5입니다.

2 비밀의 문을 열기 위해서는 ●에 들어갈 수 있는 자연수의 버튼을 모두 한 번씩 눌러야 합니다. 문을 열기 위해서는 버튼을 몇 번 눌러야 할까요?

❶

✣ 9와 2의 최소공배수를 공통분모로 하여 통분하면 $\frac{●\times 2}{18} < \frac{9}{18}$이므로 ●×2<9입니다.

따라서 ●=1, 2, 3, 4입니다. → 4번

(4번)

4 단원

❷

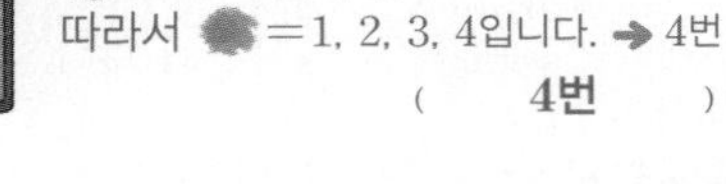

✣ 3과 7의 최소공배수를 공통분모로 하여 통분하면 $\frac{14}{21} < \frac{●\times 3}{21}$이므로 14<●×3입니다.

●=5, 6, 7, 8, 9입니다. → 5번

(5번)

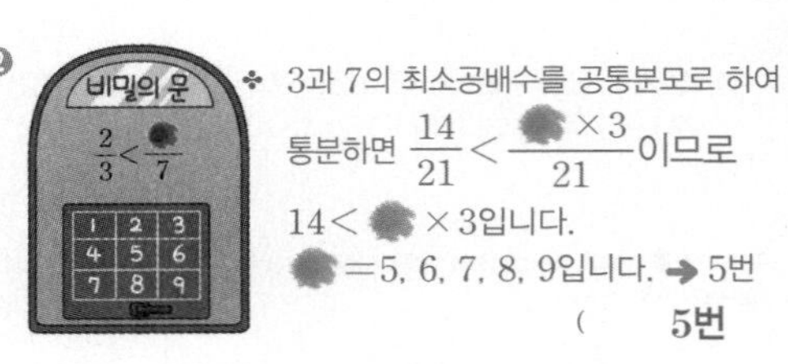

3 비밀의 문을 열기 위해서는 ●에 들어갈 수 있는 자연수의 버튼을 모두 눌러야 합니다. 문을 열기 위해 눌러야 하는 버튼에 적힌 수를 모두 써 보세요.

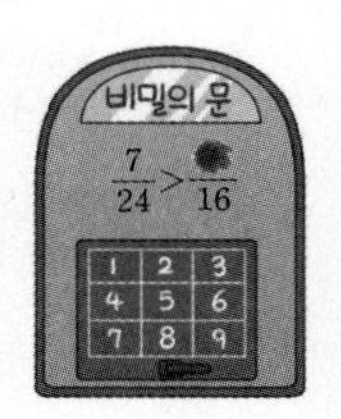

(1, 2, 3, 4)

✣ 두 분모의 최소공배수를 공통분모로 하여 통분하면 $\frac{7\times 2}{24\times 2} > \frac{●\times 3}{16\times 3}$이므로 $\frac{14}{48} > \frac{●\times 3}{48}$ → 14>●×3입니다.

따라서 ●=1, 2, 3, 4입니다.

유형 ② 약분하기 전의 분수

문제 해결

1 다음 직사각형 모양의 땅에서 $\frac{(세로의 길이)}{(가로의 길이)}=\frac{7}{9}$입니다. 이 땅의 가로와 세로의 길이의 합이 112 m일 때, 가로와 세로는 각각 몇 m인지 구해 보세요.

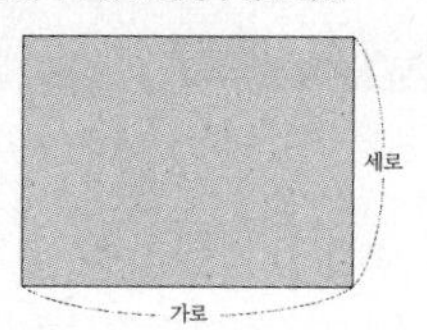

❶ $\frac{7}{9}$과 크기가 같은 분수를 분모가 작은 수부터 차례로 써 보세요.

$\frac{7}{9}=\frac{14}{18}=\frac{21}{27}=\frac{28}{36}=\frac{35}{45}=\frac{42}{54}=\frac{49}{63}=\frac{56}{72}=\cdots\cdots$

❷ 위 ❶에서 분모와 분자의 합이 112가 되는 분수를 찾아 써 보세요. ($\frac{49}{63}$)

✤ $49+63=112$

❸ 가로와 세로는 각각 몇 m인지 구해 보세요.

가로 (63 m)
세로 (49 m)

2 조건에 맞는 분수를 구해 보세요.

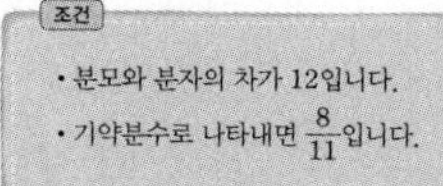
조건
- 분모와 분자의 차가 12입니다.
- 기약분수로 나타내면 $\frac{8}{11}$입니다.

✤ $\frac{8}{11}$과 크기가 같은 분수는 ($\frac{32}{44}$)
$\frac{8}{11}=\frac{16}{22}=\frac{24}{33}=\frac{32}{44}=\frac{40}{55}\cdots\cdots$입니다.
이 중 분모와 분자의 차가 12인 분수는 $\frac{32}{44}$입니다.

3 조건에 맞는 분수를 구해 보세요.

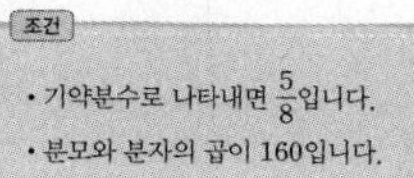
조건
- 기약분수로 나타내면 $\frac{5}{8}$입니다.
- 분모와 분자의 곱이 160입니다.

✤ $\frac{5}{8}$와 크기가 같은 분수는 ($\frac{10}{16}$)
$\frac{5}{8}=\frac{10}{16}=\frac{15}{24}=\frac{20}{32}\cdots\cdots$입니다.
이 중 분모와 분자의 곱이 160인 분수는 $\frac{10}{16}$입니다.

4 $\frac{30}{46}$의 분모와 분자에 각각 어떤 한 자리 수를 더했더니 $\frac{9}{13}$와 크기가 같은 분수가 되었습니다. 어떤 한 자리 수를 구해 보세요.

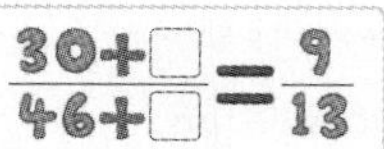

✤ $\frac{9}{13}$와 크기가 같은 분수는 (6)
$\frac{9}{13}=\frac{18}{26}=\frac{27}{39}=\frac{36}{52}=\frac{45}{65}\cdots\cdots$입니다.
$\frac{30}{46}$의 분모와 분자에 6을 더하면 $\frac{36}{52}$이 되므로 어떤 한 자리 수는 6입니다.

4 단원

유형 ③ 어떤 수 구하기

추론

1 다음을 읽고 $\frac{★}{♥}$의 분수를 구해 보세요.

- 어떤 분수 $\frac{★}{♥}$이 있습니다.
- $\frac{★+5}{♥-8}$를 4로 나누어 약분하면 $\frac{7}{9}$입니다.

❶ 4로 나누어 약분하기 전의 분수를 구해 보세요. ($\frac{28}{36}$)

✤ $\frac{7}{9}=\frac{7\times4}{9\times4}=\frac{28}{36}$

❷ ♥에서 8을 빼기 전의 분수를 구해 보세요. ($\frac{28}{44}$)

✤ ❶에서 구한 분수의 분모에 8을 다시 더해 줍니다.
→ $\frac{28}{36+8}=\frac{28}{44}$

❸ ★에 5를 더하기 전의 분수를 구해 보세요. ($\frac{23}{44}$)

✤ ❷에서 구한 분수의 분자에서 5를 빼 줍니다.
→ $\frac{28-5}{44}=\frac{23}{44}$

❹ 어떤 분수 $\frac{★}{♥}$을 구해 보세요.

($\frac{23}{44}$)

2 현서가 말하고 있는 어떤 분수를 구해 보세요.

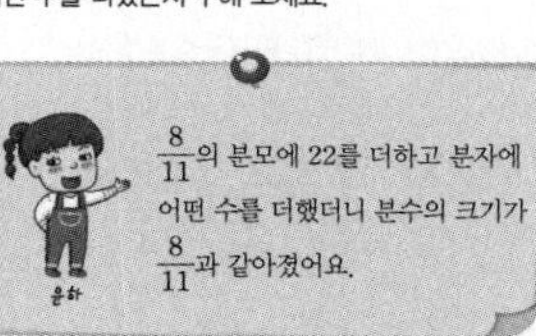

어떤 분수의 분모에서 10을 뺀 후, 5로 나누어 약분하였더니 3/8이 되었어요.
현서

✤ 5로 나누어 약분하기 전의 분수는 ($\frac{15}{50}$)
$\frac{3}{8}=\frac{3\times5}{8\times5}=\frac{15}{40}$이므로 어떤 분수는 $\frac{15}{40+10}=\frac{15}{50}$입니다.

3 윤하가 $\frac{8}{11}$의 분자에 어떤 수를 더했는지 구해 보세요.

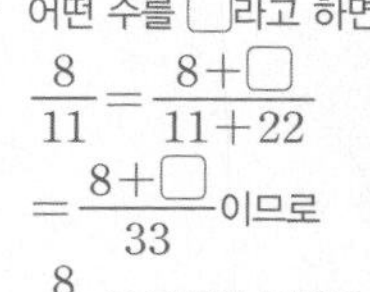

8/11의 분모에 22를 더하고 분자에 어떤 수를 더했더니 분수의 크기가 8/11과 같아졌어요.
윤하

✤ 어떤 수를 □라고 하면
$\frac{8}{11}=\frac{8+□}{11+22}=\frac{8+□}{33}$이므로
$\frac{8}{11}$의 분모와 분자에 각각 3을 곱한 것과 같습니다. (16)
따라서 $\frac{8+□}{33}=\frac{8\times3}{11\times3}$, $8+□=24$에서 $□=16$입니다.

4 민기가 말하고 있는 어떤 분수를 구해 보세요.

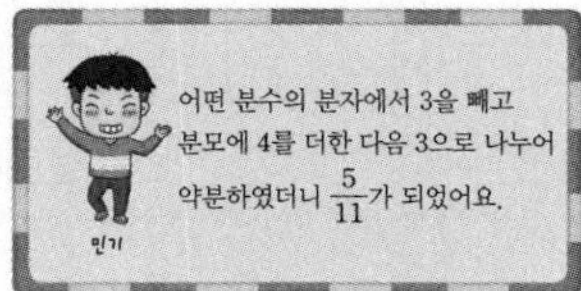

어떤 분수의 분자에서 3을 빼고 분모에 4를 더한 다음 3으로 나누어 약분하였더니 5/11가 되었어요.
민기

✤ 3으로 나누어 약분하기 전의 분수는 $\frac{5\times3}{11\times3}=\frac{15}{33}$, ($\frac{18}{29}$)
분모에 4를 더하기 전의 분수는 $\frac{15}{33-4}=\frac{15}{29}$,
분자에서 3을 빼기 전의 분수는 $\frac{15+3}{29}=\frac{18}{29}$입니다.

4 단원

유형 4 통분 터널 통과하기

정보 처리

1 버스에 쓰여진 두 분수를 통분할 수 있는 공통분모가 적혀 있는 터널을 찾아 통과해 보세요.

❶ 최소공배수를 이용하여 $\frac{4}{9}$, $\frac{5}{6}$를 통분할 수 있는 공통분모를 구해 보세요.

✤ 9와 6의 최소공배수: 18 (18)

❷ 최소공배수를 이용하여 $\frac{7}{12}$, $\frac{3}{8}$을 통분할 수 있는 공통분모를 구해 보세요.

✤ 12와 8의 최소공배수: 24 (24)

❸ 최소공배수를 이용하여 $\frac{3}{4}$, $\frac{6}{7}$을 통분할 수 있는 공통분모를 구해 보세요.

✤ 4와 7의 최소공배수: 28 (28)

❹ 버스가 통과할 수 있는 터널의 기호를 찾아 써 보세요.

고양이 버스 (나 터널), 강아지 버스 (가 터널), 토끼 버스 (다 터널)

정답과 풀이 16쪽

2 버스가 통분 터널을 통과하면 버스에 쓰여 있던 두 기약분수가 통분이 됩니다. 터널을 통과하기 전의 두 기약분수를 구해 보세요.

✤ 두 분수를 약분하여 기약분수로 나타냅니다.

➜ $\frac{12}{18}=\frac{12\div6}{18\div6}=\frac{2}{3}$, $\frac{15}{18}=\frac{15\div3}{18\div3}=\frac{5}{6}$

3 세 분수가 쓰인 버스가 통분 터널을 통과해 분수들이 통분되었습니다. □ 안에 알맞은 수를 써넣으세요.

❶

❷

❸

✤ $\frac{3}{8}=\frac{3\times9}{8\times9}=\frac{27}{72}$, $\frac{5}{18}=\frac{5\times4}{18\times4}=\frac{20}{72}$

➜ 공통분모가 72이므로 $\frac{32}{72}=\frac{32\div8}{72\div8}=\frac{4}{9}$입니다.

유형 5 케이크 조각으로 분수의 크기 비교

문제 해결

1 똑같은 케이크 3개가 다음과 같이 남아 있습니다. 남아 있는 케이크를 분수로 나타낸 것을 보고 세 분수의 크기를 비교해 보세요.

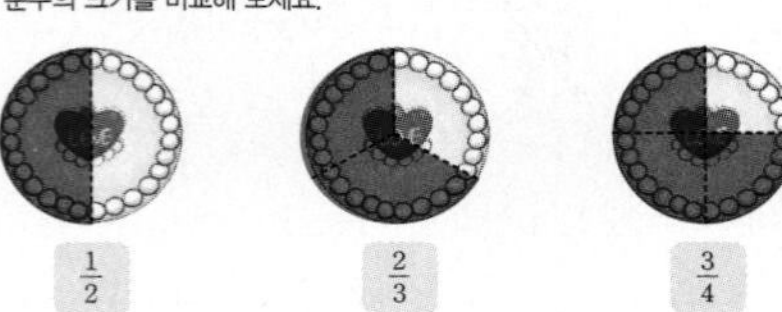

$\frac{1}{2}$ $\frac{2}{3}$ $\frac{3}{4}$

❶ 주어진 분수에 맞게 남아 있는 부분을 색칠해 보세요.

❷ 위 ❶에서 색칠한 그림을 보고 세 분수의 크기를 비교해 보세요.

$\frac{3}{4}>\frac{2}{3}>\frac{1}{2}$

❸ 알맞은 말에 ○표 하세요.

분자가 분모보다 1 작은 분수는 분모가 클수록 더 (작습니다, (큽니다)).

정답과 풀이 16쪽

2 다음 분수의 크기를 비교해 보세요.

$\frac{6}{7}$ $\frac{8}{9}$ $\frac{4}{5}$ $\frac{3}{4}$

$\frac{8}{9}>\frac{6}{7}>\frac{4}{5}>\frac{3}{4}$

✤ 분자가 분모보다 1 작은 분수는 분모가 클수록 더 큽니다.

따라서 $\frac{8}{9}>\frac{6}{7}>\frac{4}{5}>\frac{3}{4}$입니다.

3 다음 분수들 중에서 세 번째로 큰 수는 어떤 수일까요?

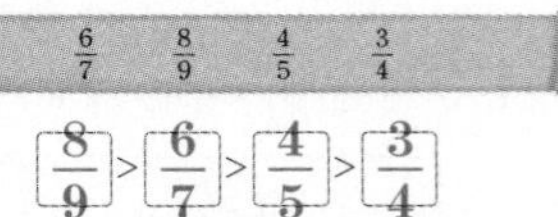

$\frac{19}{20}$ $\frac{12}{13}$ $\frac{17}{18}$ $\frac{14}{15}$ $\frac{25}{26}$

($\frac{17}{18}$)

✤ 주어진 분수는 모두 분자가 분모보다 1 작은 분수입니다.

따라서 $\frac{25}{26}>\frac{19}{20}>\frac{17}{18}>\frac{14}{15}>\frac{12}{13}$이므로 세 번째로 큰 수는 $\frac{17}{18}$입니다.

4 두 분수의 크기를 비교하여 더 큰 분수를 위의 빈 곳에 써넣으세요.

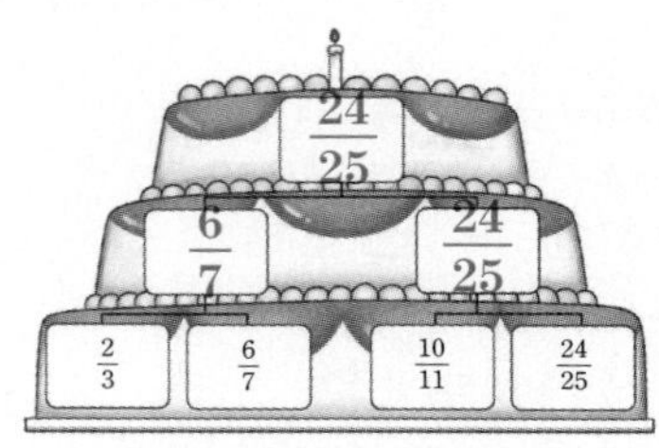

✤ 분자가 분모보다 1 작은 분수는 분모가 클수록 더 큽니다.

유형 6 수 카드로 만드는 분수

문제 해결

1 3장의 수 카드를 한 번씩 사용하여 만들 수 있는 분수 중 기약분수는 모두 몇 개인지 구해 보세요.

❶ 3장의 수 카드로 만들 수 있는 분수를 모두 써 보세요.

$\frac{6}{25}, \frac{5}{26}, \frac{6}{52}, \frac{2}{56}, \frac{5}{62}, \frac{2}{65}$

❷ 위 ❶에서 만든 분수 중에서 기약분수를 모두 찾아 써 보세요.

$\frac{6}{25}, \frac{5}{26}, \frac{5}{62}, \frac{2}{65}$

❸ 수 카드로 만들 수 있는 기약분수는 모두 몇 개일까요?

(4개)

2 분모가 8인 진분수 중에서 기약분수는 모두 몇 개인지 구해 보세요.

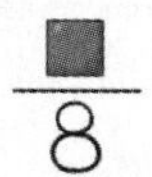

(4개)

✤ $\frac{1}{8}, \frac{3}{8}, \frac{5}{8}, \frac{7}{8}$로 모두 4개입니다.

3 4장의 수 카드 중에서 2장을 뽑아 진분수를 만들 때 가장 작은 분수를 구해 보세요.

($\frac{3}{9}$)

✤ 분모가 같을 때 분자가 작을수록 작은 수이므로 각 수를 분모로 하는 가장 작은 진분수를 만들면 $\frac{3}{4}, \frac{3}{7}, \frac{3}{9}$입니다. 이 중에서 가장 작은 분수는 $\frac{3}{9}$입니다.

4 다음 분수는 기약분수입니다. ●와 ◆의 최대공약수를 구해 보세요.

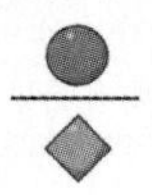

(1)

✤ 기약분수는 분모와 분자의 공약수가 1뿐인 분수입니다.

5 5장의 수 카드 중에서 2장을 뽑아 진분수를 만들 때 가장 큰 분수를 구해 보세요.

($\frac{5}{6}$)

✤ 분모가 같을 때 분자가 클수록 더 큰 분수이므로 각 수를 분모로 하는 가장 큰 진분수를 만들면 $\frac{2}{4}, \frac{4}{5}, \frac{5}{6}, \frac{6}{8}$입니다. 이 중에서 가장 큰 수는 $\frac{5}{6}$입니다.

사고력 종합 평가

1 분모가 각각 9와 12인 두 분수를 통분하려고 합니다. 아래의 수들 중 공통분모가 될 수 있는 수에 모두 ○표 하세요.

24 30 32 (36) 48 (108)

✤ 공통분모가 될 수 있는 수는 9와 12의 공배수이므로 두 수의 최소공배수인 36의 배수여야 합니다.

2 윤서네 집에서 가장 가까운 곳부터 차례를 써 보세요.

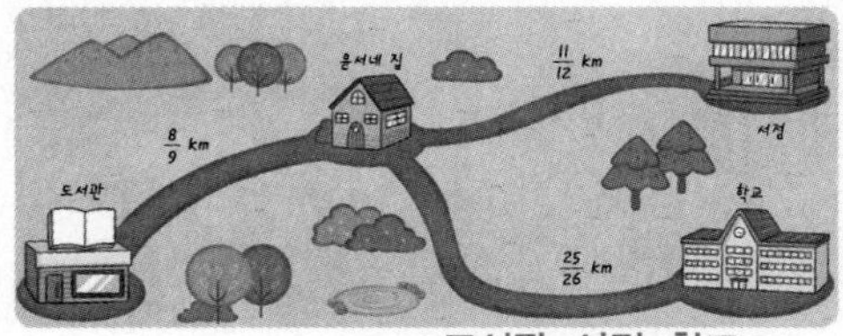

(도서관, 서점, 학교)

✤ 분자가 분모보다 1 작은 분수는 분모가 클수록 더 큽니다. ➜ $\frac{25}{26} > \frac{11}{12} > \frac{8}{9}$

3 비밀의 문을 열기 위해서는 ●에 들어갈 수 있는 자연수의 버튼을 모두 눌러야 합니다. 문을 열기 위해서 눌러야 하는 버튼에 모두 색칠해 보세요.

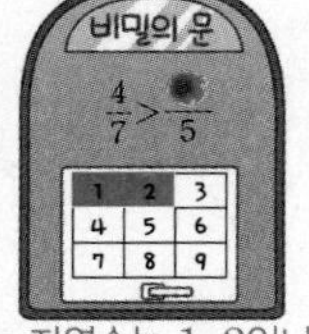

✤ 두 분모의 곱을 공통분모로 하여 통분하면

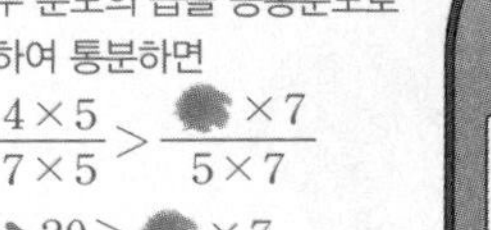

$\frac{4 \times 5}{7 \times 5} > \frac{● \times 7}{5 \times 7}$

➜ $20 > ● \times 7$

따라서 ●에 들어갈 수 있는 자연수는 1, 2입니다.

4 서희가 말하는 어떤 분수를 구해 보세요.

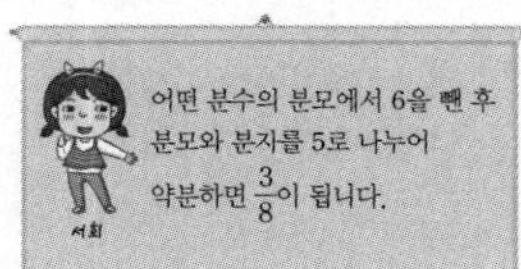

어떤 분수의 분모에서 6을 뺀 후 분모와 분자를 5로 나누어 약분하면 $\frac{3}{8}$이 됩니다.
서희

($\frac{15}{46}$)

✤ 5로 나누어 약분하기 전의 분수는 $\frac{3 \times 5}{8 \times 5} = \frac{15}{40}$입니다.

분모에서 6을 빼기 전의 분수는 $\frac{15}{40+6} = \frac{15}{46}$입니다.

5 준열이가 만든 어떤 분수의 분자에 7을 더한 다음 6으로 나누어 약분하였더니 $\frac{2}{7}$가 되었습니다. 준열이가 만든 어떤 분수를 구해 보세요.

($\frac{5}{42}$)

✤ 6으로 나누어 약분하기 전의 분수는 $\frac{2 \times 6}{7 \times 6} = \frac{12}{42}$입니다.

분자에 7을 더하기 전의 분수는 $\frac{12-7}{42} = \frac{5}{42}$입니다.

6 아래와 같이 수 카드가 4장 있습니다. 이 중에서 2장을 뽑아 진분수를 만들려고 합니다. 만들 수 있는 진분수 중 가장 큰 수를 구해 보세요.

($\frac{4}{5}$)

✤ 분모가 7인 가장 큰 진분수: $\frac{5}{7}$, 분모가 5인 가장 큰 진분수: $\frac{4}{5}$,

분모가 4인 진분수: $\frac{2}{4} = \frac{1}{2}$, $\frac{5}{7}\left(=\frac{25}{35}\right) < \frac{4}{5}\left(=\frac{28}{35}\right)$,

$\frac{1}{2} < \frac{4}{5}$이므로 가장 큰 진분수는 $\frac{4}{5}$입니다.

74쪽 ~ 75쪽

사고력 종합 평가

정답과 풀이 18쪽

7 나는 어떤 분수예요. 나의 분모와 분자의 합은 60이에요. 기약분수로 나타내면 $\frac{5}{7}$가 되죠. 나는 어떤 분수인지 구해 보세요.

✤ $\frac{5}{7}=\frac{10}{14}=\frac{15}{21}=\frac{20}{28}=\frac{25}{35}=\frac{30}{42}\cdots\cdots$ ($\frac{25}{35}$)

이 중 분모와 분자의 합이 60인 분수는 $\frac{25}{35}$입니다.

8 다음 조건을 모두 만족하는 두 분수를 구해 보세요.

조건
- 기약분수인 두 수가 있습니다.
- 두 분모의 곱인 35를 공통분모로 하여 통분할 수 있습니다.
- 분모가 한 자리 수인 서로 다른 단위분수입니다.

✤ 35의 약수 1, 5, 7, 35 중 한 자리 수이면서 두 수의 곱이 35인 경우는 $5\times7=35$이므로 두 분수의 분모는 5, 7입니다. 따라서 두 분수는 단위분수이므로 $\frac{1}{5}$, $\frac{1}{7}$입니다. ($\frac{1}{5}$, $\frac{1}{7}$)

9 두 분수의 크기를 비교하여 더 큰 분수를 위의 빈 곳에 써넣으세요.

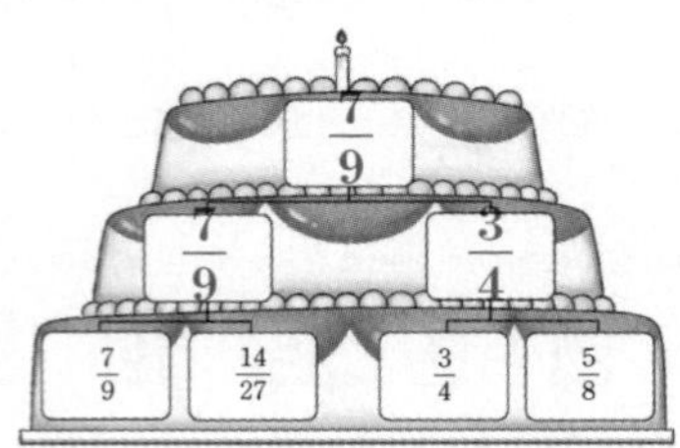

10 버스가 터널을 통과하면 버스에 쓰여 있던 두 기약분수가 통분이 됩니다. 터널을 통과하기 전의 두 기약분수를 구해 보세요.

✤ $\frac{14}{21}=\frac{14\div7}{21\div7}=\frac{2}{3}$, $\frac{15}{21}=\frac{15\div3}{21\div3}=\frac{5}{7}$

11 다음 중 두 번째로 큰 수는 무엇일까요?

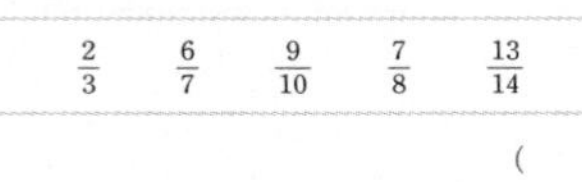

($\frac{9}{10}$)

✤ 주어진 분수는 모두 분자가 분모보다 1 작은 분수이고 분자가 분모보다 1 작은 분수는 분모가 클수록 더 큽니다.
따라서 $\frac{13}{14}>\frac{9}{10}>\frac{7}{8}>\frac{6}{7}>\frac{2}{3}$입니다.

4 단원

12 3장의 수 카드 3, 4, 5를 한 번씩만 사용하여 다음과 같은 기약분수를 몇 개 만들 수 있는지 구해 보세요.

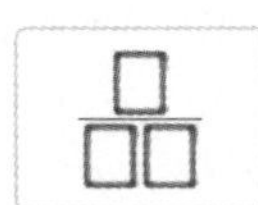

(4개)

✤ 3장의 수 카드로 만들 수 있는 분수 $\frac{5}{34}$, $\frac{4}{35}$, $\frac{5}{43}$, $\frac{3}{45}$, $\frac{4}{53}$, $\frac{3}{54}$ 중에서 기약분수는 $\frac{5}{34}$, $\frac{4}{35}$, $\frac{5}{43}$, $\frac{4}{53}$로 4개입니다.

76쪽

사고력 종합 평가

정답과 풀이 18쪽

13 $\frac{1}{3}$보다 크고 $\frac{3}{5}$보다 작은 분수 중에서 분모가 30인 기약분수를 모두 구해 보세요.

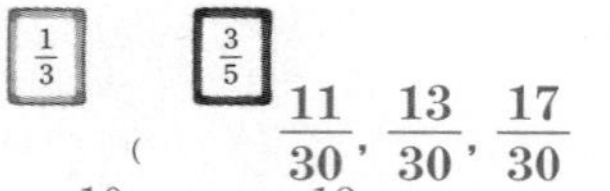

($\frac{11}{30}$, $\frac{13}{30}$, $\frac{17}{30}$)

✤ $\frac{1}{3}=\frac{10}{30}$, $\frac{3}{5}=\frac{18}{30}$이므로 $\frac{10}{30}$보다 크고 $\frac{18}{30}$보다 작은 분수 중 분모가 30인 기약분수는 $\frac{11}{30}$, $\frac{13}{30}$, $\frac{17}{30}$입니다.

14 다음 분수 중에서 기약분수는 모두 몇 개일까요?

❶ 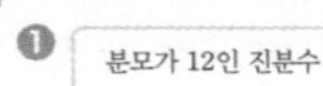

(4개)

❷ 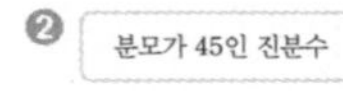

(24개)

✤ (1) 12의 약수: 1, 2, 3, 4, 6, 12
1부터 11까지의 수 중에서 2, 3, 4, 6, 12로 나누어떨어지지 않는 수를 알아보면 5, 7, 11이므로 1을 포함해서 기약분수는 4개입니다.

(2) 45의 약수: 1, 3, 5, 9, 15, 45
1부터 44까지의 수 중에서 3, 5, 9, 15, 45로 나누어떨어지지 않는 수를 알아보면 2, 4, 7, 8, 11, 13, 14, 16, 17, 19, 22, 23, 26, 28, 29, 31, 32, 34, 37, 38, 41, 43, 44의 23개이므로 1을 포함해서 기약분수는 24개입니다.

15 다음 두 분수를 통분하려고 합니다. 공통분모를 두 번째로 작은 수로 하여 통분해 보세요.

$2\frac{7}{15}$ $1\frac{9}{10}$

($2\frac{28}{60}$, $2\frac{54}{60}$)

✤ 두 분모의 공배수를 작은 수부터 차례로 써 보면 30, 60, 90, 120⋯⋯이므로 60을 공통분모로 하여 통분합니다.

$\left(2\frac{7}{15}, 1\frac{9}{10}\right) \rightarrow \left(2\frac{28}{60}, 1\frac{54}{60}\right)$

[GO! 매쓰]
여기까지 4단원 내용입니다.
다음부터는 5단원 내용이 시작합니다.

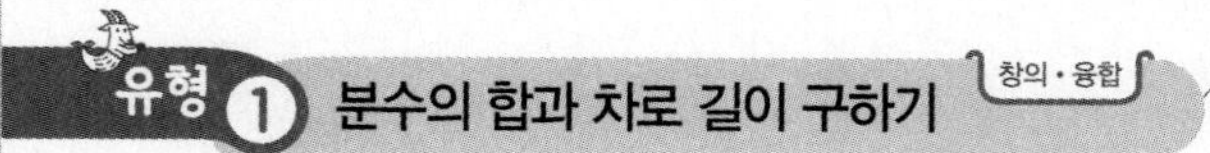

유형 1 분수의 합과 차로 길이 구하기 (창의・융합)

1 다음 직사각형 모양의 집을 보고 직사각형의 네 변의 길이의 합이 몇 m인지 구해 보세요.

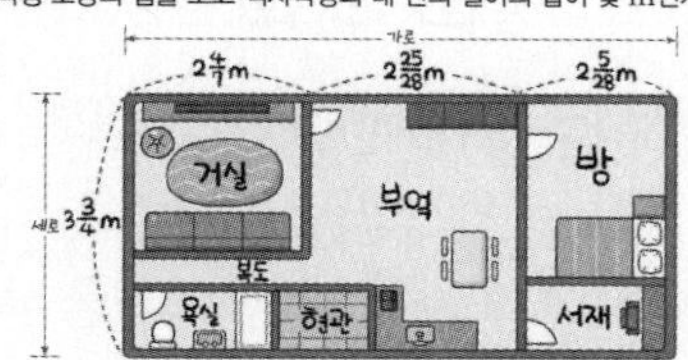

❶ 직사각형의 가로는 몇 m일까요? ($7\frac{9}{14}$ m)

✤ $2\frac{4}{7}+2\frac{25}{28}+2\frac{5}{28}=2\frac{16}{28}+2\frac{25}{28}+2\frac{5}{28}=4\frac{41}{28}+2\frac{5}{28}$
$=6\frac{46}{28}=7\frac{18}{28}=7\frac{9}{14}$ (m)

❷ 직사각형의 가로와 세로의 합은 몇 m일까요? ($11\frac{11}{28}$ m)

✤ $7\frac{9}{14}+3\frac{3}{4}=7\frac{18}{28}+3\frac{21}{28}=10\frac{39}{28}=11\frac{11}{28}$ (m)

❸ 직사각형의 네 변의 길이의 합은 몇 m일까요? ($22\frac{11}{14}$ m)

✤ $11\frac{11}{28}+11\frac{11}{28}=22\frac{22}{28}=22\frac{11}{14}$ (m)

정답과 풀이 19쪽

2 다음 직사각형 모양의 집을 보고 직사각형의 네 변의 길이의 합은 몇 m인지 구해 보세요.

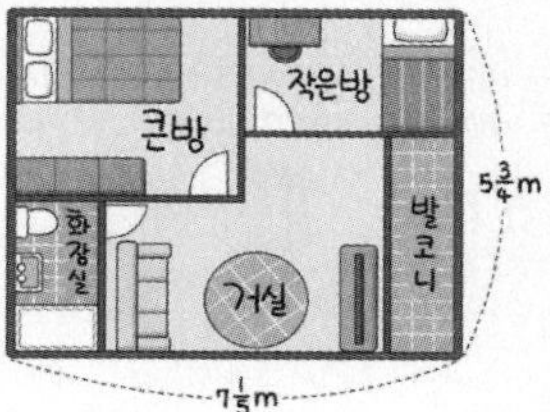

($25\frac{9}{10}$ m)

✤ (가로)+(세로)$=7\frac{1}{5}+5\frac{3}{4}=7\frac{4}{20}+5\frac{15}{20}=12\frac{19}{20}$ (m)
(네 변의 길이의 합)$=12\frac{19}{20}+12\frac{19}{20}=24\frac{38}{20}=25\frac{18}{20}=25\frac{9}{10}$ (m)

3 다음 등산로 코스를 보고 가장 긴 코스와 가장 짧은 코스의 거리의 합과 차를 각각 구해 보세요.

코스	거리
입구 ~ 약수터	$2\frac{1}{6}$ km
약수터 ~ 폭포	$3\frac{5}{8}$ km
폭포 ~ 정상	$2\frac{4}{9}$ km

합 ($5\frac{19}{24}$ km), 차 ($1\frac{11}{24}$ km)

✤ (가장 긴 코스)+(가장 짧은 코스)
$=3\frac{5}{8}+2\frac{1}{6}=3\frac{15}{24}+2\frac{4}{24}=5\frac{19}{24}$ (km)
(가장 긴 코스)−(가장 짧은 코스)
$=3\frac{5}{8}-2\frac{1}{6}=3\frac{15}{24}-2\frac{4}{24}=1\frac{11}{24}$ (km)

유형 2 바르게 계산하기 (문제 해결)

1 어떤 수에 $3\frac{5}{6}$를 더해야 할 것을 잘못하여 뺐더니 $7\frac{4}{9}$가 되었습니다. 바르게 계산한 값을 구해 보세요.

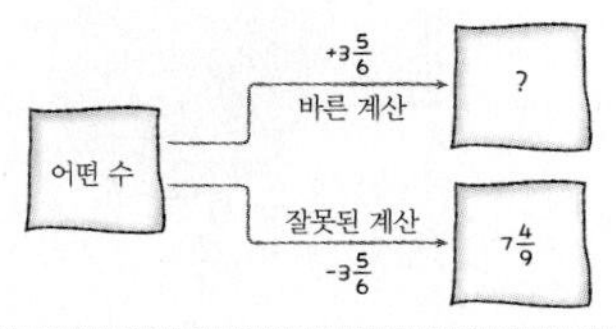

❶ 어떤 수를 □라 하여 잘못 계산한 식을 써 보세요. $□-3\frac{5}{6}=7\frac{4}{9}$

❷ 어떤 수를 구해 보세요. ($11\frac{5}{18}$)

✤ $□=7\frac{4}{9}+3\frac{5}{6}=7\frac{8}{18}+3\frac{15}{18}=10\frac{23}{18}=11\frac{5}{18}$

❸ 바르게 계산한 값을 구해 보세요. ($15\frac{1}{9}$)

✤ 어떤 수가 $11\frac{5}{18}$이므로 바르게 계산하면
$11\frac{5}{18}+3\frac{5}{6}=11\frac{5}{18}+3\frac{15}{18}=14\frac{20}{18}=15\frac{2}{18}=15\frac{1}{9}$입니다.

정답과 풀이 19쪽

2 어떤 수에 $2\frac{3}{4}$을 더해야 할 것을 잘못하여 뺐더니 $1\frac{5}{9}$가 되었습니다. 바르게 계산한 값을 구해 보세요.

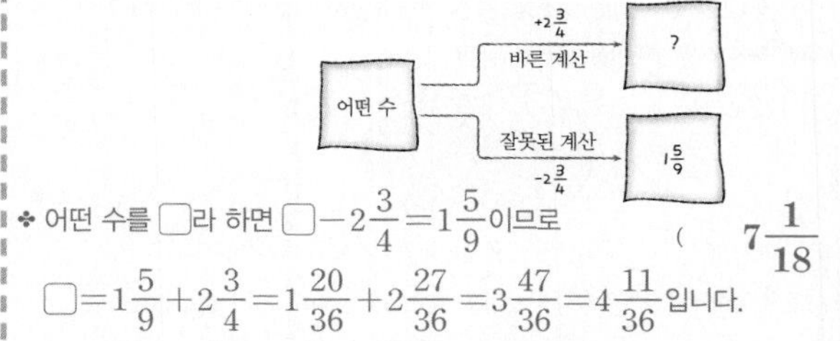

($7\frac{1}{18}$)

✤ 어떤 수를 □라 하면 $□-2\frac{3}{4}=1\frac{5}{9}$이므로
$□=1\frac{5}{9}+2\frac{3}{4}=1\frac{20}{36}+2\frac{27}{36}=3\frac{47}{36}=4\frac{11}{36}$입니다.
➜ $4\frac{11}{36}+2\frac{3}{4}=4\frac{11}{36}+2\frac{27}{36}=6\frac{38}{36}=7\frac{2}{36}=7\frac{1}{18}$

3 어떤 수에서 $1\frac{2}{5}$를 빼야 할 것을 잘못하여 더했더니 $3\frac{4}{7}$가 되었습니다. 바르게 계산한 값에서 $\frac{1}{5}$을 뺀 수를 구해 보세요.

($\frac{4}{7}$)

✤ 어떤 수를 □라 하면 $□+1\frac{2}{5}=3\frac{4}{7}$이므로
$□=3\frac{4}{7}-1\frac{2}{5}=3\frac{20}{35}-1\frac{14}{35}=2\frac{6}{35}$입니다.
➜ $2\frac{6}{35}-1\frac{2}{5}=2\frac{6}{35}-1\frac{14}{35}=1\frac{41}{35}-1\frac{14}{35}=\frac{27}{35}$
➜ $\frac{27}{35}-\frac{1}{5}=\frac{27}{35}-\frac{7}{35}=\frac{20}{35}=\frac{4}{7}$

4 어떤 수에서 $1\frac{1}{4}$을 뺀 후 $2\frac{3}{10}$을 더해야 할 것을 잘못하여 어떤 수에 $1\frac{1}{4}$을 더하기만 했더니 $8\frac{1}{10}$이 되었습니다. 바르게 계산한 값을 구해 보세요.

($7\frac{9}{10}$)

✤ 어떤 수를 □라 하면 $□+1\frac{1}{4}=8\frac{1}{10}$이므로
$□=8\frac{1}{10}-1\frac{1}{4}=8\frac{2}{20}-1\frac{5}{20}=7\frac{22}{20}-1\frac{5}{20}=6\frac{17}{20}$입니다.
➜ $6\frac{17}{20}-1\frac{1}{4}+2\frac{3}{10}=6\frac{17}{20}-1\frac{5}{20}+2\frac{6}{20}$
$=5\frac{12}{20}+2\frac{6}{20}=7\frac{18}{20}=7\frac{9}{10}$

유형 ③ 분수로 만들어 계산하기 (문제 해결)

1 강호와 윤하는 각자 가지고 있는 수 카드를 한 번씩만 사용하여 가장 큰 대분수를 만들려고 합니다. 두 사람이 만들 수 있는 가장 큰 대분수의 합은 얼마인지 구해 보세요.

❶ 강호가 만들 수 있는 가장 큰 대분수를 써 보세요.

✤ 가장 큰 대분수를 만들려면 자연수 부분에 가장 큰 수를 놓고 나머지 두 수로 진분수를 만들면 됩니다.

❷ 윤하가 만들 수 있는 가장 큰 대분수를 써 보세요.

❸ 두 사람이 만들 수 있는 가장 큰 대분수의 합은 얼마일까요? ($8\frac{1}{6}$)

✤ $3\frac{1}{2}+4\frac{2}{3}=3\frac{3}{6}+4\frac{4}{6}=7\frac{7}{6}=8\frac{1}{6}$

정답과 풀이 20쪽

2 수 카드 중에서 3장을 골라 한 번씩만 사용하여 만들 수 있는 가장 큰 대분수와 가장 작은 대분수의 차를 구해 보세요.

3 7 8 1

($7\frac{3}{56}$)

✤ 가장 큰 대분수: $8\frac{3}{7}$, 가장 작은 대분수: $1\frac{3}{8}$

➜ $8\frac{3}{7}-1\frac{3}{8}=8\frac{24}{56}-1\frac{21}{56}=7\frac{3}{56}$

3 3개의 주사위를 던져 나온 눈의 수입니다. 주사위의 수로 만들 수 있는 가장 큰 대분수와 가장 작은 대분수의 합과 차를 각각 구해 보세요.

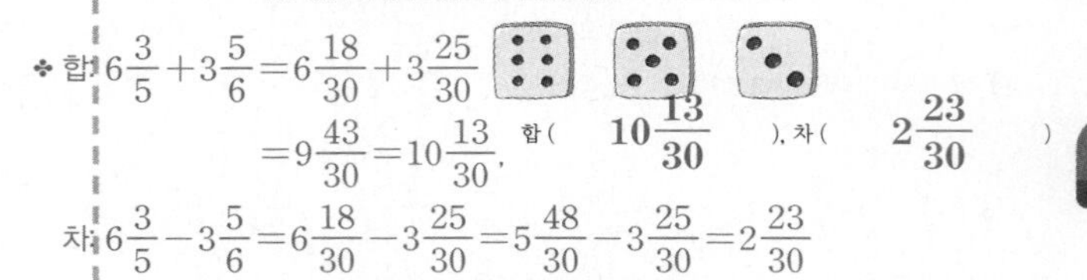

합 ($10\frac{13}{30}$), 차 ($2\frac{23}{30}$)

✤ 합: $6\frac{3}{5}+3\frac{5}{6}=6\frac{18}{30}+3\frac{25}{30}=9\frac{43}{30}=10\frac{13}{30}$,

차: $6\frac{3}{5}-3\frac{5}{6}=6\frac{18}{30}-3\frac{25}{30}=5\frac{48}{30}-3\frac{25}{30}=2\frac{23}{30}$

4 4장의 수 카드 중에서 2장을 골라 진분수를 만들려고 합니다. 만들 수 있는 진분수 중에서 가장 큰 진분수와 두 번째로 큰 진분수의 합을 구해 보세요.

9 5 2 1

❶ 만들 수 있는 진분수를 모두 구해 보세요.

($\frac{5}{9}, \frac{2}{9}, \frac{1}{9}, \frac{2}{5}, \frac{1}{5}, \frac{1}{2}$)

❷ 위 ❶에서 구한 진분수 중에서 가장 큰 진분수와 두 번째로 큰 진분수의 합을 구해 보세요.

($1\frac{1}{18}$)

✤ $\left(\frac{5}{9}, \frac{2}{9}, \frac{1}{9}, \frac{2}{5}, \frac{1}{5}, \frac{1}{2}\right)$

➜ $\left(\frac{50}{90}, \frac{20}{90}, \frac{10}{90}, \frac{36}{90}, \frac{18}{90}, \frac{45}{90}\right)$

➜ $\frac{5}{9}>\frac{1}{2}>\frac{2}{5}>\frac{2}{9}>\frac{1}{5}>\frac{1}{9}$ ➜ $\frac{5}{9}+\frac{1}{2}=\frac{10}{18}+\frac{9}{18}=\frac{19}{18}=1\frac{1}{18}$

5 단원

유형 ④ 겹쳐진 부분 이용하기 (문제 해결)

1 안에 있는 두 분수의 합은 $3\frac{7}{8}$이고, 안에 있는 두 분수의 합은 $3\frac{5}{12}$입니다. ㉠과 ㉡에 알맞은 분수의 합과 차를 각각 구해 보세요.

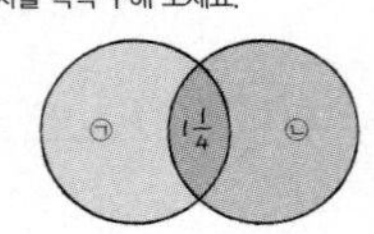

❶ ㉠에 알맞은 분수를 구해 보세요. ($2\frac{5}{8}$)

✤ ㉠$+1\frac{1}{4}=3\frac{7}{8}$이므로 ㉠$=3\frac{7}{8}-1\frac{1}{4}=3\frac{7}{8}-1\frac{2}{8}=2\frac{5}{8}$입니다.

❷ ㉡에 알맞은 분수를 구해 보세요. ($2\frac{1}{6}$)

✤ $1\frac{1}{4}+$㉡$=3\frac{5}{12}$이므로

㉡$=3\frac{5}{12}-1\frac{1}{4}=3\frac{5}{12}-1\frac{3}{12}=2\frac{2}{12}=2\frac{1}{6}$입니다.

❸ ㉠과 ㉡에 알맞은 분수의 합을 구해 보세요. ($4\frac{19}{24}$)

✤ ㉠$+$㉡$=2\frac{5}{8}+2\frac{1}{6}=2\frac{15}{24}+2\frac{4}{24}=4\frac{19}{24}$

❹ ㉠과 ㉡에 알맞은 분수의 차를 구해 보세요. ($\frac{11}{24}$)

✤ ㉠$-$㉡$=2\frac{5}{8}-2\frac{1}{6}=2\frac{15}{24}-2\frac{4}{24}=\frac{11}{24}$

정답과 풀이 20쪽

2 안에 있는 두 분수의 합은 $2\frac{3}{10}$이고, 안에 있는 세 분수의 합은 $3\frac{9}{70}$입니다. ㉠과 ㉡에 알맞은 분수를 각각 구해 보세요.

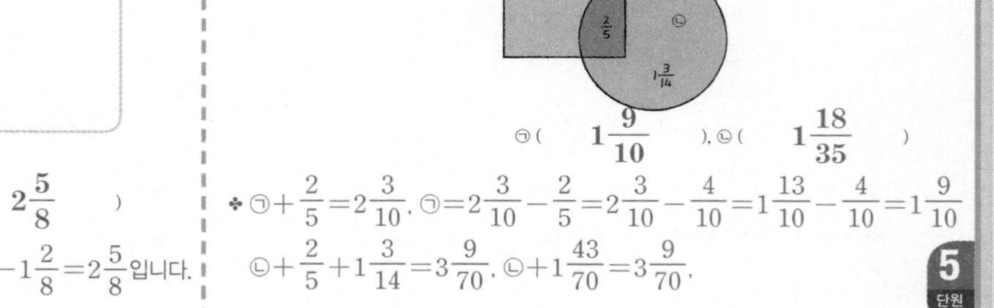

㉠ ($1\frac{9}{10}$), ㉡ ($1\frac{18}{35}$)

✤ ㉠$+\frac{2}{5}=2\frac{3}{10}$, ㉠$=2\frac{3}{10}-\frac{2}{5}=2\frac{3}{10}-\frac{4}{10}=1\frac{13}{10}-\frac{4}{10}=1\frac{9}{10}$

㉡$+\frac{2}{5}+1\frac{3}{14}=3\frac{9}{70}$, ㉡$+1\frac{43}{70}=3\frac{9}{70}$,

㉡$=3\frac{9}{70}-1\frac{43}{70}=2\frac{79}{70}-1\frac{43}{70}=1\frac{36}{70}=1\frac{18}{35}$

3 다음 그림과 같이 길이가 $1\frac{3}{14}$ m인 종이테이프 3장을 $\frac{2}{5}$ m씩 겹치게 이어 붙였습니다. 이어 붙인 종이테이프의 전체 길이는 몇 m인지 구해 보세요.

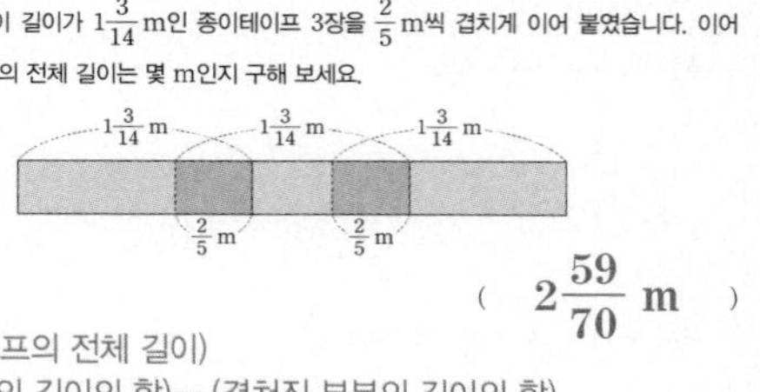

($2\frac{59}{70}$ m)

✤ (이어 붙인 종이테이프의 전체 길이)

=(종이테이프 3장의 길이의 합)−(겹쳐진 부분의 길이의 합)

$=\left(1\frac{3}{14}+1\frac{3}{14}+1\frac{3}{14}\right)-\left(\frac{2}{5}+\frac{2}{5}\right)=3\frac{9}{14}-\frac{4}{5}$

$=3\frac{45}{70}-\frac{56}{70}=2\frac{115}{70}-\frac{56}{70}=2\frac{59}{70}$ (m)

5 단원

유형 5 무게 계산하기

문제 해결

1 무게가 같은 농구공 3개의 무게를 재어 보니 $1\frac{6}{7}$ kg이었습니다. 이 농구공 9개가 들어 있는 가방의 무게가 $6\frac{4}{5}$ kg일 때 빈 가방 3개의 무게는 몇 kg인지 구해 보세요.

❶ 농구공 9개의 무게는 몇 kg인지 구해 보세요.

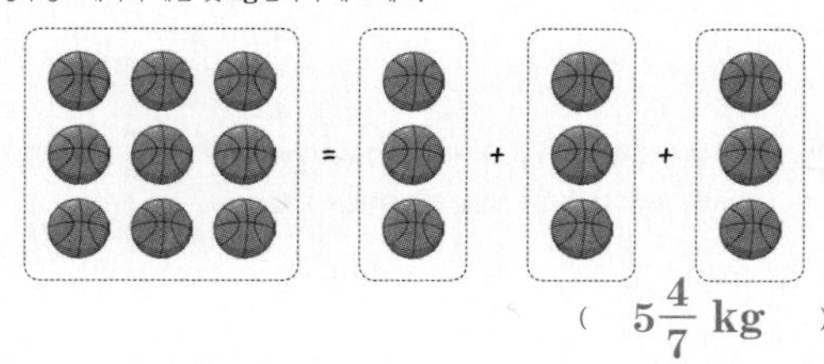

($5\frac{4}{7}$ kg)

✣ (농구공 9개의 무게) $=1\frac{6}{7}+1\frac{6}{7}+1\frac{6}{7}=3\frac{18}{7}=5\frac{4}{7}$ (kg)

❷ 빈 가방 한 개의 무게는 몇 kg인지 구해 보세요.

($1\frac{8}{35}$ kg)

✣ (빈 가방 한 개의 무게)
$=6\frac{4}{5}-5\frac{4}{7}=6\frac{28}{35}-5\frac{20}{35}=1\frac{8}{35}$ (kg)

❸ 빈 가방 3개의 무게는 몇 kg인지 구해 보세요.

($3\frac{24}{35}$ kg)

✣ (빈 가방 3개의 무게)
$=1\frac{8}{35}+1\frac{8}{35}+1\frac{8}{35}=3\frac{24}{35}$ (kg)

✣ (고구마 2개의 무게)
$=5\frac{3}{6}-3\frac{1}{5}=5\frac{15}{30}-3\frac{6}{30}=2\frac{9}{30}=2\frac{3}{10}$ (kg)

2 무게가 같은 고구마 4개가 들어 있는 상자의 무게가 $5\frac{3}{6}$ kg입니다. 고구마 2개를 빼고 무게를 재었더니 무게가 $3\frac{1}{5}$ kg이라면 빈 상자 5개의 무게는 몇 kg인지 구해 보세요.

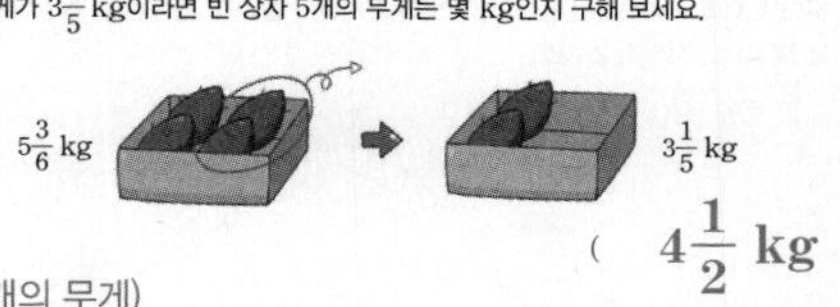

($4\frac{1}{2}$ kg)

(빈 상자 한 개의 무게)
$=3\frac{1}{5}-2\frac{3}{10}=3\frac{2}{10}-2\frac{3}{10}=2\frac{12}{10}-2\frac{3}{10}=\frac{9}{10}$ (kg)
(빈 상자 5개의 무게)
$=\frac{9}{10}+\frac{9}{10}+\frac{9}{10}+\frac{9}{10}+\frac{9}{10}=\frac{45}{10}=4\frac{1}{2}$ (kg)

3 물이 가득 들어 있는 물통의 무게가 $10\frac{1}{8}$ kg입니다. 물의 절반을 사용하고 다시 무게를 재어 보니 $5\frac{5}{12}$ kg이었습니다. 빈 물통 2개의 무게는 몇 kg인지 구해 보세요.

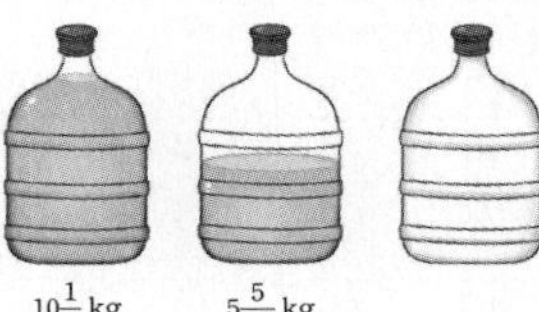

($1\frac{5}{12}$ kg)

✣ (물 절반의 무게)
$=10\frac{1}{8}-5\frac{5}{12}=10\frac{3}{24}-5\frac{10}{24}=9\frac{27}{24}-5\frac{10}{24}=4\frac{17}{24}$ (kg)
(빈 물통 한 개의 무게) $=5\frac{5}{12}-4\frac{17}{24}=5\frac{10}{24}-4\frac{17}{24}=4\frac{34}{24}-4\frac{17}{24}=\frac{17}{24}$ (kg)
(빈 물통 2개의 무게) $=\frac{17}{24}+\frac{17}{24}=\frac{34}{24}=1\frac{10}{24}=1\frac{5}{12}$ (kg)

5 단원

유형 6 마방진에서 알맞은 수 구하기

문제 해결

1 가로, 세로, 대각선 방향에 있는 세 수의 합이 모두 같은 마방진입니다. ㉠, ㉡, ㉢에 알맞은 수를 각각 구해 보세요.

$\frac{3}{4}$	$\frac{1}{8}$	㉠
	$\frac{5}{8}$	
㉡	$1\frac{1}{8}$	㉢

❶ 세로 방향으로 놓여 있는 세 수의 합을 구해 보세요.

$\frac{1}{8}+\frac{5}{8}+1\frac{1}{8}=\boxed{1\frac{7}{8}}$

✣ $\frac{1}{8}+\frac{5}{8}+1\frac{1}{8}=\frac{6}{8}+1\frac{1}{8}=1\frac{7}{8}$

❷ ㉠에 알맞은 수를 구해 보세요.

$\frac{3}{4}+\frac{1}{8}+㉠=\boxed{1\frac{7}{8}}$ ➔ $㉠=\boxed{1}$

✣ $\frac{3}{4}+\frac{1}{8}+㉠=1\frac{7}{8}$ ➔ $㉠=1\frac{7}{8}-\frac{3}{4}-\frac{1}{8}=1\frac{7}{8}-\frac{6}{8}-\frac{1}{8}=1$

❸ ㉡에 알맞은 수를 구해 보세요.

$\boxed{1}+\frac{5}{8}+㉡=\boxed{1\frac{7}{8}}$ ➔ $㉡=\boxed{\frac{1}{4}}$

✣ $1+\frac{5}{8}+㉡=1\frac{7}{8}$ ➔ $㉡=1\frac{7}{8}-1-\frac{5}{8}=\frac{7}{8}-\frac{5}{8}=\frac{2}{8}=\frac{1}{4}$

❹ ㉢에 알맞은 수를 구해 보세요.

$\boxed{\frac{1}{4}}+1\frac{1}{8}+㉢=\boxed{1\frac{7}{8}}$ ➔ $㉢=\boxed{\frac{1}{2}}$

✣ $\frac{1}{4}+1\frac{1}{8}+㉢=1\frac{7}{8}$

➔ $㉢=1\frac{7}{8}-\frac{1}{4}-1\frac{1}{8}=1\frac{7}{8}-\frac{2}{8}-1\frac{1}{8}=1\frac{5}{8}-1\frac{1}{8}=\frac{4}{8}=\frac{1}{2}$

✣ $4\frac{5}{12}+6\frac{3}{4}+5\frac{1}{12}=4\frac{5}{12}+6\frac{9}{12}+5\frac{1}{12}$
$=15\frac{15}{12}=16\frac{3}{12}=16\frac{1}{4}$

2 가로, 세로, 대각선 방향에 있는 세 분수의 합이 모두 같은 마방진입니다. ㉠에 알맞은 분수를 구해 보세요.

$4\frac{5}{12}$	$6\frac{3}{4}$	$5\frac{1}{12}$
	㉠	
		$6\frac{5}{12}$

($5\frac{5}{12}$)

$4\frac{5}{12}+㉠+6\frac{5}{12}=16\frac{1}{4}$
➔ $㉠=16\frac{1}{4}-4\frac{5}{12}-6\frac{5}{12}=15\frac{15}{12}-4\frac{5}{12}-6\frac{5}{12}=5\frac{5}{12}$

3 가로, 세로, 대각선 방향에 있는 세 분수의 합이 모두 같은 마방진입니다. ㉠과 ㉡에 알맞은 분수를 각각 구해 보세요.

㉡		$2\frac{7}{18}$
$2\frac{5}{9}$		$2\frac{1}{3}$
㉠	$2\frac{2}{9}$	$2\frac{11}{18}$

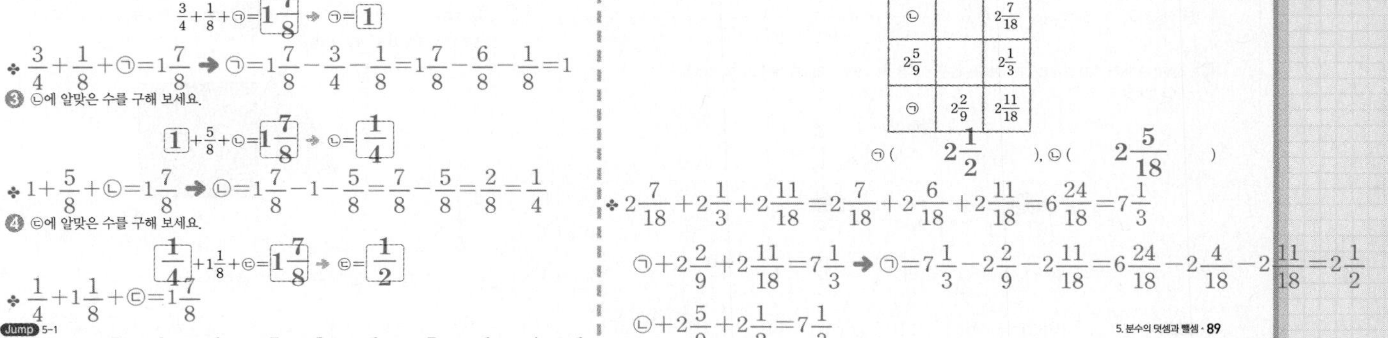

㉠ ($2\frac{1}{2}$), ㉡ ($2\frac{5}{18}$)

✣ $2\frac{7}{18}+2\frac{1}{3}+2\frac{11}{18}=2\frac{7}{18}+2\frac{6}{18}+2\frac{11}{18}=6\frac{24}{18}=7\frac{1}{3}$
$㉠+2\frac{2}{9}+2\frac{11}{18}=7\frac{1}{3}$ ➔ $㉠=7\frac{1}{3}-2\frac{2}{9}-2\frac{11}{18}=6\frac{24}{18}-2\frac{4}{18}-2\frac{11}{18}=2\frac{1}{2}$
$㉡+2\frac{5}{9}+2\frac{1}{2}=7\frac{1}{3}$
➔ $㉡=7\frac{1}{3}-2\frac{5}{9}-2\frac{1}{2}=6\frac{24}{18}-2\frac{10}{18}-2\frac{9}{18}=2\frac{5}{18}$

5 단원

정답과 풀이 22쪽

사고력 종합 평가

1 윤아네 집에서 이모네 집을 가려면 병원을 지나야 합니다. 윤아네 집에서 이모네 집까지의 거리는 몇 km인지 구해 보세요.

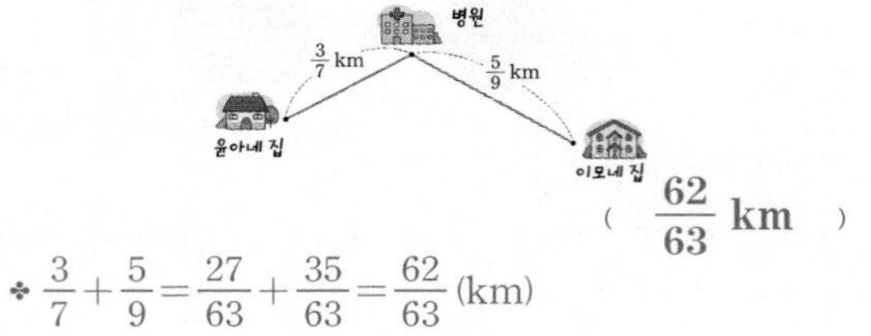

($\frac{62}{63}$ km)

✤ $\frac{3}{7}+\frac{5}{9}=\frac{27}{63}+\frac{35}{63}=\frac{62}{63}$ (km)

2 재활용 종이를 종서는 $4\frac{3}{8}$ kg, 리라는 $3\frac{7}{10}$ kg을 모았습니다. 두 사람이 모은 재활용 종이 중에서 $3\frac{3}{4}$ kg을 팔았다면 남은 재활용 종이는 몇 kg인지 구해 보세요.

($4\frac{13}{40}$ kg)

✤ (두 사람이 모은 재활용 종이의 무게)

$=4\frac{3}{8}+3\frac{7}{10}=4\frac{15}{40}+3\frac{28}{40}=7\frac{43}{40}=8\frac{3}{40}$ (kg)

(남은 재활용 종이의 무게)

$=8\frac{3}{40}-3\frac{3}{4}=8\frac{3}{40}-3\frac{30}{40}=7\frac{43}{40}-3\frac{30}{40}=4\frac{13}{40}$ (kg)

3 어떤 일을 하는 데 1시간 동안 건주는 전체의 $\frac{1}{4}$을, 채민이는 전체의 $\frac{1}{5}$을 합니다. 같은 빠르기로 2시간 동안 건주와 채민이가 하는 일은 전체의 몇 분의 몇인지 구해 보세요.

($\frac{9}{10}$)

✤ (1시간 동안 두 사람이 하는 일의 양)$=\frac{1}{4}+\frac{1}{5}=\frac{5}{20}+\frac{4}{20}=\frac{9}{20}$

(2시간 동안 두 사람이 하는 일의 양)$=\frac{9}{20}+\frac{9}{20}=\frac{18}{20}=\frac{9}{10}$

4 민아는 어제 위인전 한 권을 사서 어제는 전체의 $\frac{2}{9}$를 읽고, 오늘은 전체의 $\frac{5}{12}$를 읽었습니다. 민아가 읽지 않은 부분은 전체의 얼마인지 구해 보세요.

($\frac{13}{36}$)

✤ 민아가 읽은 부분은 전체의 $\frac{2}{9}+\frac{5}{12}=\frac{8}{36}+\frac{15}{36}=\frac{23}{36}$이므로

읽지 않은 부분은 전체의 $1-\frac{23}{36}=\frac{36}{36}-\frac{23}{36}=\frac{13}{36}$입니다.

5 어떤 수에서 $2\frac{2}{7}$를 뺀 후 $1\frac{3}{14}$을 더해야 할 것을 잘못하여 어떤 수에 $2\frac{2}{7}$를 더한 후 $1\frac{3}{14}$을 뺐더니 7이 되었습니다. 바르게 계산한 값은 얼마인지 구해 보세요.

($4\frac{6}{7}$)

✤ 어떤 수를 □라 하면 $□+2\frac{2}{7}-1\frac{3}{14}=7$이므로

$□=7-2\frac{2}{7}+1\frac{3}{14}=6\frac{7}{7}-2\frac{2}{7}+1\frac{3}{14}=4\frac{5}{7}+1\frac{3}{14}=4\frac{10}{14}+1\frac{3}{14}=5\frac{13}{14}$입니다.

➔ $5\frac{13}{14}-2\frac{2}{7}+1\frac{3}{14}=5\frac{13}{14}-2\frac{4}{14}+1\frac{3}{14}=3\frac{9}{14}+1\frac{3}{14}=4\frac{12}{14}=4\frac{6}{7}$

6 3장의 수 카드를 한 번씩만 사용하여 만들 수 있는 가장 큰 대분수와 가장 작은 대분수의 합과 차를 각각 구해 보세요.

4 7 9

합 ($14\frac{22}{63}$), 차 ($4\frac{50}{63}$)

✤ 합: $9\frac{4}{7}+4\frac{7}{9}=9\frac{36}{63}+4\frac{49}{63}=13\frac{85}{63}=14\frac{22}{63}$

차: $9\frac{4}{7}-4\frac{7}{9}=9\frac{36}{63}-4\frac{49}{63}=8\frac{99}{63}-4\frac{49}{63}=4\frac{50}{63}$

정답과 풀이 22쪽

사고력 종합 평가

7 3장의 수 카드 중에서 2장을 골라 진분수를 만들려고 합니다. 만든 두 진분수의 차가 가장 클 때의 값을 구해 보세요.

5 6 8

($\frac{5}{24}$)

✤ 만들 수 있는 진분수: $\left(\frac{5}{6}, \frac{5}{8}, \frac{6}{8}\right)$ ➔ $\left(\frac{20}{24}, \frac{15}{24}, \frac{18}{24}\right)$ ➔ $\frac{5}{6}>\frac{6}{8}>\frac{5}{8}$

차가 가장 클 때의 값: $\frac{5}{6}-\frac{5}{8}=\frac{20}{24}-\frac{15}{24}=\frac{5}{24}$

8 무게가 같은 멜론 2개의 무게를 재어 보니 $2\frac{2}{3}$ kg이었습니다. 이 멜론 4개가 들어 있는 상자의 무게가 $4\frac{4}{5}$ kg일 때 빈 상자의 무게는 몇 kg인지 구해 보세요.

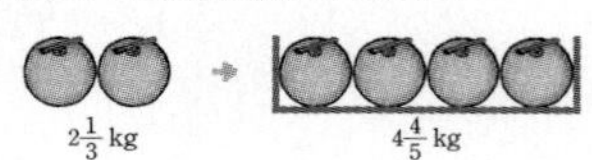

($\frac{2}{15}$ kg)

✤ (멜론 4개의 무게)$=2\frac{1}{3}+2\frac{1}{3}=4\frac{2}{3}$ (kg)

(빈 상자의 무게)$=4\frac{4}{5}-4\frac{2}{3}=4\frac{12}{15}-4\frac{10}{15}=\frac{2}{15}$ (kg)

9 선우가 집에서 학교로 바로 가는 거리는 친구네 집을 지나가는 거리보다 몇 km 더 가까운지 구해 보세요.

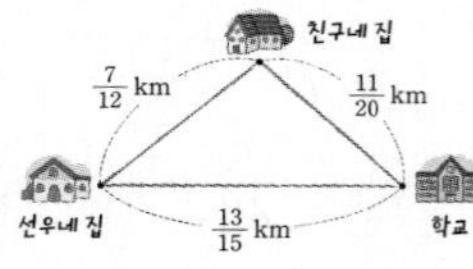

($\frac{4}{15}$ km)

✤ (선우네 집~친구네 집~학교)

$=\frac{7}{12}+\frac{11}{20}=\frac{35}{60}+\frac{33}{60}=\frac{68}{60}=1\frac{8}{60}=1\frac{2}{15}$ (km)

➔ $1\frac{2}{15}-\frac{13}{15}=\frac{17}{15}-\frac{13}{15}=\frac{4}{15}$ (km)

10 한 개의 무게가 $\frac{5}{9}$ kg인 수박과 한 개의 무게가 $\frac{1}{6}$ kg인 배가 있습니다. 무게가 $\frac{1}{3}$ kg인 상자에 수박 2개와 배 11개를 담으면 무게는 모두 몇 kg이 되는지 구해 보세요.

($3\frac{5}{18}$ kg)

✤ (수박 2개의 무게)$=\frac{5}{9}+\frac{5}{9}=\frac{10}{9}=1\frac{1}{9}$ (kg),

(배 11개의 무게)$=\frac{11}{6}=1\frac{5}{6}$ (kg)

➔ $1\frac{1}{9}+1\frac{5}{6}+\frac{1}{3}=1\frac{2}{18}+1\frac{15}{18}+\frac{6}{18}=2\frac{23}{18}=3\frac{5}{18}$ (kg)

11 명철이는 수학 공부를 $1\frac{3}{5}$시간, 영어 공부를 $1\frac{1}{4}$시간, 과학 공부를 50분 했습니다. 명철이가 공부한 시간은 모두 몇 시간 몇 분인지 구해 보세요.

(3시간 41분)

✤ (수학 공부를 한 시간)+(영어 공부를 한 시간)

$=1\frac{3}{5}+1\frac{1}{4}=1\frac{12}{20}+1\frac{5}{20}=2\frac{17}{20}$(시간)

$2\frac{17}{20}$시간$=2\frac{51}{60}$시간$=$2시간 51분이므로 명철이가 공부를 한 시간은 모두 2시간 51분+50분=3시간 41분입니다.

12 ▲ 안에 있는 두 분수의 합은 $4\frac{7}{20}$이고, ■ 안에 있는 세 분수의 합은 $5\frac{3}{4}$입니다. ㉠과 ㉡에 알맞은 분수의 차를 구해 보세요.

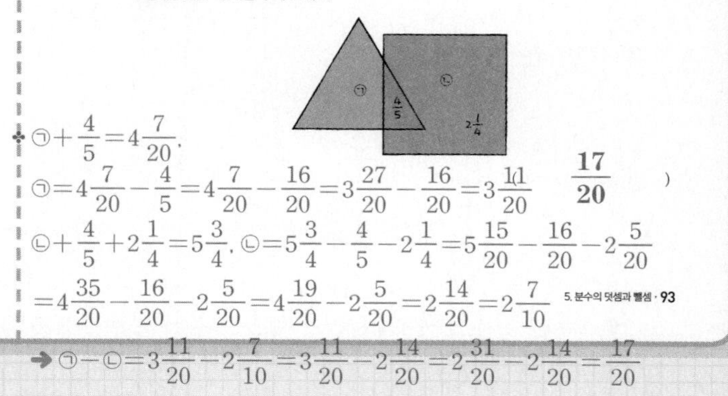

($\frac{17}{20}$)

✤ ㉠$+\frac{4}{5}=4\frac{7}{20}$,

㉠$=4\frac{7}{20}-\frac{4}{5}=4\frac{7}{20}-\frac{16}{20}=3\frac{27}{20}-\frac{16}{20}=3\frac{11}{20}$

㉡$+\frac{4}{5}+2\frac{1}{4}=5\frac{3}{4}$, ㉡$=5\frac{3}{4}-\frac{4}{5}-2\frac{1}{4}=5\frac{15}{20}-\frac{16}{20}-2\frac{5}{20}$

$=4\frac{35}{20}-\frac{16}{20}-2\frac{5}{20}=4\frac{19}{20}-2\frac{5}{20}=2\frac{14}{20}=2\frac{7}{10}$

➔ ㉠$-$㉡$=3\frac{11}{20}-2\frac{7}{10}=3\frac{11}{20}-2\frac{14}{20}=2\frac{31}{20}-2\frac{14}{20}=\frac{17}{20}$

94쪽

사고력 종합 평가 　　정답과 풀이 23쪽

13 엄마가 있는 곳부터 오누이가 있는 곳까지의 거리는 몇 km인지 구해 보세요.

엄마가 있는 곳부터 달고개까지 거리는 $2\frac{3}{4}$ km, 구름고개부터 오누이가 있는 곳까지의 거리는 $1\frac{7}{10}$ km, 구름고개부터 달고개까지의 거리는 $\frac{4}{5}$ km입니다.

($3\frac{13}{20}$ km)

✤ (엄마~오누이)=(엄마~달고개)+(구름고개~오누이)−(구름고개~달고개)

$=2\frac{3}{4}+1\frac{7}{10}-\frac{4}{5}=2\frac{15}{20}+1\frac{14}{20}-\frac{16}{20}$

$=3\frac{29}{20}-\frac{16}{20}=3\frac{13}{20}$ (km)

14 가로, 세로, 대각선 방향에 있는 세 수의 합이 각각 모두 같은 마방진입니다. ㉠과 ㉡에 알맞은 수를 구해 보세요.

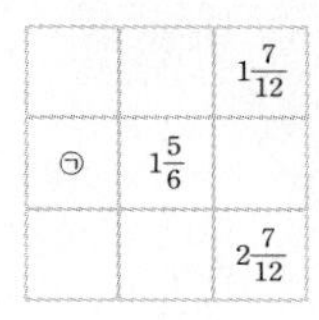

		$1\frac{7}{12}$
㉠	$1\frac{5}{6}$	
		$2\frac{7}{12}$

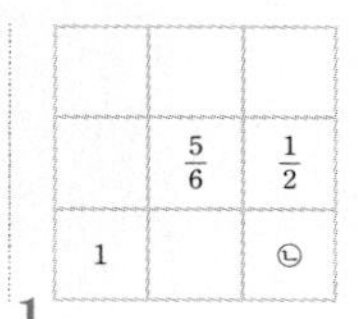

	$\frac{5}{6}$	$\frac{1}{2}$
1		㉡

㉠ ($2\frac{1}{3}$), ㉡ ($1\frac{1}{3}$)

✤ ㉠$+1\frac{5}{6}=1\frac{7}{12}+2\frac{7}{12}=4\frac{1}{6}$, ㉠$=4\frac{1}{6}-1\frac{5}{6}=3\frac{7}{6}-1\frac{5}{6}=2\frac{1}{3}$

㉡$+\frac{1}{2}=1+\frac{5}{6}=1\frac{5}{6}$ ➜ ㉡$=1\frac{5}{6}-\frac{1}{2}=1\frac{5}{6}-\frac{3}{6}=1\frac{1}{3}$

94 · Jump 5-1

[GO! 매쓰]
여기까지 5단원 내용입니다.
다음부터는 6단원 내용이 시작합니다.

96쪽 ~ 97쪽

정답과 풀이 23쪽

유형 ① 직각으로 된 도형의 둘레 (문제 해결)

1 다음 도형의 둘레는 몇 cm인지 구하려고 합니다. 물음에 답하세요.

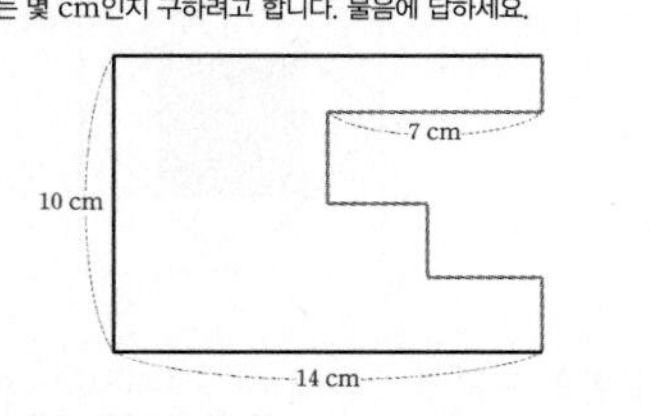

① 빨간색 변의 길이는 모두 몇 cm일까요?

✤ 빨간색 변의 길이의 합은 길이가 10 cm인 변의 길이와 같습니다. (10 cm)

② 파란색 변을 뺀 나머지 변의 길이는 모두 몇 cm일까요?

✤ $(14+10)\times2=48$ (cm) (48 cm)

③ 파란색 변의 길이는 모두 몇 cm일까요?

✤ $7\times2=14$ (cm) (14 cm)

④ 도형의 둘레는 몇 cm일까요?

✤ $48+14=62$ (cm) (62 cm)

96 · Jump 5-1

2 다음 도형의 둘레는 몇 cm일까요?

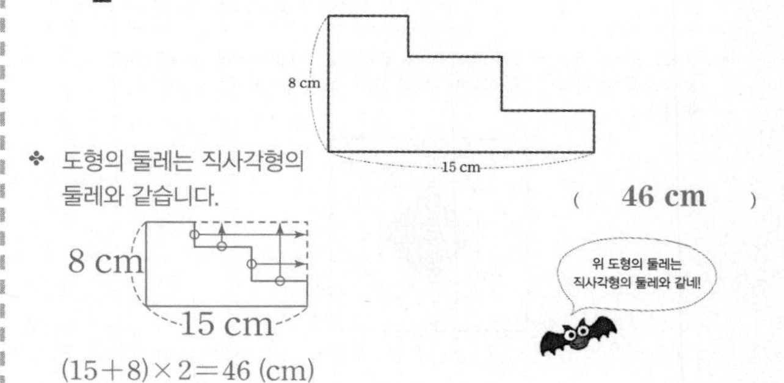

✤ 도형의 둘레는 직사각형의 둘레와 같습니다.

(46 cm)

$(15+8)\times2=46$ (cm)

3 다음 도형의 둘레는 몇 cm일까요?

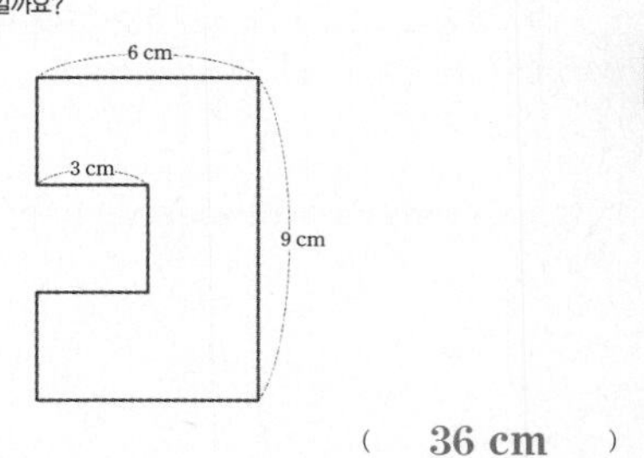

(36 cm)

✤ $6\times2+9\times2+3\times2=12+18+6=36$ (cm)

6 단원

6. 다각형의 둘레와 넓이 · 97

유형 ② 잘라낸 도형의 넓이 (문제 해결)

정답과 풀이 24쪽

1 직사각형 모양의 잔디밭이 있습니다. 이 잔디밭에 작은 놀이터를 만들기 위해 그림과 같이 마름모 모양으로 잔디를 깎았습니다. 잔디가 남아 있는 부분의 넓이를 구해 보세요.

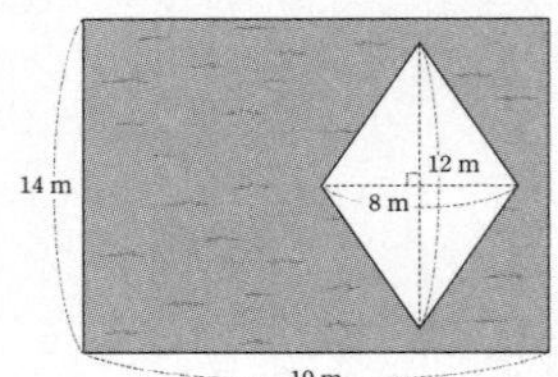

❶ 직사각형 모양의 잔디밭의 넓이를 구해 보세요.

✤ $19 \times 14 = 266\ (\text{m}^2)$ ($266\ \text{m}^2$)

❷ 잔디를 깎아낸 마름모의 넓이를 구해 보세요.

✤ $12 \times 8 \div 2 = 48\ (\text{m}^2)$ ($48\ \text{m}^2$)

❸ 잔디가 남아 있는 부분의 넓이를 구해 보세요.

✤ $266 - 48 = 218\ (\text{m}^2)$ ($218\ \text{m}^2$)

2 색칠한 다각형 모양의 꽃밭의 넓이를 구해 보세요.

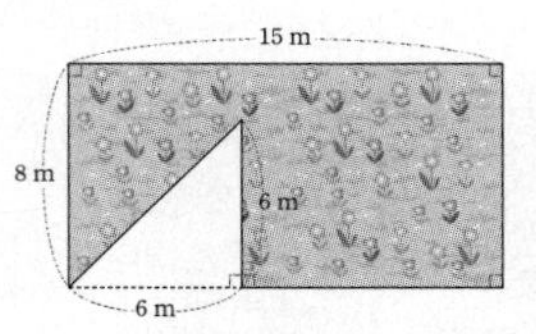

($102\ \text{m}^2$)

✤ 전체 직사각형의 넓이에서 삼각형의 넓이를 빼면 됩니다.
$(15 \times 8) - (6 \times 6 \div 2) = 120 - 18 = 102\ (\text{m}^2)$

3 다음과 같은 직사각형 모양의 땅이 있습니다. 색칠한 곳은 장미밭을 만들고 나머지 부분은 공원을 만들려고 합니다. 장미밭의 넓이를 구해 보세요.

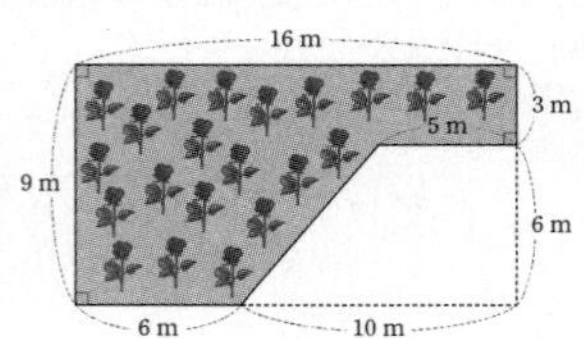

($99\ \text{m}^2$)

✤ 전체 직사각형의 넓이에서 사다리꼴의 넓이를 빼면 됩니다.
$(16 \times 9) - (5 + 10) \times 6 \div 2 = 144 - 45 = 99\ (\text{m}^2)$

6 단원

유형 ③ 변의 가운데 점들로 만든 사각형 (창의·융합)

정답과 풀이 24쪽

1 한 변의 길이가 36 cm인 정사각형을 그리고 정사각형의 각 변의 가운데 점을 이어 작은 정사각형을 3개 더 그린 것입니다. 빨간색으로 색칠한 정사각형의 넓이는 몇 cm^2인지 구해 보세요.

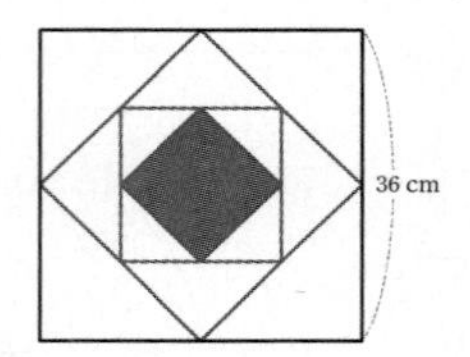

❶ 파란색 정사각형은 한 변의 길이가 36 cm인 정사각형 넓이의 반입니다.

✤ 반 또는 절반, $\frac{1}{2}$도 모두 맞는 답입니다.

❷ 초록색 정사각형의 넓이는 파란색 정사각형 넓이의 반입니다.

❸ 빨간색으로 색칠한 정사각형의 넓이를 구해 보세요.

✤ 빨간색으로 색칠한 정사각형의 넓이는 초록색 정사각형 넓이의 반입니다.
$36 \times 36 \div 2 \div 2 \div 2 = 162\ (\text{cm}^2)$ ($162\ \text{cm}^2$)

2 한 변의 길이가 24 cm인 정사각형을 그리고 정사각형의 각 변의 가운데 점을 이어 정사각형을 2개 더 그린 것입니다. 초록색으로 색칠한 정사각형의 넓이는 몇 cm^2일까요?

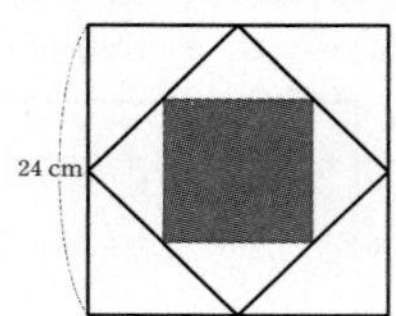

($144\ \text{cm}^2$)

✤ 각 변의 가운데 점을 이어 만든 정사각형의 넓이는 처음 정사각형 넓이의 반입니다.
따라서 초록색으로 색칠한 정사각형의 넓이는
$(24 \times 24) \div 2 \div 2 = 144\ (\text{cm}^2)$입니다.

3 다음은 가로가 20 cm, 세로가 12 cm인 직사각형 안에 각 변의 가운데 점을 이어 작은 사각형을 2개 더 그린 것입니다. 파란색으로 색칠한 사각형의 넓이는 몇 cm^2일까요?

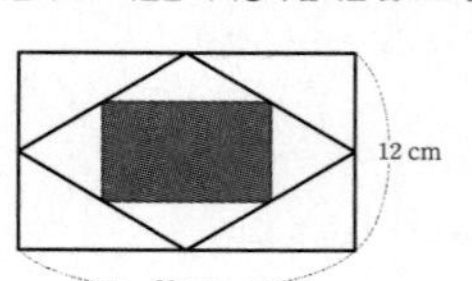

($60\ \text{cm}^2$)

✤ 직사각형의 각 변의 가운데 점을 이어 만든 사각형의 넓이는 처음 직사각형 넓이의 반입니다.
(사각형 ㄱㄴㄷㄹ의 넓이)$= 20 \times 12 \div 2 = 120\ (\text{cm}^2)$
(파란색으로 색칠한 사각형의 넓이)
$= 120 \div 2 = 60\ (\text{cm}^2)$

6 단원

정답과 풀이 25쪽

유형 4 정사각형을 이어 붙인 도형 문제 해결

1 크기가 같은 정사각형 3개를 겹치지 않게 이어 붙여서 다음과 같은 도형을 만들었습니다. 색칠한 부분의 넓이가 150 m^2일 때, 정사각형 1개의 둘레는 몇 m인지 구해 보세요.

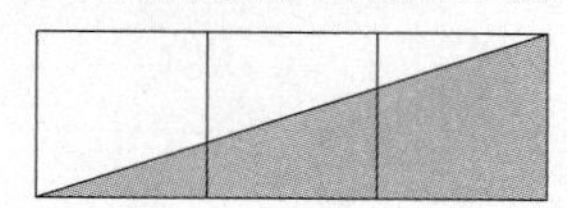

❶ 도형 전체의 넓이는 몇 m^2일까요?

✤ $150 \times 2 = 300\ (m^2)$ (**300 m^2**)

❷ 정사각형 한 개의 넓이는 몇 m^2일까요?

✤ $300 \div 3 = 100\ (m^2)$ (**100 m^2**)

❸ 정사각형의 한 변의 길이는 몇 m일까요?

✤ 정사각형의 한 변의 길이를 □ m라 하면 □×□=100 ➔ □=10 (**10 m**)

❹ 정사각형 1개의 둘레는 몇 m일까요?

✤ $10 \times 4 = 40$ (m) (**40 m**)

2 다음은 크기가 다른 정사각형 3개를 겹치지 않게 이어 붙인 도형입니다. 색칠한 부분의 넓이를 구해 보세요.

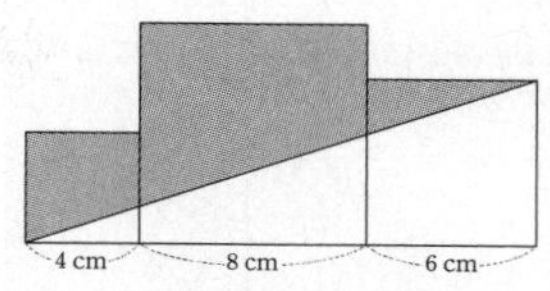

(**62 cm^2**)

✤ (색칠한 부분의 넓이)
=(정사각형 3개의 넓이의 합)−(삼각형의 넓이)
$=(4 \times 4 + 8 \times 8 + 6 \times 6) - (4 + 8 + 6) \times 6 \div 2$
$=116 - 54 = 62\ (cm^2)$

3 다음은 크기가 다른 정사각형 4개를 겹치지 않게 이어 붙인 도형입니다. 색칠한 부분의 넓이를 구해 보세요.

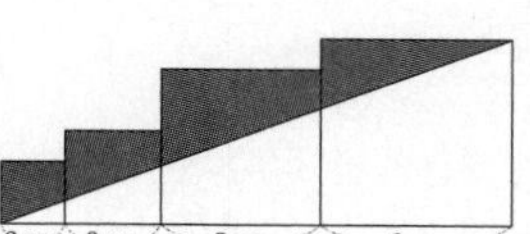

(**26 cm^2**)

✤ (색칠한 부분의 넓이)
=(정사각형 4개의 넓이의 합)−(삼각형의 넓이)
$=(2 \times 2 + 3 \times 3 + 5 \times 5 + 6 \times 6)$
$-(2 + 3 + 5 + 6) \times 6 \div 2$
$=74 - 48 = 26\ (cm^2)$

6 단원

정답과 풀이 25쪽

유형 5 이어 붙인 도형의 둘레 문제 해결

1 ㉮와 ㉯는 크기가 같은 정사각형을 겹치지 않게 이어 붙여서 만든 도형입니다. ㉮의 둘레가 56 cm일 때, ㉯의 둘레를 구해 보세요.

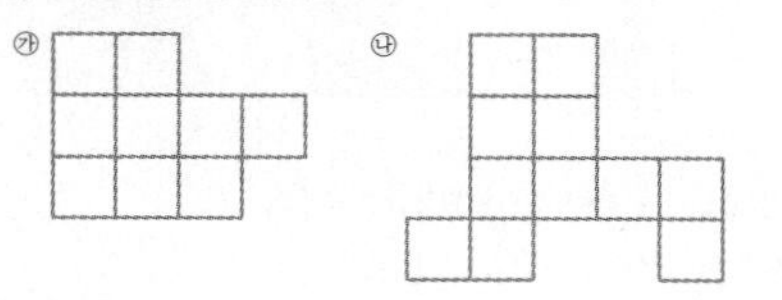

❶ 작은 정사각형의 한 변의 길이를 구해 보세요.

✤ $56 \div 14 = 4$ (cm) (**4 cm**)

❷ ㉯의 둘레는 작은 정사각형의 한 변의 길이의 **20** 배입니다.

❸ ㉯의 둘레를 구해 보세요.

✤ $4 \times 20 = 80$ (cm) (**80 cm**)

2 다음은 둘레가 12 cm인 정사각형 12개를 겹치지 않게 이어 붙여서 만든 도형입니다. 만든 도형의 둘레는 몇 cm일까요?

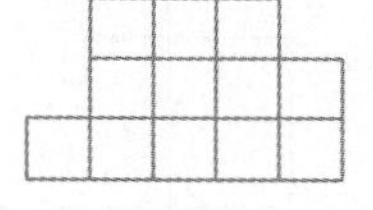

(**48 cm**)

✤ (작은 정사각형의 한 변의 길이)$=12 \div 4 = 3$ (cm)
(만든 도형의 둘레)$=3 \times 16 = 48$ (cm)

3 둘레가 96 m인 정사각형을 다음과 같이 크기가 같은 직사각형 3개로 나누었습니다. 직사각형 1개의 둘레는 몇 m일까요?

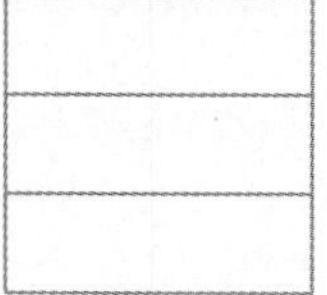

(**64 m**)

✤ (직사각형의 가로)=(정사각형의 한 변의 길이)
$=96 \div 4 = 24$ (m)
(직사각형의 세로)=(정사각형의 한 변의 길이)$\div 3$
$=24 \div 3 = 8$ (m)
(직사각형 1개의 둘레)$=(24 + 8) \times 2$
$=64$ (m)

6 단원

유형 6 겹쳐서 만든 도형의 넓이

문제 해결

1 모양과 크기가 같은 마름모 2개를 겹쳐서 만든 도형입니다. 만든 도형 전체의 넓이는 몇 cm^2인지 구해 보세요.

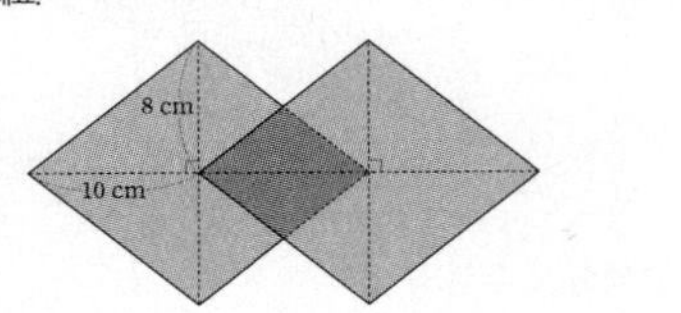

❶ 마름모 1개의 넓이를 구해 보세요.

(160 cm^2)

✣ $20\times16\div2=160$ (cm^2)

❷ 겹쳐진 부분의 넓이를 구해 보세요.

(40 cm^2)

✣ (겹쳐진 부분의 넓이)=(마름모의 넓이)÷4
$=160\div4=40$ (cm^2)

❸ 만든 도형 전체의 넓이를 구해 보세요.

(280 cm^2)

✣ (만든 도형 전체의 넓이)=(마름모 1개의 넓이)×2−(겹쳐진 부분의 넓이)
$=160\times2-40$
$=320-40=280$ (cm^2)

정답과 풀이 26쪽

2 모양과 크기가 같은 마름모 2개를 겹쳐서 만든 도형입니다. 만든 도형 전체의 넓이는 몇 cm^2일까요?

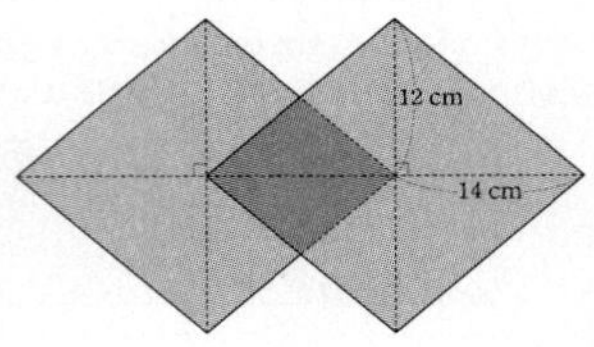

(588 cm^2)

✣ (마름모 1개의 넓이)$=28\times24\div2=336$ (cm^2)
(겹쳐진 부분의 넓이)$=336\div4=84$ (cm^2)
(만든 도형 전체의 넓이)$=336\times2-84$
$=672-84=588$ (cm^2)

3 모양과 크기가 같은 직사각형 2개를 겹쳐서 만든 도형입니다. 겹쳐진 부분은 정사각형이고 겹쳐서 만든 도형 전체의 넓이가 199 m^2일 때, 겹쳐져 있는 정사각형의 한 변의 길이는 몇 m일까요?

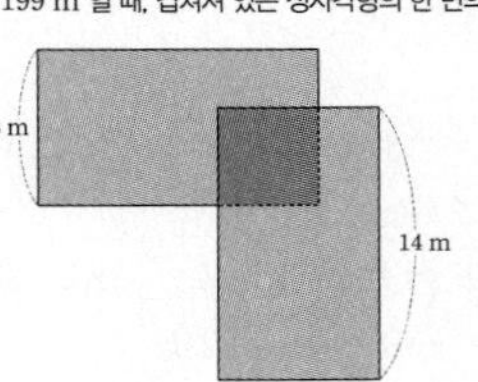

(5 m)

✣ (직사각형 2개의 넓이)$=8\times14\times2=224$ (m^2)
(겹쳐진 부분의 넓이)$=224-199=25$ (m^2)
겹쳐진 정사각형의 한 변의 길이를 □ m라 하면
□×□=25 ➔ □=5입니다.

6 단원

사고력 종합 평가

1 다음 도형의 둘레는 몇 cm인지 구해 보세요.

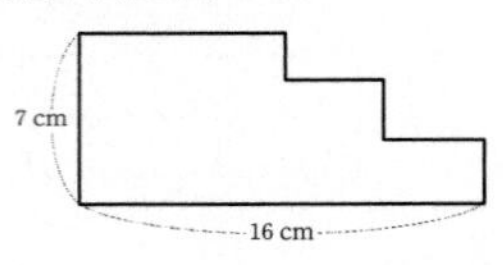

(46 cm)

✣ $(16+7)\times2=46$ (cm)

2 다음 도형의 넓이를 구해 보세요.

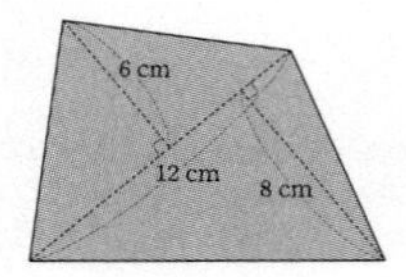

(84 cm^2)

✣ $(12\times6\div2)+(12\times8\div2)=36+48=84$ (cm^2)

3 색칠한 부분의 넓이를 구해 보세요.

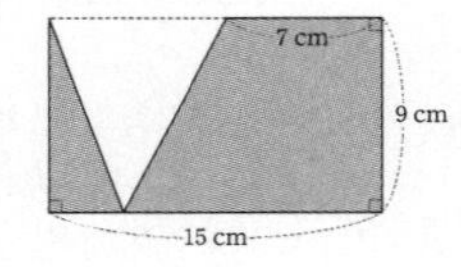

(99 cm^2)

✣ 직사각형의 넓이에서 삼각형의 넓이를 빼면 됩니다.
$(15\times9)-(8\times9\div2)=135-36=99$ (cm^2)

정답과 풀이 26쪽

4 높이가 같은 삼각형의 밑변의 길이가 2배, 3배가 되면 넓이는 각각 몇 배가 되는지 구하려고 합니다. 물음에 답하세요.

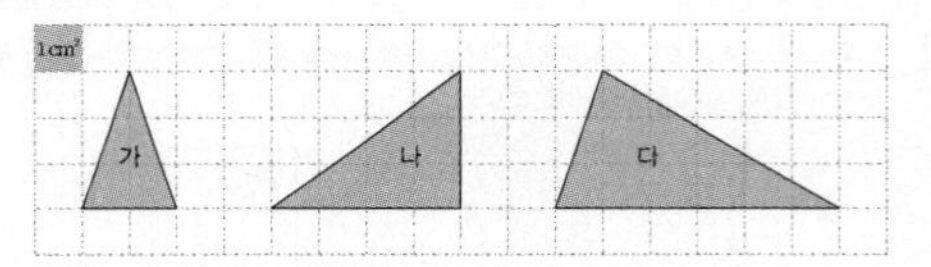

❶ 가, 나, 다 삼각형의 넓이를 각각 구해 보세요.

✣ 가: $2\times3\div2=3$ (cm^2)
나: $4\times3\div2=6$ (cm^2)
다: $6\times3\div2=9$ (cm^2)

가 (3 cm^2)
나 (6 cm^2)
다 (9 cm^2)

❷ □ 안에 알맞은 말을 써넣으세요.

높이가 같은 삼각형의 밑변의 길이가 2배, 3배가 되면 넓이도
각각 [2]배, [3]배가 됩니다.

5 다음 삼각형의 밑변의 길이가 24 cm일 때 높이는 몇 cm인지 구해 보세요.

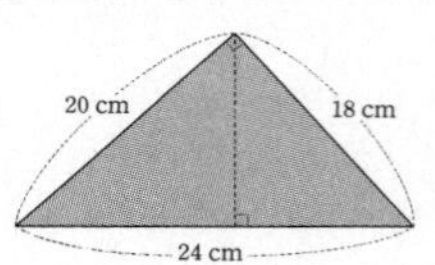

(15 cm)

✣ 밑변의 길이가 20 cm이고 높이가 18 cm일 때
삼각형의 넓이는 $20\times18\div2=180$ (cm^2)입니다.
따라서 밑변의 길이가 24 cm일 때 높이를
□ cm라 하면 24×□÷2=180,
24×□=360, □=360÷24=15입니다.

6 단원

사고력 종합 평가

정답과 풀이 27쪽

6 정사각형의 각 변의 가운데 점을 이어 작은 정사각형을 계속 그린 것입니다. 색칠한 정사각형의 넓이는 몇 cm^2인지 구해 보세요.

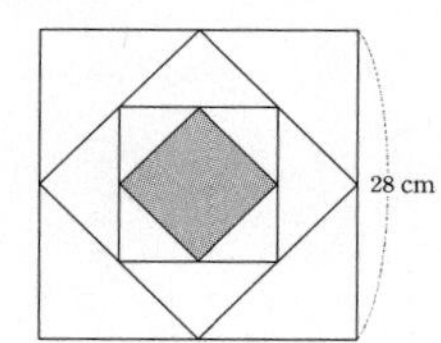

($98\ cm^2$)

✤ 각 변의 가운데 점을 이어 만든 정사각형의 넓이는 만들기 전의 정사각형 넓이의 반입니다. 따라서 색칠한 정사각형의 넓이는 $(28\times28)\div2\div2\div2=98\ (cm^2)$입니다.

7 크기가 같은 정사각형 3개를 겹치지 않게 이어 붙여서 다음과 같은 도형을 만들었습니다. 색칠한 부분의 넓이가 96 cm^2일 때, 정사각형 1개의 둘레는 몇 cm일까요?

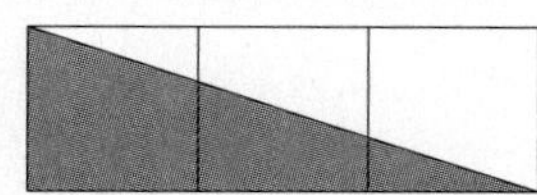

(32 cm)

✤ (도형 전체의 넓이)$=96\times2=192\ (cm^2)$
(정사각형 1개의 넓이)$=192\div3=64\ (cm^2)$
$64=8\times8$이므로 정사각형의 한 변의 길이는 8 cm입니다.
(정사각형 1개의 둘레)$=8\times4=32\ (cm)$

8 둘레가 20 m인 정사각형의 넓이를 구해 보세요.

($25\ m^2$)

✤ (정사각형의 한 변의 길이)$=20\div4=5\ (m)$
(정사각형의 넓이)$=5\times5=25\ (m^2)$

9 크기가 다른 정사각형 3개를 겹치지 않게 이어 붙인 도형입니다. 색칠한 부분의 넓이를 구해 보세요.

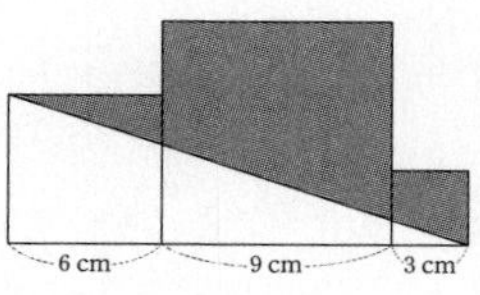

($72\ cm^2$)

✤ (색칠한 부분의 넓이)
$=$(정사각형 3개의 넓이의 합)$-$(삼각형의 넓이)
$=(6\times6+9\times9+3\times3)-(6+9+3)\times6\div2$
$=126-54=72\ (cm^2)$

10 그림과 같이 마름모 모양의 정원이 있습니다. 큰 마름모 모양의 정원 안에 각각의 대각선의 길이의 반을 대각선의 길이로 하는 작은 마름모 모양의 호수를 만들려고 합니다. 호수를 제외한 나머지 정원의 넓이는 몇 m^2일까요?

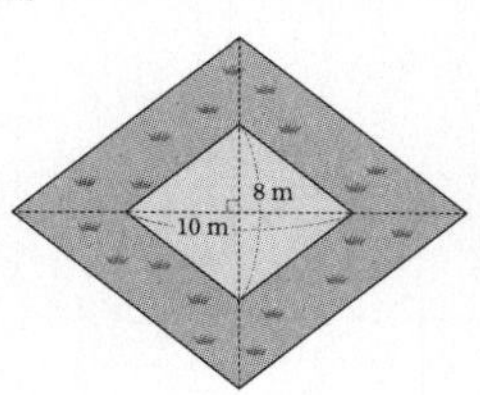

($120\ m^2$)

✤ 큰 마름모의 대각선의 길이는 각각 $10\times2=20\ (m)$, $8\times2=16\ (m)$입니다.
(큰 마름모 모양의 정원의 넓이)$=20\times16\div2=160\ (m^2)$
(작은 마름모 모양의 호수의 넓이)$=10\times8\div2=40\ (m^2)$
(호수를 제외한 나머지 정원의 넓이)$=160-40=120\ (m^2)$

6 단원

사고력 종합 평가

정답과 풀이 27쪽

11 둘레가 48 m인 정사각형 모양의 땅을 그림과 같이 크기가 같은 6개의 직사각형 모양으로 나누어 꽃밭을 꾸미려고 합니다. 직사각형 모양의 꽃밭 1개의 둘레는 몇 m일까요?

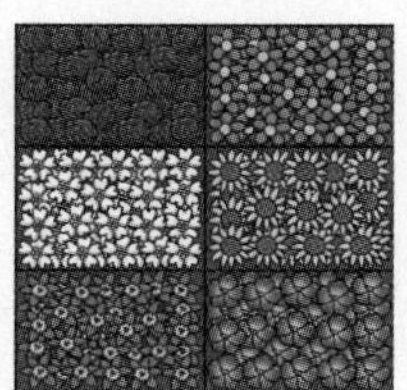

(20 m)

✤ (정사각형 모양 땅의 한 변의 길이)$=48\div4=12\ (m)$
(직사각형 모양 꽃밭의 가로)$=12\div2=6\ (m)$
(직사각형 모양 꽃밭의 세로)$=12\div3=4\ (m)$
(직사각형 1개의 둘레)$=(6+4)\times2=20\ (m)$

12 모양과 크기가 같은 직사각형 모양의 공원이 있고 두 공원이 겹쳐져 있는 곳에 정사각형 모양의 꽃밭을 만들었습니다. 공원 전체의 넓이가 239 m^2일 때, 겹쳐져 있는 정사각형 모양의 꽃밭의 한 변의 길이는 몇 m인지 구해 보세요.

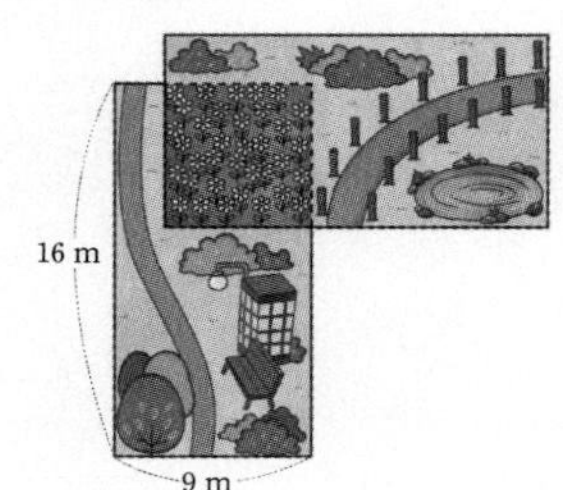

(7 m)

✤ (직사각형 2개의 넓이)$=16\times9\times2=288\ (m^2)$
(겹쳐진 부분의 넓이)$=288-239=49\ (m^2)$
겹쳐진 정사각형의 한 변의 길이를 □ m라 하면
□$\times$□$=49$ ➜ □$=7$입니다.

Memo